도덕경 편지 |하|

도덕경 편지 | 하 |

가톨릭 신부가
상주 가르멜 여자수도원 수녀님들에게 보낸

교회인가 | 2020년 1월 20일
1판 1쇄 발행 2020년 6월 20일
1판 2쇄 발행 2021년 5월 1일

편   저 | 신대원 신부(안동교회사연구소 소장)
펴낸이 | 권혁주 주교(천주교 안동교구장)
펴낸곳 | 도서출판 동명
         천주교 안동교회사연구소
         전화 : (054) 858-3111~4
              (054) 673-4152
         천주교 안동교구청 http://www.acatholic.or.kr
         천주교 안동교구성지위원회 cafe.daum.net/adsungji

디자인 | 권진희
야생화사진 | 전형빈
표지사진 | 정상국

등록 | 1996년 3월 6일
주소 | 대구광역시 중구 서성로7(동산동)
전화 | 053)257-9669
팩스 | 053)257-9667
휴대폰 | 010-2518-2355
이메일 | dm-print@hanmail.net

ISBM 978-89-97443-10-9
값 15,000원

도덕경 편지 |하|

가톨릭 신부가
상주 가르멜 여자수도원 수녀님들에게 보낸

편저 **신대원** 신부

도서
출판 **동명**

『도덕경 편지』 출간을 축하드리며 …

권혁주 주교(천주교 안동교구장)

　　먼저 신대원 신부님의 역저『도덕경 편지』의 출간을 진심으로 축하드립니다. 신대원 신부님은 사제서품 30주년 기념으로 이 책을 출간하겠다고 하셨는데, 저도 이 자리를 빌려 신 신부님의 동기 사제들인 김도겸 신부님과 정진훈 신부님의 사제서품 30주년도 함께 축하드리고 싶습니다.

　　이번에 출간되는『도덕경 편지』는 2,500년 전 중국의 춘추시대 사상가요 도교의 창시자라고 일컫는 노자의『도덕경』을 신 신부님이 상주 가르멜 여자 수도원 수녀님들에게 편지 형식으로 강의한 것을 상·하 두 권으로 엮어낸 것입니다. 따라서 엄밀한 의미에서 이 책은 수녀님들에게 강의를 한 형식을 취한 것이기 때문에『도덕경 강의』라고 해도 좋고, 또 그 형식이 편지였으니『도덕경 편지』라고 해도 좋을 것입니다.

우리는 동아시아의 사상과 문화의 전통에는 다양한 것이 있다는 사실을 잘 알고 있습니다. 그러나 여기서 유(儒), 불(佛), 도(道) 3교를 제외시켜 두고서는 우리가 아무것도 말할 수 없다는 것도 사실입니다. 그래서 그리스도교가 이러한 동아시아의 사상과 문화의 전통이라는 토양 속에서 우리에게 전래되어 우리의 전통문화 안에 뿌리를 내려 오늘에까지 이르렀다면, 우리가 이 사상과 문화의 전통을 무시하고서 결코 이 땅에서 천주 신앙과 그리스도의 복음을 제대로 선포한다고 말할 수는 없을 것입니다.

이미 신대원 신부님은 흔히 유가사상의 정점이라고 일컬어지는『중용(中庸)』에 대해서『중용 속에서 놀다』(2010)라는 이름으로 책을 출간한 적이 있습니다. 이제 다시 신 신부님은 유가의 사상과 더불어 도가의 사상의 출발점이라고 볼 수 있는『도덕경』을 소재로 하여 그리스도교 사상, 그 가운데서 특별히『성경』과 더불어 자신의 신앙적 견해를 덧붙여 봉쇄수도원에서 생활하시는 수녀님들에게 소개하고 함께 나누고 있는 것입니다. 신 신부님의 끊임없는 이러한 연구와 복음적인 관심에 깊이 감사를 드리는 바입니다.

이 책은 81장이나 되는 『도덕경』 전문을 번역한 뒤, 저자의 생각을 불어넣어 한 달에 한 편씩 수녀님들께 편지 형식으로 보냈던 내용을 정리한 것입니다. 이렇게 편지 형식으로 보낼 수밖에 없었던 이유는 간단합니다.

신 신부님이 상주 가르멜 여자 수도원에서 사목하실 때, 수녀님들께 약속했던 『도덕경』 강의를 해 드리지 못한 채 인사이동 되어 멀리 봉화 땅에 있는 우곡(愚谷) 성지로 떠나셨기 때문에 그렇게 할 수밖에 없었습니다. 그리하여 신 신부님은 수녀님들과의 약속을 지키기 위해 매달 꼬박꼬박 편지 형식으로 『도덕경』 강의를 하셨던 것입니다.

그리고 신 신부님은, 그렇게 강의하고 전달하였던 내용을 그냥 묻어두기가 아까워 안동교구 선후배 동료 사제들과 나누고 싶어서 『도덕경』 발간을 결심하게 되었다고 합니다.

『도덕경』 안에는 참으로 우리 인생살이에서 귀담아 새겨 둘 글귀들이 많습니다. 예컨대 "유무상생(有無相生 : 있는 이와 없는 이는 서로 살게 해주고)(2장)", "상선약수(上善若水 : 최고의 지혜는 흐르는 물과 같다)(8장)", "도법자연(道法自然 : 도는 스스로 그러하신 분을 본받는다)(25장)" 등등입니다.

교구의 모든 신부님들과 교우들께서도 한 번쯤 읽어보시고 신앙인으로 마음을 다잡아보는 데 도움이 되었으면 합니다. 노자의 『도덕경』 속에는 노자라는 걸출한 현자가 바라다 본 그만의 사람 사는 세상의 삶의 방식, 생활 철학이 들어 있습니다.

이렇게 좋은 책을 소개해 주신 신 신부님에게 다시 한 번 감사드립니다. 그리고 사제로서 지난 30년 동안 교회와 지역 사회를 위해 기쁘게 봉사해 주심에 대해서도 이 자리를 빌려 감사드리고 싶습니다. 아시다시피 지금은 한국 사회뿐 아니라 전 세계 지구촌이 코로나19로 몸살을 앓고 있고, 모두가 힘겹게 그 어려움을 견디어내면서 살아가고 있습니다.

아무쪼록 이럴 때 이 책이 어렵고 힘들게 살아가는 사람들에게 조금이라도 삶에 보탬이 되고 다시 일어서는 희망의 활력소가 될 수 있다면 얼마나 좋을까 고대해 봅니다.

2020년 5월 1일 노동자의 주보이신 성 요셉 축일에

| 서문 |

다시 노자를 읽어야만 하는 시대

김병수 신부(한국외방선교회)

안동에 사시는 신대원 신부님으로부터 《도덕경 편지》에 관한 〈서문〉에 대해 의뢰를 받았다. 몇 가지 생각이 금세 스쳐 지나갔다. 십여 년전 상하이에서 처음 만났을 때부터 나는 신 신부님에게서 노자적인 인상을 받았다. 친절하고 겸손해서 그러하고 여성스럽고 다감해서 또한 노자를 닮았다고 생각했다. 원고를 읽어 가면서 그런 느낌은 더욱 굳어졌다. 소머리산 아래 은둔 생활을 하시는 봉쇄수녀님들께 그것도 연애편지 쓰듯이 도덕경을 해설해 주셨다.

또 본인은 우곡(愚谷 : 바보 계곡)에 사시면서 도덕경을 강해한다니 곡신불사를 읊으신 노자를 닮았다. 우곡에서 살면 노자의 도덕경을 쓰실 수밖에 없겠다는 생각이 든다.

도덕경을 풀이한 책은 많다. 그러나 정말 뼛속까지 노자인 사람, 노자처럼 살아가는 사람이 쓴 해설은 다르다. 신 신부님의 이 도덕경 편지를 읽어 보면 유유자적이다. 숙제처럼 쓴 글이 아니니 읽는 이 역시 집착하지 않아도 된다. 물 흐르듯 읽히는 글은 저자 역시 그렇게 집착하지 않고 썼기 때문일 것이다. 이 책은 세 가지 관점, 곧 수도자의 길, 여성에 대한 이해, 생태의 원리에서 그 현대적 가치를 매길 수 있다. 수도자가 유가를 읽으면 매사에 적극적이고 노력할 것을 요구 받는다. '誠'이라는 방법론을 쓰기 때문이다. 일찍이 '막스 베버'는 유가의 근면, 성실에서 화상(華商)들의 경제 원리를 간파했었다. 하지만 수도자가 노, 장을 읽으면 지혜를 찾게 된다. 인생의 궁극적 문제를 건드리기 때문인데 그 방법론은 '無爲'에 있다. 무위는 수도자들에게는 '거룩한 수동'으로 이해되어야 제격이다. 신의 존재와 섭리를 전제로 자아를 이해하기 때문이다. 신대원 신부님의 도덕경 편지는 그런 의미에서 매우 구도자적인 작업이다. 편지 형식은 대면을 하면서 강의하는 것과는 다른 차원에서 이루어지는데 객관적인 성찰로 이어질 수 있다.

노자는 어쩌면 그리도 여성에 대한 깊은 이해가 있었을까? 그리고 공자는 어찌 그리 여성에 대해 부정적일까? 그렇게 두 사람의 사상을 들여다보면 노자는 자(雌)의 철학이요, 공자는 웅(雄)의 철학이다. 우스갯소리로 노자는 엄마의 뱃속에서 80년을 살다 나와서 그런가? 그리고 공자는 악처에 시달려서 여성에 대한 부정적 트라우마가 생긴 것은 아닐까? 〈논어〉양화(陽貨)편에 '여자와 소인은 다루기 어렵다. 가까이 하면 불손하게 굴고 멀리하면 원망한다'(唯女子與小人 爲難養也近之則不孫遠之則怨)는 말이 나온다. 단편적이지만 이 말은 공자의 여성관을 짐작케 한다. 여성이라는 존재에 대해 '너무 가까이 하지도 말고 너무 멀리 하지도 말라'(不可近不可遠)는 뜻으로 읽힌다. 중국의 유교문화는 가부장적이다. 모든 축은 '사대부'라는 돌쩌귀를 중심으로 돌았다. 여성은 '웅(雄)'의 소유물이었을 뿐이다. 반면 노자는 여성적이다. '곡신불사(谷神不死)'는 사대부들을 향한 항거였고 '상선약수(上善若水)'는 그 원리이다. 곡신은 생명을 잉태하는 모든 암컷의 성기이다. 만물의 존재와 지속은 '생명창조'에 근거한다. 물로써 그 만물 잉태와 양육에 직접 참여하는 '자(雌)'의 역할은 신의 창조에 협력하는 일이다. 불은 분노하고 투쟁하고 생명을 불사른다.

서양 문물은 불의 문명이다. 그 불의 열기에 지구와 생태계가 죽어가고 있다. 현대 문명을 치유할 수 있는 길은 노자에 있고 그 길을 노자는 물의 지혜로 풀이한다.

케케묵은 말 꺼내는 것 같지만 "다시 노자이다." 노자이어야 함은 이 시대의 아픔과 치유의 절박성 때문이다. 옛글을 회상하며 감상에 젖기 위함이 아니라 '온고지신'의 지혜를 찾기 위함이다. 신 신부님은 도덕경을 인류를 향한 '비가(悲歌)요, 애가(哀歌)요, 연가(戀歌)'라 하셨다. 세상을 향한 노자의 맺힌 '한풀이' 혹은 세상을 위한 그의 '마지막 참된 삶에 관한 메시지'라 했다. 노자는 세상에 무슨 한이 그리 많았을까? 중국의 사상사 속에서 유교는 지난 3천 년간 '큰형님(大哥)'노릇을 했고 통치자들은 유가에게서 통치권과 기득권을 얻었다. 유교는 그렇게 스스로 도통(道統)이었고 대 전통(大傳統)이었다. 중국 공산당이 다시 공자를 찾고 유가를 숭상한다고 법석이다. 자신들의 기득권과 통치권을 확보하기 위함이다. 하지만 노장 철학은 중국 역사에서 한 번도 제대로 된 대접을 받아본 적이 없었다. 그렇게 달빛 으슥한 곳에서 서민들의 애환을, 아픔을 어루만져 주는 소 전통적 역할을 면면히 담당해 왔을 뿐이다. 그러나 역사를 바라보는 각도가 달라졌다. 거시사적 역사관의 허함을 보았기에 미시사적 역사관에서 답을 찾으려 하고 있다. 노자의 그 섬세함이 큰 지혜로 다가온다.

다시 모계 사회로 회귀하고 있는 현상이 전 세계적으로 감지되지만 한국 사회가 더 현저하다. 사실 자연계의 원형은 모계 사회이다. 신 모계 사회적 현상은 지난 몇천 년 간 인류의 역사 속에서 진행되어온 여성에 대한 불평등과 불균형적 인간 이해에 대한 항거일 것이다. 마오쩌뚱은 일찍이 혁명의 시작에서부터 "하늘의 반을 떠받치고 있는 것은 여성이다"는 말로 혁명을 성공으로 이끌었다. 무신론적 사회주의

마저 여성에 대해서는 공자보다 공정했고 깊었다.

그리스도교적 전통 역시 성의 불균형, 가부장적 구조를 지닌 유다이즘에 근거하고 있다. 뉴에이지는 그 틈새를 파고들고 있다. 기존의 종교들이 놓치고 있는 여성 이해의 틈을 파고들고 있으며 기성종교의 가치와 역할에 파괴력을 발휘하고 있으니 여성에 대한 교회의 새로운 이해와 패러다임이 요구되고 있다.

한 세기가 지나서 다시 들어보니 무위하라고 '렛잇비'를 외치던 비틀즈의 메시지가 예언자적으로 들린다. 근심에 처해있을 때 그 '지혜의 말씀(Words of wisdom)'을 일러주시던 그 '마더메리'는 폴 메카트니의 친어머니였을까? 80년간 노자를 품고 길러낸 노자의 어머니였을까? 아니면 자연의 어머니, 대지의 여신 '가이아'였을까? 이 세상을, 자연을 욕망으로 좌지우지하지 말고 그대로 내버려 두라고 외치는 비틀즈는 이제는 노자적 절규로 다가온다.

노자는 주변인이다. 소 전통으로…
노자는 여성이다. 곡신불사로…
노자는 화합한다. 상생으로 …
노자는 쉼이다. 무위로…

12

우리의 몸이 지극히 곧 하느님께서 태초에 만들어주신 그 몸
이라고 생각한다면, 뭇 인간들이 자신들의 잣대로 지껄여대는
그 어떤 총애나 수모에 대해서도 연연하지 않을 수 있다.

| 차 례 |

15

예로부터 하나를 얻은 자들이 있었지.
하늘은 하나를 얻어서 맑아졌고, 땅은 하나를 얻어서 편안해졌으며,
신령은 하나를 얻어서 영험해지고, 골짜기는 하나를 얻어서 꽉 채워졌으며,
만물은 하나를 얻어서 살아가고, 통치자는 하나를 얻어서 천하를 올곧게 하였지.

최고의 덕은 덕스럽지가 않다네. 이로써 덕을 지니고 있지.
낮은 덕은 덕스러움을 잃지 않으려 하지. 이로써 덕을 지니지 못하게 되지.
최고의 덕은 함이 없으면서도 할거리마저 없애나가고,
낮은 덕은 하면서도 할거리를 가지고 있지.

38장

최고의 덕은 덕스럽지가 않다네.

수녀님, 여름이 한껏 익어가더니 드디어 가을 냄새를 풍기는 계절이 성큼 다가오기 시작하였습니다. 하늘이며 산자락들이 이제는 제법 군데군데 가을이 자리잡기 시작하기라도 하는 듯 보입니다. 지금 우리는 『도덕경』 37장까지를 보아왔습니다.

이제 38장을 볼 터인데, 지금까지 보아 온 장절과는 다른 약간의 차이를 알아챌 수 있을 것입니다. 앞에서는 '도'에 관한 집중적인 담론으로 점철되었다면, 이제는 '도'보다는 '덕'에 관해서 노자의 생각을 더 많이 이야기해 주고 있다는 것을 눈치 챌 수 있을 것입니다. 그래서 사람들은 앞의 것을 〈도경(道經)〉이라 부르고, 이제부터 보아야 할 81장까지를 〈덕경(德經)〉이라 부르곤 한답니다. 하지만 굳이 구분해서 '도'와 '덕'으로 나누었지만, 실은 두 가지를 서로 구분하거나 구별해낸다는 것이 큰 의미는 없다고 봅니다. 이를테면 이 두 가지가 곧 동전의 양면과 같기 때문입니다.

사람들은 예로부터 흔히 '도-덕(道德)'을 '내-왕(來往)', '정-동

(靜動)', '내-외(內外)', '이-기(理氣)', '양-음(陽陰)' 혹은 더 나아가서 '영-육(靈肉)', '천-인(天人)', '신-인(神人)' 등등과 같이 갈라놓을 수 없는 것으로 해석하였지요. 하지만 사람의 인식 구조상 갈라놓고 이야기할 수밖에 없는 것도 사실이라고 보아야 하지 않을까 싶습니다.

그래야 그 두 가지를 보다 명확하게 설명해낼 수 있고, 또 이를 듣는 이들이 보다 선명하게 알아들을 수 있을 테니까요. 사람들은 또한 『도덕경』을 자신들의 인식 여하에 따라서 〈도경〉과 〈덕경〉으로 구분하여 다른 사람들에게 이를 설명하려고 했지요. 대체로 〈도경〉은 주로 세계의 존재 형식이나 운행 원칙 등을 이야기하고 있다면, 〈덕경〉에서는 그것이 어떻게 사람이 활동하는 현실 세계 안에서 구체적으로 운용 또는 활용되는가에 대한 모습, 태도 등을 담론하고 있지요. 말하자면 말씀이 어떻게 인간의 삶 안에서 구체적으로 실현되고, 인간은 그 말씀을 어떻게 구체적으로 실천해야 하는가 하는 것입니다. 따라서 참된 도는 마치 '도'가 아닌 것처럼 보이듯이 그 '도'를 실행하는 사람의 참된 덕행도 결국 마치 덕을 행하지 않는 것, 자신이 행하는 덕을 '덕'이라 하지 않게 되지요. 이러한 상황을 두고서 사람들은 '무위(無爲)'라고 말하는지도 모를 일입니다.

사실 노자의 도는 인격 혹은 위격적인 실체라기보다는 인격적이지 않는 그러면서도 무신론적인 존재 혹은 실체라고 보아야 할 것입니다. 그럼에도 도는 모든 것을 운행하고, 거기에서 만물이 유출되며 그에 의해서 만물이 생장하고 마침내 모든 것들은 마지막엔 거기에로 돌아가기 때문에 딱히 인격적인 측면이 전혀 없다고는 말할 수 없을 것입니다. 그렇기 때문에 이를 억지로라도 복음과 연결시켜 보면 우선 '도'는 :

"한 처음에 말씀이 계셨다.
　말씀은 하느님과 함께 계셨는데
　말씀은 하느님이셨다.
　그분께서는 한 처음에
　하느님과 함께 계셨다.
　모든 것이 그분을 통하여 생겨났고
　그분 없이 생겨난 것은 하나도 없다.
　그분 안에 생명이 있었으니,
　그 생명은 사람들의 빛이었다."(요한1,1-4)

라는 말씀과 견주어 볼 수 있을 것입니다. 그리고 '덕'에 대해서는

"누가 내 어머니고 내 형제들이냐?
　하느님의 뜻을 실행하는 사람이 바로
　내 형제요 누이요 어머니다."(마르3,33-35)

라는 말씀과 비교해 볼 수 있을 것입니다.

최고의 덕은 덕스럽지 않지(上德不德).

이로써 덕을 지니고 있지(是以有德).

낮은 덕은 덕스러움을 잃지 않으려 하지(下德不失德).

이로써 덕을 지니지 못하게 되지(是以無德).

최고의 덕은 함이 없으면서도 할거리마저 없애나가고(上德無爲而無以爲)

낮은 덕은 하면서도 할거리를 가지고 있지(下德爲之而有以爲).

최고의 인은 하면서도 할거리를 없애나가고(上仁爲之而無以爲)

최고의 의는 하면서도 할거리를 가지고 있으며(上義爲之而有以爲)

최고의 예는 하면서도 아무도 호응하지 않으면(上禮爲之而莫之應)

팔을 걷어붙이고 억지로 잡아끌지(則攘臂而扔之).

노자는 '덕'에 관해서 말하기를, "최고의 덕은 덕스럽지 않다."라고
합니다. 덕을 가진 자, 덕스러운 자는 마치 덕을 가지지 않는 자, 덕스
럽지 못한 자처럼 보인다는 것입니다.

빛이나 소금이나 공기나 자연 등등은 언제나 우리 곁에 있지만, 우
리는 그들이 베푸는 고마움을 잘 느끼지 못하지요. 또 좋은 친구나 좋
은 이웃도 마찬가지입니다. 하지만 그들이 우리 곁에서 떠나가버리면

그때서야 비로소 우리는 그들의 빈자리, 그들이 베풀어 준 온갖 고마움들을 느끼게 되는 것이지요. '덕'도 '도'와 마찬가지로 우리 눈에 잘 띄지 않는다는 것입니다. 그래서 노자는 인간의 삶에 대해 어떤 층계를 두려고 합니다.

그 층계 가운데 가장 위층에 있는 것이 '도'이고, 그 다음이 '덕'이며 또 그 다음은 '인(仁)'-'의(義)'-'예(禮)'의 순서로 보고 있습니다. 그렇다고 인-의-예가 결코 인간 삶에 있어서 나쁜 것이라고는 하지 않습니다. 하위의 것들도 모두 하늘로부터 오는 것이긴 하지만 하늘의 운행 원칙인 '도'와 거리가 멀어져 있다는 것입니다. 뿐만 아니라 노자가 이렇게 순서를 매긴 것은 당시 공자(孔子)의 가르침과 어느 정도 상관이 있었기 때문이 아닐까 싶습니다.

노자는 '무위'를 주장한 반면 공자는 '유위(有爲)' 곧 '인위(人爲)'를 주장하였지요. 따라서 노자가 힘주어 말하는 '도'와 '덕'은 공자나 혹은 세상이 말하는 '인'-'의'-'예'와는 일정 정도 문화적 혹은 문명적인 차이가 있어 보입니다. 말하자면 노자의 '도', '덕'이 '인'과 '의'와 '예'보다 고차원적이라는 이야기이지요. 이런 의미에서 수녀님들의 가르멜 공동체를 생각해 봅니다. 봉쇄된 수도원에서 오로지 하느님을 향한 열정으로 불타오르는 수녀님들의 모습이 그려집니다. 또 복음서에서의 '마르타와 마리아의 이야기'도 떠오릅니다. 예수께서 마르타와 마리아의 집을 방문하셨을 때, 마르타와 마리아 사이에서 드러나는 긴장감에 대해 예수께서는 "마르타야, 마르타야, 너는 많은 일을 염려하고 걱정하는구나. 그러나 필요한 것은 한가지뿐이다. 마리아는 좋은 몫을 선택하였다. 그리고 그것을 빼앗기지 않을 것이다."(루카10,41-42)

그래서 도를 잃어버린 뒤에 덕이 생겨났고(故失道而後德)

덕을 잃어버린 뒤에 인이 생겨났으며(失德而後仁)

인을 잃어버린 뒤에 의가 생겨났고(失仁而後義)

의를 잃어버린 뒤에 예가 생겨났다네(失義而後禮).

무릇 예라는 것은(夫禮者)

충실하고 신실함이 얇아진 것이며 어지러움의 머리이지(忠信之薄而亂之首).

앎보다 앞선다는 것은(前識者),

말씀의 꽃이면서도 어리석음의 시작이지(道之華而愚之始).

위 대목을 곰곰이 음미해보면 도대체 왜 노자가 이러한 주장을 했을까 하는 생각을 하게 합니다. 노자는 사람들이 '도'를 잃어버렸기 때문에 '덕'이 생겨났다고 합니다. 그리고 차례대로 '인'이 생겨나고 '의'가 생겨났으며, 또 그 뒤에 '예'가 생겨났다고 합니다.

그렇게 된 이유는 곧 사람들의 '충실하고 신실함'이 얇아졌기 때문이라는 것입니다. '충실함과 신실함'의 대상은 곧 도이고, 상위개념들이지요. 따지고 보면 사람들은 본래 도에서 왔고, 도를 살며 도로 되돌아가야 하는 존재들입니다. 이 도는 곧 '하늘의 도(天道)'랍니다. 그런데 사람들은 이 도를 잃어버리고 도의 운행 방식, 실천 방식에 자신의 삶을 투신합니다. 하지만 그것도 잠시뿐, 사람들은 곧 덕마저 버리고 인·의·예에 차례대로 자신들의 몸을 의탁하였지요. 그러나 거기에도 만족하지 못하자 마침내 그것을 버리고 지금은 지(智)에 자신의 모든 것을 걸고 있답니다. 이때 '지'는 지혜를 뜻하는 것이 아니라 '지식(知)'을 뜻합니다. 그래서 오늘날 사람들은 앎, 정보 등등에 목을 매고 있으며 그러한 얄팍한 지식들이 홍수처럼 사방에 넘쳐납니다. 거기에는 '충실함이나 신실함'도 없고, '겸손함도 만족함'도 없으며 오로지 배고파하는 욕망만 우후죽순처럼 일어날 뿐이지요. 어쩌면 오늘날 우리가 이렇게 복잡하게 사는 것도 도나 자연, 곧 '하느님의 말씀'에 귀의하지 못한 자기 자신의 탓이 크겠지요. 그렇게 자기 자신들의 탓들이 모여서 '세상의 탓'을 만들어내고, 세상의 탓이 다시 더 큰 힘으로 자기 자신에게 엄습해 오는 악순환의 고리에 우리가 사로잡혀 있는지도 모를 일입니다.

예수께서는 이러한 악순환의 고리에서 벗어나는 방도로 '하느님의 뜻을 실행하는 사람'이 되라고 말씀하십니다. 그리고 노자도 제대로 된 '참 사람'으로 사는 방법을 다음과 같이 이야기해 줍니다.

그것은 "두터움에 자리잡고 얄팍한 데 머무르지 않으며 저것(인위적이고 형식적인 것)을 버리고 이것(무위적이고 천도적인 것)을 취사선택하라"

는 것이지요.

이래서 대장부는 그 두터움에 자리잡지(是以大丈夫處其厚)
얄팍한 데에는 머무르지 않는다네(不居其薄).
그 참 모습에 자리하지(處其實)
그 꽃에는 머물지 않지(不居其華).
그래서 저것을 버리고 이것을 취한다네(故去彼取此).

수녀님, 지난 여름은 무척 더웠습니다. 그 후텁지근한 날씨 속에서도 이곳 우곡 골짜기엔 아이들의 참 맑은 노래 소리가 울려 퍼졌지요. 이제 모두들 떠나고 난 자리인데도 아직 아이들의 청아한 목소리들이 메아리 되어 산자락이며 나무들 속에서 찬바람이 일 때마다 귓전에 울려옵니다. 오늘은 하루 종일 비바람이 몰아쳐 옵니다. 라디오에서는 이 비바람이 태풍 '고니'의 영향 때문이라고 온종일 이야기합니다. 소머리산 아래 수녀님들 모두 잘 계시지요? 아이들이 떠나고 난 자리에 약간의 정적이 감돕니다만, 그동안 미뤄두었던 원고들이 또 저를 가만히 놔두질 않습니다. 사실 하느님 안에서 보면, '우리를 바쁘게 하는 모든 것들'이 다 부질없는데도 말입니다.

이제 처서도 지나고 곧 구월이 오고, 그렇게 되면 가을은 한층 더 우리 가까이로 다가오겠지요.

모든 수녀님들, 언제나 주님 안에서 몸도 마음도 건강하시길 기도
합니다. 그럼 『도덕경』 제39장에서 뵙겠습니다.

2015년 8월 25일 성 루도비코 축일에

장미

그래서 귀함은 비천함을 뿌리로 삼고,
높음은 낮음을 바탕으로 삼지. 이래서 통치자는 스스로를
'외롭다', '부족하다', '착하지 못하다'라고 하지.
이것이 비천함을 뿌리로 삼은 것이 아닐까?
그래서 명예를 이루려다 명예를 없애버리게 되지.
옥처럼 아름답게 빛나고 싶어하지 말고, 돌처럼 단단해져야 한다네.

| 39장 |

예로부터 하나를 얻은 자들이 있었지

　수녀님, 이미 완연한 가을이 되었다고 생각했는데 아직 우곡의 골
짜기에는 여름이 서성거리고 있네요. 아침저녁으로 기온은 7~8도 정
도로 내려가지만 한낮엔 여전히 무덥고요. 매미 소리와 쓰르라미 소리
가 흐르는 개울물과 어울려 막바지 여름의 향연을 즐기려는 듯 보입니
다. 그래도 계절이 바뀌고 오는 가을을 그들도 어쩌지는 못할 것 같습
니다. 별이 쏟아지는 밤엔 가을의 전령사들인 귀뚜라미들이 저마다의
목소리로 또 다른 계절이 이미 와 있음을 알려주고 있기 때문이지요.
　『도덕경』 39장에는 벽두부터 '하나(一)'를 내세웁니다. 이미 눈치
를 채셨겠지만 '하나'는 노자가 매우 중시하는 중심 관념입니다. '하
나'가 바로 '도'를 가리키기 때문입니다. 유가에서 '도심(道心)'을 얻
고 '인심(人心)' 혹은 '인욕(人欲)'을 없애기 위해 '수신(修身)' 혹은 '수기
(修己)'를 하지요. 그리고 도교에서는 '하나'를 지키기 위하여 '수일(守一)'
을 하고 '좌망(坐忘)'을 하며 불교에서는 '견성(見性)'을 하기 위하여 '삼
매(三昧)'를 한다고 합니다. 그런데 노자는 '하나를 얻기(得一)' 위하여

힘쓰고 있는 듯합니다. 즉 '도를 얻기' 위하여 제1부는 도의 관념, 도의 본질, 도의 특성에 대해서 묵상 혹은 명상을 한 것처럼 보입니다. 이제 제2부에서는 '도를 얻은 자', 곧 '성인(聖人)'의 평상시의 삶이 어떠해야 하는지를 노래합니다.

도를 얻기 위해서는 결국 도를 찾아야 하며 모든 것을 버리고서 도를 찾아나서는 자만이 마침내 그 도를 만나게 되지 않겠습니까? 구약성서 「잠언」의 시인은 이렇게 노래합니다.

"행복하여라, 지혜를 찾은 사람!
행복하여라, 슬기를 얻은 사람!
지혜의 소득은 은보다 낫고
그 소출은 순금보다 낫다.
지혜는 산호보다 값진 것
네 모든 귀중품도 그것에 비길 수 없다."(잠언3,13-15)

고 하였습니다. 예수께서는 그러한 지혜를 찾으려는 사람의 태도, 마음가짐에 대해 다음과 같이 말씀하셨지요.

"청하여라, 너희에게 줄 것이다.
찾아라, 너희가 얻을 것이다.

두드려라, 너희에게 열릴 것이다.

누구든지 청하는 이는 받고, 찾는 이는 얻고,

두드리는 이에게 열릴 것이다."(마태7,7-8)

여기에서 예수께서 "청하고, 찾고, 두드리라"고 말씀하신 내용은 곧 '하느님 나라'가 아니겠습니까? 그렇게 하여 하느님의 나라를 얻은 사람들이 결국 '참된 행복'(마태5,3-12)을 누릴 수 있겠지요.

노자도 역시 자신의 삶의 중심인 '도'를 얻은 자의 삶을 다음과 같이 노래합니다.

예로부터 하나를 얻은 자들이 있었지(昔之得一者).

하늘은 하나를 얻어서 맑아졌고(天得一以淸)

땅은 하나를 얻어서 편안해졌으며(地得一以寧)

신령은 하나를 얻어서 영험해지고(神得一以靈)

골짜기는 하나를 얻어서 꽉 채워졌으며(谷得一以盈)

만물은 하나를 얻어서 살아가고(萬物得一以生)

통치자는 하나를 얻어서 천하를 올곧게 하였지(侯王得一以爲天下貞).

노자가 소망하는 '도를 얻은 자'의 삶은 곧 맑아지고(淸) 편안해지며 (寧) 신령스러워지고(靈) 텅 빈 골짜기가 꽉 채워지며(盈) 세상의 모든 만물은 '도'로 말미암아 생장(生長)하게 되고, 마침내 세상의 통치자는 그러한 '도'를 가지고서 세상을 올곧게(貞) 다스려 나가게 되겠지요. 하지만 그 '하나'를 얻지 못하면 결국 그 반대의 삶을 살아갈 수밖에 없고, 그렇게 되면 생명 있는 모든 것들은 모두 고단한 삶을 살 수밖에 없을 것입니다. 그래서 노자는 그렇게 되지 못할까봐 다음과 같은 걱정을 합니다.

그것을 좀 더 미루어나가 보겠네(其致之).

하늘이 맑아질 수 없다면 갈라질까 두렵고(天無以淸, 將恐裂)

땅이 편안해질 수 없다면 무너질까 두려우며(地無以寧, 將恐發)

신령이 영험할 수 없으면 사라질까 두렵고(神無以靈, 將恐歇)

골짜기가 채워질 수 없다면 말라버릴까 두려우며(谷無以盈, 將恐竭)

만물이 생겨날 수 없다면 없어질까 두렵고(萬物無以生, 將恐滅)

통치자가 고귀해질 수 없다면 걸려 넘어질까 두렵지(侯王無以貴高, 將恐蹶).

이러한 노자의 걱정은 예수님 안에서도 쉽게 발견할 수 있습니다. 특별히 예수께서는 당신이 반대자들에게 잡히시기 전의 「요한복음」 13~17장 안에서 잘 드러납니다. 그리고 사람들에게 힘을 주시는 말씀도 잊지 않고 하셨지요.

"내가 너희에게 이 말을 한 이유는,

너희가 내 안에서 평화를 얻게 하려는 것이다.

너희는 세상에서 고난을 겪을 것이다.

그러나 용기를 내어라.

내가 세상을 이겼다."(요한16,33)

우리는 예수께서 말씀하신 의미를 알고 있고 또 어떻게 살아야만 그분을 얻을 수 있는지를 알고 있습니다.

사도 바오로는 에페소 공동체에 보내는 편지에서 "그러므로 나는 주님 안에서 분명하게 말합니다. 여러분은 헛된 이상 헛된 마음을 가지고 살아가는 다른 민족들처럼 살아가지 마십시오. 그들 안에 자리잡은 무지와 완고한 마음 때문에 그들은 정신이 어두워져 있고, 하느님의 생명에서 멀어졌습니다. 감각이 없어진 그들은 자신을 방탕에 내맡겨 온갖 더러운 일을 탐욕스럽게 해댑니다."(에페4,17~19)라고 강조합니다.

노자도 역시 '하나'를 얻기 위해 어떻게 어떤 마음으로 살아가야 하는지를 잘 이야기해 주고 있습니다. '도'를 얻고 삶 안에서 실천하면서 살아가는 것이 곧 '덕의 삶'입니다.

다른 사람들과의 관계 안에서 살아갈 수밖에 없는 것이 우리들이라면, 그리고 허허로운 마음으로 다른 사람들과의 관계를 잘 유지하면서 살아가야만 할 우리들이라면, 결국 우리는 하느님께서 우리들에게 심어주신 바로 그 '말씀의 씨앗'곧 '도'를 세상 안에 제대로 실행하면서 살아가야 하지 않을까 싶습니다.

그래서 귀함은 비천함을 뿌리로 삼고(故貴以賤爲本)
높음은 낮음을 바탕으로 삼지(高以下爲基).
이래서 통치자는 스스로를 '외롭다(孤)', '부족하다(寡)',
'착하지 못하다(不穀)'라고 하지(是以侯王自謂孤, 寡, 不穀).
이것이 비천함을 뿌리로 삼은 것이 아닐까?(此非以賤爲本邪, 非乎)?
그래서 명예를 이루려다 명예를 없애버리게 되지(故致譽無譽).
옥처럼 아름답게 빛나고 싶어하지 말고(不欲珠珠如玉)
돌처럼 단단해져야 한다네(珞珞如石).

수녀님, 하느님의 '도', 곧 그분의 '말씀'은 한 치의 어긋남도 없이 우리 가운데서 운행되고 있다는 것을 세월이 흐를수록 점점 더 느끼고 깨닫게 됩니다. 그분의 도, 곧 그분의 말씀을 실천하는 것이 덕의 삶이라면 그 덕은 믿음과 사랑과 희망을 타인에게 드러내는 것이 아니겠습니까? 그분의 이름으로 모인 공동체는 곧 그분께서 말씀하신 모든 것을 그것을 모르고 살아가는 세상 사람들에게 고백하고 증언하면서 살아가는 공동체입니다.

한가위가 이제 눈앞에 있네요. 그곳을 떠나 이곳에 온 지가 5년이 지나고 있으니 이번 한가위를 맞으면 벌써 다섯 번째가 됩니다. 참으로 빠른 것이 시간이고, 그렇게 어김없이 다가오고 지나가는 시간 속에서 우리는 어쩌면 한편으로 고단하게 살면서도 다른 한편으로는 하느님 나라를 향해 나아가면서 하느님 안에서 '조금씩 익어가는 사람'이 되어가는지도 모를 일입니다. 지난해 한가위에는 카리타스 수녀님이 계셨는데 이번 한가위에는 이제 하느님 나라에서 함께 하시겠지요. 특별히 데레사 수녀님께 안부를 전합니다. 그리고 늘 하느님 안에서 건강하시기를 기도합니다.

이제 우곡의 골짜기도 조금씩 붉어지고 있는 것을 보니 이 골짜기도 조금씩 익어가고 있는 모양입니다. 익어간다는 것은 '하느님의 도'에 보다 가까이 나아가는 것이고, '가까이 나아가는 것'은 곧 그 도를 '덕스럽게 실천'해야 가능하지 않을까 싶습니다.

그래서 '덕스러움'은 공동체를 존재하게 하는 버팀목이고, '덕'은 곧 사랑의 실천이며 사랑은 자기 비움과 동시에 자신의 전부를 하느님께 돌리는 행위겠지요. 수녀원의 모든 자매 수녀님들께 한가위 대축일 안부 인사를 드립니다. 그러면 또 『도덕경』 40장에서 만나뵙도록 하겠습니다.

2015년 9월 25일 금요일에 우곡성지에서

하늘은 영광을 이야기하고, 창공은 그분 손의 솜씨를 알리네.
되돌아가는 것이 도의 움직임이고, 연약한 것이 도의 작용이지.
세상만물은 '있음'에서 생겨나고, '있음'은 '없음'에서 생겨난다네.

| 40장 |

되돌아가는 것이 도의 움직임이고

수녀님, 지금 우리는 하늘은 높고 말은 살이 찐다는 가을의 한복판에 와 있습니다. 모두들 잘 지내시고 계시지요? 지난달에는 뜻밖의 선물을 받고 하루 온종일 기분이 들떠 있었답니다. 보고 싶었던 분들에게서 깨알처럼 그러나 정성이 듬뿍 묻어나는 수녀님들의 고마운 연서(連書)를 받았으니 말입니다. 시월 하순에 들어서면 저는 언제나 하느님께서 마련하신 우주운행의 신비를 생각합니다. 봄에 새 잎이 돋고 꽃이 피며 여름에 그 잎이 무성하고 열매가 맺고 또 이 가을에는 잎과 열매가 하나 둘씩 낙엽 되어 후손을 얻기 위해 저마다 땅으로 떨어지고, 겨울에는 긴 겨울잠에 들어가면서 다시 돌아올 화려한 봄의 향연을 위하여 꿈속에 잠기겠지요? 꿈결 속에서 생명 있는 것들은 춥고 어두운 긴 터널을 통과하기 위하여 인고의 시간을 보낼 것이고요. 오늘 노자가 말하는 이 편장은 짧지만 그가 노래하려던 핵심적인 내용을 매우 강렬하게 보여 줍니다. 말하자면 노자의 철학 세계 체계의 핵심 구조를 말해 준다고나 할까요? 노자는 무형(無形), 무색(無色), 무명(無名)

37

의 '도'에서 '있음'이 나오고, '있음'에서 만물이 생성한다고 노래합니다. 이 만물은 결국 끝에 가서는 '무' 즉 '없음' 곧 '도'에로 돌아가게 되겠지요? 이러한 그 자체로 충만하고 영원하여서 끝없이 '보냄(파견)'과 '되돌아옴(귀환)'을 반복하게 되겠지요? 마치 이는 보이지 않는 하느님으로부터 만물이 생겨나고 자라 다시 그분에게로 되돌아가는 것을 연상하게 합니다. 뿐만 아니라 볼 수 없는 참 하느님이시면서 보이는 사람으로 오시고 사셨다가 다시 하느님의 자리로 되돌아가는 '예수 그리스도의 활동하심'을 보는 듯합니다.

사람들은 이러한 하느님의 활동하심을 '하강 그리스도론'과 '상승 그리스도론'으로 나누어 이야기합니다. 하지만 전통적으로는 '하강 그리스도론'을, 현대에서는 '하강 그리스도론'을 이야기하는 추세였지만, 이 두 가지를 하나로 생각하지 않고 나누어 생각한다면 우리는 결코 하느님의 작용하심(활동하심)을 깨달을 수가 없게 되고 말 것입니다. 그래서 〈시편〉 작가는 이 편장을 염두라도 하는 듯이 다음과 같이 훌륭한 어조로 노래합니다.

"하늘은 하느님의 영광을 이야기하고
창공은 그분 손의 솜씨를 알리네.
낮은 낮에게 말을 건네고
밤은 밤에게 지식을 전하네.

말도 없고 이야기도 없으며

그들 목소리조차 들리지 않지만

그 소리는 온 땅으로

그 말은 누리 끝까지 퍼져나가네.

그곳에 해를 위하여 천막을 쳐주시니

해는 신방에서 나오는 신랑 같고

용사처럼 길을 달리며 좋아하네.

하늘 끝에서 나와

다시 끝으로 돌아가니

아무것도 그 열기 앞에서 숨을 수 없네."(시편19,1-7)

　〈시편〉의 작가는 하느님께 대한 신앙인의 입장에서 자신이 살고 있는 시대의 흐름을 살펴보고 노래하였고, 노자 역시 자신이 살고 있는 시대의 흐름을 살펴보고 철학자로서 노래하였다는 점에서 두 작가의 정신은 일정 정도 그 맥이 맞닿아 있다고도 볼 수 있을 것입니다. 다음은 철학자로서 그리고 자연에 대한 신앙인으로서 노자가 읊은 노래입니다.

되돌아가는 것이 도의 움직임이고(反者, 道之動)

연약한 것이 도의 작용이지(弱者, 道之用).

세상만물은 '있음'에서 생겨나고(天下萬物生於有)

'있음'은 '없음'에서 생겨난다네(有生於無).

　우리 격언에 "무에서 유를 창조한다."는 말이 있지요. 그런데 노자가 '유생어무(有生於無)'라고 노래하고 있네요. '유(있음)는 무(없음)에서 생겨난다.'는 뜻이지요. 그러니까 노자는 도의 움직임이 극에 달하면 반드시 원래로 되돌아간다는 말입니다.

　모든 유형무형의 만물은 결국 아무것도 없는 '무'의 상태에서 발출하여 존재하게 되고, 존재하는 것들은 무의 상태에서 생겨난 것이며 생겨난 모든 것이 끝에 가서는 결국 무의 상태로 되돌아간다는 것입니다. 우리 눈에 보이는 모든 것들은 모두 무 → 유 → 무의 순환원리에 따라서 움직이고, 이렇게 움직이게 만드는 주체가 곧 '도'라는 것입니다. 따라서 눈에 보이는 모든 존재의 생명은 곧 도의 작용에 의한 것이라는 말입니다. 하지만 그 도의 작용은 우리 눈에 보이지 않기 때문에 사람들은 '도'의 움직임뿐 아니라 '도' 자체도 알아채지 못합니다.

　이러한 '도'의 생명 순환 원리는 마치 하느님의 생명 창조 원리와 삼위일체적 활동 원리를 연상케 합니다.

　"한 처음에 하느님께서 하늘과 땅을 창조하셨다. 땅은 아직 꼴을 갖추지 못하고 비어 있었는데, 어둠이 심연을 덮고 하느님의 영이 그 물위를 감돌고 있었다. 하느님께서 말씀하시기를 '빛이 생겨라' 하시자 빛이 생겼다.……(중략)……이렇게 하늘과 땅과 그 안의 모든 것이 이루어졌다."(창세1.1-2.1 참조)

"한 처음에 말씀이 계셨다.

말씀은 하느님과 함께 계셨는데

말씀은 하느님이셨다.

그분께서는 한 처음에 하느님과 함께 계셨다.

모든 것이 그분을 통하여 생겨났고

그분 없이 생겨난 것은 하나도 없다.

그분 안에 생명이 있었으니

그 생명은 사람들의 빛이었다."(요한1.1-4)

위 성경 말씀을 통해서 생각해 알 수 있는 것은 하느님 역시 우리 눈에 보이지 않는 완전한 '무의 상태이신 분'이라는 것입니다. 무의 상태이신 분의 한 말씀, 곧 그분의 움직이심(작용하심)으로 말미암아 비로소 텅 비어 있는 곳에 유형무형의 만물들이 생겨나게 되었고, 생겨난 모든 것들은 서로 감응하여 낳고 낳는 관계(生生 혹은 相生)를 유지한다는 것입니다.

이러한 원리는 피조물들이 스스로 터득한 원리가 아니라 무의 상태이신 분이 그러한 원리를 피조물들에게 심어 주셨다는 것입니다. 그래서 세상 만물은 무의 상태이신 분의 작용으로 말미암아 이미 생성된 피조물들에게서 생겨나게 되고, 이렇게 생성된 모든 '있는 것'들은 근원이면서도 무의 상태로부터 생겨났다는 것이 됩니다. 이 때문에 노자는 '유생어무(有生於無)'라고 노래한 것이지요.

그렇다면 흔히들 생겨난 만물 가운데 가장 우수하여 만물의 영장이라고 일컫는 우리 사람들이 추구해야 할 가치는 무엇이겠습니까? 사람이면 누구나 영원한 행복을 추구합니다만, 그 영원하면서도 참된 행복이 무엇이냐고 물으면 쉽게 대답을 못하지요. 왜 그렇겠습니까? 사람들은 눈에 보이지 않는 것보다 눈에 보이는 것, 그것도 자기 자신의 눈에 보이는 것만을 추구하기 때문이지요. 그것을 이른 바 우리는 '욕심', '욕망', '이기심'이라고 부릅니다. 그러한 자기중심적인 욕심에 사로잡혀 있기 때문에 근원적이신 분, 무의 상태이신 분, 생명이신 분, 영원하고 참 행복이신 분을 찾지도 않고, 찾으려고 노력도 하지 않으며 심지어는 '없다.'고 생각합니다.

실제로 주어진 인생을 살아가면서 그러하신 분을 체험했으면서도 어느 순간 자신의 아집(我執)에 사로잡혀 곧 '그분의 존재하심' 자체를 거부하고 만답니다. 그러니 사람과 사람 사이, 사람과 자연 사이에 끊임없이 우리들을 위하여 작용하시고, 활동하시며 떨어져 나갔거나 갈라져 나갔거나 혹은 등을 지려는 자들이 모두 다시 그분에게로 되돌아오도록 다양한 형태로 부르시고 계시는데도 사람들은 되돌아가기를 거부합니다. 하지만 그렇게 그분의 손길을 거부해도 소용없다는 것을 우리는 압니다.

왜냐하면 세상에 존재하는 유형·무형, 생명 있는 것과 없는 것들은 모두 한 처음에 무의 상태이신 분에게서 온 것처럼 곧 무의 상태이신 분에게로 되돌아갈 수밖에 없는 존재들이기 때문입니다.

노자의 이 편장은 짧지만 참 많은 것을 생각하게 합니다. 봄, 여름을 지나 이제 가을이 되고 곧 겨울이 오게 되겠지요. 이렇게 수녀님들께 편지를 적고 있는 제 자신을 돌아보면, 어쩌면 저도 가을의 한복판을 지나 끝자락을 향해가는 그 도상에 놓여 있지 않나 생각해 봅니다. '늙어가는 것'이라고 말하기보다는 어느 대중 가요의 한 대목처럼 '조금씩 익어가는 것'이라고 생각하고 싶은데, 그 말이 입에만 맴돌뿐 쉽게 나오지는 않습니다. 지금 우곡의 가을 풍광은 단풍으로 최절정에 달해 있는 듯 보입니다.

하지만 비가 오랫동안 내리지 못해 나무들은 스스로 물관부를 닫고 나뭇잎들을 자신의 몸체에서 떨어뜨릴 준비를 하고 있는 것 같습니다. 약간의 바람만 불어도 단풍은 낙엽이 되어 이리저리 흩날리다가 마침내 땅에 떨어집니다.

그야말로 '추풍낙엽(秋風落葉)'이라는 말이 실감나는 요즈음입니다. 그렇지만 도의 움직임, 하느님의 말씀에 비추어 생각하면 그러한 자연의 모습들은 결국 무의 상태이신 분의 뜻에 충실하고, 그분 안으로 되돌아가려는 '거룩한 몸부림'이 아닐까 생각해봅니다. '무의 상태이신 분'에게로 되돌아간다는 것은 곧 무의 상태이신 분을 만나는 것이고, 그분을 만난다는 것은 그분과 '하나 되는 것'이며 그분과 하나가 된다는 것은 곧 유(有)의 상태인 우리도 그분을 닮아 '무의 상태가 되는 것'이지요. 말하자면 무의 상태이신 분을 닮으려고 애를 쓰고 노력해서 무의 상태가 되지 않으면 아무도 그분에게로 되돌아갈 수 없고, 그분에게로 되돌아갈 수 없다면 우리 삶의 의미는 그야말로 무의미한 것이 될 뿐이겠지요?

수녀님, 우리 또한 매일, 매 순간의 삶을 무의 상태이신 분에게로 그 코드를 맞추어 저기 저 자연의 온갖 사물들처럼 그분을 닮아가는 여정을 묵묵히 걸어가야겠지요? 그리하여 그분의 말씀에 충실하게 응답하는 '거룩한 몸부림', '거룩한 몸짓'이 되어야겠지요? '아기 예수의 성녀 데레사'와 '예수의 성녀 데레사'의 축일이 들어 있는 이 시월을 그분들처럼 '거룩한 몸짓'으로 잘 보내시고 십일월에 『도덕경』 41장에서 뵙도록 하겠습니다.

2015년 10월 24일 토요일, 첫서리가 내린다는 상강(霜降) 절기에

최상의 선비는 도를 들으면 부지런히 실행하고,
중간의 선비가 도를 들으면 간직하는 듯 마는 듯하며,
아래의 선비는 도를 들으면 크게 비웃고 말지.
비웃지 않으면 도라고 하기엔 부족하지.

노자가 말씀하시기를!,
아주 커다란 네모는 귀퉁이가 없고,
아주 큰 그릇은 이루어지는 것이 더디며, 아주 커다란 음은
희미하게 소리를 내고, 아주 커다란 모습은 꼴이 없으며,
곧 '도'란 대방(大方), 대기(大器), 대음(大音), 대상(大象)과 닮았다고 하고 있지요.

41장

최상의 선비가 도를 들으면

　수녀님, 십일월 달력의 숫자도 나뭇가지 끝에 달려 있는 낙엽처럼 몇 개밖에 남지 않았네요. 이제 곧 십이월이 되겠지요. 수녀원의 모든 식구들 아파하는 이 없이 모두 잘 계시는지요? 날씨가 추워지고 떨어지는 낙엽처럼 이곳을 순례하는 순례자들의 발걸음도 점점 줄어드는 이즈음입니다. 그래도 때마다 보내 주시는 고마운 제병(祭餠) 덕분에 저 홀로 혹은 두어 명의 순례자들과 함께 드리는 성찬례가 더욱 풍성하고 그래서 감사의 기도를 올린답니다. 위령성월을 보내면서 또 그리스도 왕 대축일과 올해의 전례력으로 마지막 주간인 성서주간을 보내면서 정신없이 돌아가는 세상의 변화 속에서 덩달아 정신없이 흘려보내 버렸던 소중한 시간들을 반성해 봅니다. 따지고 보면, 하느님께서도 이렇게 정신을 제대로 차리지 못하고 바삐 움직이는 우리들을 보시면 얼마나 한심스러워하실까 제 스스로 주제넘은 생각을 해 볼 때도 많답니다.

　지금 우리는 노자가 노래하는 '덕 편'을 보고 있습니다. 하지만 '덕'

은 그저 생겨나는 것이 아니라 덕의 근원인 '도'로부터 흘러나오는, 발출하는 실천적인 파장이라고 보는 편이 좋을 것 같습니다. 마치 하느님으로부터 파견된 '말씀', 그 말씀으로부터 파생되는 '말씀의 실행'과 닮은 점이 있다고 보아도 좋을 것 같습니다. 그럼에도 그 말씀을 알아듣는 자의 수준, 깨닫고 실천하는 자의 수준은 천차만별인 것처럼 도를 알아듣고 실행하는 자의 수준 역시 다양하다고 보면 될 것 같습니다.

"하느님에 대한 무지가 그 안에 들어찬 사람들은

본디 모두 아둔하여

눈에 보이는 좋은 것들을 보면서도

존재하시는 분을 보지 못하고

작품에 주의를 기울이면서도

그것을 만든 장인을 알아보지 못하였다."(지혜13,1)

그러므로 예수께서도 말씀하시기를 :

"거룩한 것을 개들에게 주지 말고,

너희의 진주를 돼지들 앞에 던지지 마라.

그것들이 발로 그것을 짓밟고 돌아서서

너희를 물어뜯을지도 모른다."(마태7,6)고 하셨지요.

노자 역시 '도'를 받아들이는 사람들의 수준을 최상의 선비, 평범한 선비, 못난 선비라는 세 가지 수준으로 나누면서 마치 유가의 '성삼품설(性三品說)'을 보는 듯합니다.

중국 한(漢)나라의 동중서(董仲舒,BC176년?~BC 104년)라는 유학자는 인성을 상·중·하(善-中-惡)의 셋으로 나누어 '성인의 본성', '보통 사람의 본성', '열등한 사람의 본성'으로 구분했다고 합니다. 그에 따르면, '본성이라 이름한 것은 높은 수준도 낮은 수준도 아닌 중간을 이르는 것'이라는 것입니다.

보통 사람의 본성은 선하게도 악하게도 될 수 있는데 가르침과 훈계를 거친 뒤에야 선하게 될 수 있다고 본 것이지요. 말하자면 동중서라는 사람뿐 아니라 많은 사람들이 인간의 본성에 대해서 다양하게 구분을 하고 있지만, 노자가 말하는 "도를 들을 수 있는 사람의 수준"과는 일정 정도 차별이 있어 보입니다.

유가에서 '성삼품설'은 하늘로부터 주어진 불변하는 인간 본성의 가변성을 이야기하지만, 노자의 구분법은 도를 체득한 자의 구체적인 삶의 모습을 그리고 있기 때문이지요.

최상의 선비는 도를 들으면 부지런히 실행하고(上士聞道, 勤而行之)

중간의 선비가 도를 들으면 간직하는 듯 마는 듯하며(中士聞道, 若存若亡)

아래의 선비는 도를 들으면 크게 비웃고 말지(下士聞道, 大笑之).

비웃지 않으면 도라고 하기엔 부족하지(不笑不足以爲道).

　이 땅에서 하느님을 믿고 살아가는 우리들의 모습 또한 이와 비슷하지 않을까 생각해 봅니다. 사실 하느님의 말씀을 깨달은 사람은 그 말씀을 실행하기에도 시간이 부족하기 때문에 부지런해야 하지요.

　하지만 그 말씀을 깨닫지 못하고 그저 어쭙잖은 지식으로만 삼고 뽐내는 사람은 자기 자신의 오만이나 교만으로 인해 거드름을 피우고, 남을 우습게 여길 뿐만 아니라 하느님마저 우습게 여기는 데 익숙해져 있고 말 것입니다.

　그는 지식만 있고 지혜이신 말씀을 제대로 자신의 삶에 옮기지 못한 어리석음만을 가지고 있을 테니까요. 노자가 말하는 상사(上士), 중사(中士), 하사(下士)는 어찌 보면 오늘을 살고 있는 우리들에게도 일정 정도 해당되는 말이 아닐까 생각해 봅니다. 특히 너나 할 것 없이 하느님을 믿고 살아가는 우리들부터 '상사'로 살아가야겠지요.

그래서 내세워진 말이 있었다네(故建言有之).

밝은 길은 어둑한 듯하고(明道若昧)

나아가는 길은 물러서는 듯하며(進道若退)

순탄한 길은 울퉁불퉁한 듯하고(夷道若纇)

최고의 덕은 골짜기와 같으며(上德若谷)

아주 깨끗한 것은 치욕스러운 듯하고(大白若辱)

아주 넓은 덕은 부족한 듯하며(廣德若不足)

건실한 덕은 구차한 듯하고(建德若偸)

질박하고 진실함은 변질된 듯하며(質眞若渝)

아주 커다란 네모는 귀퉁이가 없고(大方無隅)

아주 큰 그릇은 이루어지는 것이 더디며(大器晩成)

아주 커다란 음은 희미하게 소리 내고(大音希聲)

아주 커다란 모습은 꼴이 없으며(大象無形)

도는 감추어져 있어서 이름 붙일 수 없지(道隱無名).

여기에서 노자의 노래를 잠시 들어보면 구구절절이 옳은 말이 아닌가 싶습니다. "밝은 길은 어둑한 듯하고, 나아가는 길은 물러서는 듯하며"로 시작하는 이 노래는 사도 바오로가 필리피 신자들에게 보내는 서간의 한 대목을 대하는 듯합니다.

"그분께서는 하느님의 모습을 지니셨지만,

　하느님과 같음을 당연한 것으로 여기지 않으시고

　오히려 당신 자신을 비우시어

　종의 모습을 취하시고

사람들과 같이 되셨습니다.

이렇게 여느 사람처럼 나타나

당신 자신을 낮추시어

죽음에 이르기까지,

십자가 죽음에 이르기까지 순종하셨습니다."(필리2,6-8)

그렇기 때문에 노자는 "도는 감추어져 있어서 이름 붙일 수 없지(道隱無名)."라고 하면서 도에 합당한 언어로 다음과 같은 비유를 우리들에게 이야기해 줍니다. '아주 커다란 네모는 귀퉁이가 없고(大方無隅)', '아주 큰 그릇은 이루어지는 것이 더디며(大器晩成)', '아주 커다란 음은 희미하게 소리 내고(大音希聲)', '아주 커다란 모습은 꼴이 없으며(大象無形)' 곧 '도'란 '대방(大方)'·'대기(大器)'·'대음(大音)'·'대상(大象)'과 닮았다고 하고 있지요. '모서리·그릇·소리·모습'은 구체적으로 우리의 머릿속에서 그려 볼 수 있는 것들입니다. 하지만 그렇게 그려 볼 수 있는 것들이라고 해도 상상할 수조차 없는 데까지 확장해 나간다면 결국 인간의 언어로 표현할 수 없는 '불가사의(不可思議)'한 존재로밖에 해석될 수가 없을 것입니다.

이는 사도 바오로가 필리피 공동체에게 사람으로 오신 예수 그리스도를 분명하게 다음과 같이 고백한 내용과 유사하다고 말할 수도 있을 것입니다.

"그러므로 하느님께서도 그분을 드높이 올리시고

　모든 이름 위에 뛰어난 이름을 그분께 주셨습니다.

　그리하여 예수님의 이름 앞에

　하늘과 땅 위와 땅 아래에 있는 자들이 다

　무릎을 꿇고

　예수 그리스도는 주님이시라고

　모두 고백하며

　하느님 아버지께 영광을 드리게 하셨습니다."(필리2,9-11)

　이왕 예수님에 관한 이야기가 나왔으니 드리는 말씀인데요. 그분은 사실 참 하느님이십니다. 그리고 하느님의 말씀에 따라 사람으로 오신 하느님의 말씀이신 동시에 사람으로 오셨으니 참 사람이시지요. 그런데 하느님이신 그분이 어찌하여 참 사람이 되어 우리 가운데 오셨겠습니까? 그것은 죽을 수밖에 없는, 죄 속에 빠져 허덕이고 있는 우리들을 살리시려고 오셨지요. 우리를 다시 살리시기 위해서는 당신만이 지니고 계시는 유일무이한 당신의 생명에로 우리를 다시 초대하시는 길뿐입니다. 생명이신 분이 우리들에게 생명을 주었고, 죄로 말미암아 꺼져가는 우리들의 생명에 다시 당신 생명의 기운을 불어넣으시지요. 그것은 곧 그분의 사랑으로 이루어지는 것이고, 그 사랑으로 우리들을 당신 사랑에로 불러주시니 은총이 아닐 수 없습니다. 노자도 이와 유사하게 그가 노래하고 있는 바로 그 '도의 작용'만이 곧 '덕'만이, 만물의 '생장(生長)'에 직접적으로 도움의 손길을 건넬 수 있다는 이야기를 하고 있습니다.

무릇 오직 도만이(夫唯道)
잘 베풀어주고 잘 이루게 해준다네(善貸且成)

노자에 따르면, '도'에서 모든 것이 나오고, '도'가 만물을 생장시키며 '도'에 의해서 온갖 만물이 풍성하게 된다는 것입니다. 우리 신앙인의 입장에서 볼 때, 하느님께서 모든 것을 내시고 자라게 하시며, 모든 것을 풍족하게 해주신다는 믿음의 싹을 노자에게서도 일정 정도 찾아볼 수 있답니다. 지금의 세상은 모든 것이 잘난 인간에 의해서 이루어지고, 이루어지게 하는 모든 힘의 원천은 인간의 머리에서 나오는 것이라고 힘주어 이야기하고 있지만, 우리의 신앙도 그렇고 노자의 신념 또한 결국 "사람이란 아무것도 아닌 그저 아침에 풀잎 끝에 맺혔다가 해가 뜨면 곧 말라 버리는 이슬"에 불과한 것이지요. 그래서 우리는 하느님의 은총에 매일 매 순간 감사를 드리고, 노자는 '도' 곧 진리의 말씀에 귀를 기울이자고 하였지요. 십일월도 막바지에 이르렀습니다. 곧 십이월이 되겠지요. 벌써부터 어느 지방에서는 첫눈이 내렸다는 소식도 들려옵니다.

　'봉헌의 해'를 보내시고 계실 수녀님들을 생각합니다. 또 조금 있으면 '자비의 해'를 맞이하게 되겠지요. 자비의 해를 맞이하면서 전 세계 교회는 상징적으로 '자비의 문'을 여는 의식을 거행한다고 합니다. '자비의 문을 여는 것', 그것은 곧 '아버지의 마음'으로 열어야 되겠지요? 교회 공동체는 자비로우신 아버지 하느님을 닮아 자비로워야 하고, 겉치레로만 '자비의 문'을 여는 것이 아니라 진실로 자기 자신의 닫힌 빗장을 열어젖혀서 하늘과 땅을 내신 하느님께서 대자대비하신 분이심을 그분의 자녀들인 우리 모두가 온몸과 마음으로 보여 주어야 하지 않을까 싶습니다.

　수녀님, 이제 다가오는 주일부터는 대자대비하신 바로 그분이 어두운 이 땅을 비추시기 위해 빛으로, 생명으로 오심을 기다리는 대림절이 시작됩니다. 그분이 빛이시고 생명이듯이 우리도 그분의 빛을 받아 빛이 되고, 그분의 생명을 받아 생명을 살리는 일꾼들이 되어야하지 않을까 다짐해야 되겠지요? 아무튼 전례력으로 며칠 남지 않은 한 해 잘 마무리하시고 새로운 한 해를 잘 맞이하시기를 기도합니다. 그러면 『도덕경』 42장에서 뵙도록 하겠습니다.

　　　　2015년 11월 24일 성 안드레아 둥락 사제와 동료 순교자들 축일에

노자는 우주 창조에 관해서 노래합니다.
하나는 둘을 살리며, 둘은 셋을 살게 하고,
셋은 만물을 살리게 하고,
만물은 음기를 짊어진 양기를 품고 있으면서
기를 격동시켜서 함께 어울리게 한다.

| 42장 |

도는 하나를 내시고

수녀님, 어느덧 을미년(乙未年) 한 해의 끝자락 십이월에 와 있네요. 잘 계시지요? 계절은 분명코 겨울인데 마치 하마 봄이 온 듯 착각이 들 정도로 연일 포근하고 더러는 눈이 내리는 대신 비가 내립니다. 개나리꽃이 피고 냉이가 새파랗게 고개를 내밀고 꽃다지가 그 작고 여린 꽃잎을 내미는 것이 마냥 신비롭기까지 합니다. 하지만 겨울은 겨울답게 눈도 내리고 계곡에 흐르는 물이 얼어붙고 또 매서운 바람도 불어야 하는데, 오히려 불어오는 바람은 봄바람처럼 훈훈하니 내년 농사를 짓는 사람들의 농사일이 벌써 걱정이 되기도 하고, 이러다가 무슨 변고라도 생기지는 않을까 조바심마저 일어납니다.

이제 세상을 창조하시고 창조하신 천지만물에게 당신 생명의 입김을 불어넣으셨던 분이, 세상을 창조하신 분이 바로 그 세상을 구원하실 분으로 사람이 되어 오실 날이 얼마 남지 않았습니다.

가장 거룩하시고 가장 높으신 분이 "벌레 같은 야곱, 구더기 같은 이스라엘"(시편41,14)이 되어 우리 가운데 오시지요. 가장 낮은, 가장 비천한, 가장 겸손한 모습으로 하느님께서 세상 안으로 들어오시는 과정은 곧 노자가 꿈꾸는 희망의 세상과 닮아 있지요. 노자가 보는 천지만물의 생장 과정에 대해서 앞에서 이미 보았던 『도덕경』 40장과 더불어 이 장에서 다시 한 번 보여 주고 있지 않나 싶습니다. '약(弱)', '무(無)' 등은 결국 '겸손', '비하(卑下)' 등과 어울려 창조된 천지만물이 모두 '상생(相生)'하는 데 밑거름의 역할을 하는 개념이라고 볼 수 있지요. '무-없음'은 '진실로 없는 것'을 의미하는 것이 아니라, 너무도 크고, 거룩해서 인간의 언어 혹은 관념으로도 도저히 드러낼 길이 없는 이른바 '불가사의(不可思議)'한 존재의 또 다른 표현으로 해석될 수 있지 않을까 생각합니다.

우선 노자는 우주 창조에 관해서 노래합니다.

내용은 다음과 같지요.

도는 하나를 내시고(道生一),

하나는 둘을 살리며(一生二),

둘은 셋을 살게 하고(二生三)

셋은 만물을 자라게 하지(三生萬物).

만물은 음기를 짊어진 채 양기를 품고 있으면서(萬物負陰而抱陽),

기를 격동시켜서 어울리게 되지(沖氣以爲和).

이러한 노자의 창조론은 매우 추상적이긴 하지만 그리고 '도'를 중심으로 시작되긴 하지만, 좀 더 깊게 그리고 넓게 생각하면 그의 창조론에 대해 우리는 어느 정도 이해할 수는 있을 것입니다. "도는 일을 내고, 일은 둘을 살리고, 둘은 셋을 살게 하며 셋은 만물을 자라게 한다."고 하지요. 하지만 우리가 앞에서 본 바처럼 노자에 있어서 '도'는 곧 '하나(一)'와 동일한 관념이기 때문에 '도가 일을 낸다'는 말은 곧 그 자체로 모순을 가지고 있긴 합니다.

이 모순이 곧 '유-무', '음-양', '장-단', '고-저', '강-약', '남-여', '리-기' 등 대립적인 관념을 발생시킨다고 볼 수 있습니다.

이 대립 관념들은 어느 한쪽을 외면해 버리거나 인정하지 않게 되면 그 자체로 발생할 수가 없습니다. 바꾸어 이야기해 보면, 그 두 대립 관념을 동시에 인정할 때만이, 두 대립 관념의 관계를 이해할 때만이 '도'의 성격이 어떠한지를 깨닫게 된다는 것입니다. 지금의 세상은 두 가지 대립적 관계를 그저 대립으로만 보고 용인하려 들지 않습니다. 나머지 하나를 인정하게 되면 다른 하나는 심각한 상처를 받게 된다고 생각하기 때문입니다.

이를 이해하기 위해 우리는 〈요한복음〉사가의 창조론을 일정 정도 떠올려 볼 수도 있을 것입니다. 사실 지금 세상은, 특히 한국 사회는 유독 다른 나라에서도 쉽게 찾아볼 수 없는 '이분법적 논리'가 횡행하고 있지요. '나-너', '아군-적군' 등에서 모두를 함께 아우르고 존중하고 하나로 여기는 '공동체성'은 사라져가고 있고, 오로지 '나'만을 강조함으로써 대립관계를 그야말로 전쟁의 상태로 몰고 가려는 인상을 지울 수가 없습니다.

"한 처음에 말씀이 계셨다.
　말씀은 하느님과 함께 계셨는데
　말씀은 하느님이셨다.
　그분께서는 한 처음에 하느님과 함께 계셨다.
　모든 것이 그분을 통하여 생겨났고
　그분 없이 생겨난 것은 하나도 없다.
　그분 안에 생명이 있었으니
　그 생명은 사람들의 빛이었다.
　그 빛이 어둠 속에서 비치고 있지만
　어둠은 그 빛을 깨닫지 못하였다."(요한1,1-5)

〈요한복음〉 사가는 말씀으로부터 출발하는 창조론을 강조하면서 이 말씀이 곧 하느님이신 창조주이시고, 창조주께서 사사물물(事事物物)에게 그의 생명을 부여하여 살게 하였는데도 세상은 그분을, 그러한 진실을 알아보지 못하고 있음을 개탄하고 있지요. 노자에 따르면, 이러한 대립관계적인 창조된 세계가 하나로 귀결되어 공동체로 살기 위해서는 "만물은 음기를 짊어진 채 양기를 품고 있으면서 기를 격동시켜서 어울리게 되지."라는 처방을 내놓고 있습니다.

'어울림' 혹은 '조화'는 곧 '화평(和平)'이라고 말할 수 있지요. 대립관계에 있던 존재들이 서로 조금씩만 양보하고, 자신의 주장을 내려놓으면 곧 '평화(平和)'를 이룰 수 있지요. 사실 사람들은 입만 열면 높은 자, 있는 자, 아는 자들부터 '평화'라는 구호를 외쳐대고 있지만, 정작 그들의 행태들을 보면 지극히 '반 평화적인' 곳으로 나아가고 있고, 동시에 다른 많은 대중들에게 이러한 분위기를 전염시켜 나가고 있는 것도 사실일 것입니다. 평화를 이룩하려면 서로 화평해야 하고, 화평을 이룩하려면 '정의(正義)'가 살아나야 하겠지요. 정의를 살리려면 서로 '다름'을 인정하고, 존중함과 동시에 '자비로운(慈悲)' 사람으로 거듭나야만 비로소 가능해지지 않을까 생각합니다.

따라서 먼저 자비를 살아야 용서가 가능해지고, 용서하면 저절로 화평이 이루어지는 것은 두말할 나위가 없을 듯 보입니다. 이것이 곧 '사랑'이고, 사랑은 남이 하기 싫어하는 것들을 먼저 실천해 보이는 데서부터 출발하게 되겠지요.

이런 의미에서, '도'로부터 출발하는 노자의 창조론은 결국 그 '도'를 어떻게 삶 속에서 실행하는가에 달려 있다고 보아야 할 것입니다. 혹자는 노자가 말하는 '도'에 관해서 대립되는 두 면이 꼬여 있는 새끼줄 같다고 하면서, "두 가닥으로 꼬여 있는 대립되는 두 면은 각각 따로 존재하고 따로 살림을 차리고 사는 것이 아니라 둘 사이의 관계, 즉 일로 표현되는 원칙의 지배를 받고 산다. 각각의 둘은 일이라는 원칙 아래에서 의미와 존재성을 부여받고 산다.”(최진석,《노자의 목소리로 듣는 도덕경》)라고 하였습니다. 이 주장은 비교적 정확한 표현이긴 하지만 결국 '두 가닥의 꼬인 새끼줄'이란 '도의 상태'를 이야기하는 것이 아니라, 도에 따라 수행하고 있는 사람들의 마음 상태라고 보아야 할 것입니다. 그 마음의 상태가 어떠하냐에 따라서 '하나'가 될 수도 있고, 영원히 이분법적으로 평행선을 그으면서 만나지 못할 것이기도 하기 때문입니다. 그래서 노자는 도를 따르는 사람들의 삶의 행로의 향방, 혹은 그 노선에 대해 매우 분명한 어조로 일종의 지침 같은 것을 일러 주고 있습니다.

사람이 싫어하는 바는(人之所惡)

오직 외롭고, 부족하고, 착하지 못함인데(唯孤, 寡, 不穀)

하지만 왕공은 이로써 칭호로 삼지(而王公以爲稱).

그래서 만물은 줄이려 해도 더해지며(故物, 或損之而益),

더하려 해도 줄어들고(或益之而損).

사람들이 가르치는 바는(人之所敎)

나도 역시 가르치지(我亦敎之).

"억센 자는 자기 죽음을 알지 못하나니(强梁者, 不得其死)",

나는 장차 이로써 '가르침의 애비'로 삼으리라(吾將以爲教父).

　노자의 말에 따르면, 사람들이 싫어하고 꺼려하는 것은 대체로 '외로움', '부족함', '착하지 못함' 등등인데 이는 21세기를 살아가는 우리들에게 있어서도 여전히 유효한 말이 아닌가 싶습니다. 우리는 홀로 있거나 따돌림 당하는 것을 못견뎌합니다. 또 누군가가 나에게 부족하다고 하거나 모자란다고 하면 그것 역시 못 견뎌하고, 뿐만 아니라 착하거나 올바르지 못하다고 말해도 듣기 싫어하는 것은 매 일반이지요. 하지만 노자는 그렇게 남들이 듣기 싫어하는 말을 '칭호'로까지 삼으라고 합니다. 말하자면 그러한 말을 통해 스스로가 '도'와 하나가 될 것을 주문합니다. 이는 '자기 비움', '자기 비하', '겸손', '낮춤' 등과 통하는 것이기 때문에 오히려 자신을 돌아보며 채찍질하고 수행하기에 도움이 되는 유익한 말이라는 뜻으로 우리는 알아들어야 할 것으로 보입니다.

　사도 바오로는 "나는 단언합니다. 그리스도께서는 하느님께서 진실하심을 드러내시려고 할례 받은 이들의 종이 되셨습니다."(로마15, 8)라는 명언으로 노자의 이 말을 시원하게 해석해 주는 듯합니다. 더 나아가서 사도 바오로는 또 말합니다.

　"하느님의 어리석음이 사람보다 더 지혜롭고

하느님의 약함이 사람보다 더 강하기 때문입니다."(1코린1,25)

하느님의 모습, 구세주로 오실 아기 예수님이 이렇게 다른 사람들이 보기에는 마치 어리석고 약하기가 그지없이 보이지만, 그러한 모습이 오히려 천지만물을 내시고 살리시고 구원해 주시는 거룩하신 분이 아니겠습니까? 그 때문에 노자는 마지막 구절에서 말하기를,

"억센 자는 자기 죽음을 알지 못하나니"라고 하면서 이 말을 "나는 장차 이로써 '가르침의 애비'로 삼으리라."고 합니다. '억센 자'는 곧 강하게 보이는 자들이 아니겠습니까? 강하게 보이는 자들은 자기 고집, 자기 주장에 사로잡혀서 한 치도 물러서지 않으려는 사람들입니다. 이른바 오늘날 우리 사회에 정치인, 지도자로 자처하는 사람들의 행태를 보면 금방 이해할 수가 있을 것 같습니다. 다른 사람을 인정하거나 존중해 주지 못하고 자기만 잘난 체하는 사람들의 운명은 역사를 통해 예나 지금이나 별반 다를 것 없어 보입니다. 노자는 이러한 근거를 자신의 스승으로 삼아 살아갈 것이며 그러한 근거를 다른 사람에게도 전하겠다는 결연한 의지를 드러내 주고 있습니다.

이제 곧 세상을 구원하러 오시는 아기 예수님의 거룩한 탄신일이 목전에 다가왔습니다. 이즈음에 복음 말씀 속에는 '약함, 부드러움, 남은 자' 등등의 단어들이 유독 눈에 들어옵니다. 그 가운데서 〈루카복음〉 사가가 기록한 몇 가지 말씀을 가려내어 음미해 봅니다.

"보십시오. 저는 주님의 종입니다."(1,38),

"행복하십니다. 주님께서 하신 말씀이 이루어지리라고
 믿으신 분!"(1,45),

"너희는 포대기에 싸여 구유에 누워 있는 아기를 보게 될 터인데"
 (2, 12),

"그곳에서 일어난 일을 봅시다."(2, 15)

"마리아는 이 모든 일을 마음속에 간직하고 곰곰이 되새겼다."(2, 19)

사실 아기 예수님의 탄생의 의미는 물론 세상을 구원하러 오시는 하느님, 곧 구세주(救世主)에 맞추어져 있지만 그렇게 되기 위해서 선행되어야 할 조건이 있다고 봅니다. 그것이 곧 '자비로우신 하느님'께서 사람으로 오신 바로 그 아기 예수님의 봉헌되심이지요. 자비, 자기 봉헌은 임금이 갖추어야 할 덕목이고, 그것이 임금의 덕목이라면 곧 신하나 일꾼들이 반드시 가져야만 할 덕목이겠지요? 지금 세상은 세상을 구원하실 구세주께서 곧 오신다는 생각보다는 연말연시와 맞물린 흥청거림이 판을 치고 있지요. 모두 다 경제가 어렵고 세상은 혼돈스럽다고 말하고, 또 거짓이나 진실 왜곡이 판을 치고 있는 형국이라고 말을 하면서도 생각을 바꾸고 세상을 바꾸려고 노력하거나 애를 쓰는 것처럼 보이지는 않습니다.

걱정이 아닐 수 없습니다.

수녀님, 지금은 우곡의 한낮이 기울어가는 저녁 무렵입니다. 낮에 나뭇가지에서 우짖던 새들도 자신들의 보금자리로 몸을 숨긴 듯 적막만이 감도는 시간이지요. 그 곳 소머리산 자락 수녀님들도 지금쯤 오실 주님을 기쁜 마음으로 맞이하려고 '산골 처녀 마리아처럼' 설레고 계실 것이라는 생각을 해봅니다.

저도 설레기는 마찬가지랍니다. 성탄의 밤은 이곳에서 홀로 시간을 보내고, 성탄 낮미사는 가까운 봉화성당에 가서 봉헌하게 될 것 같습니다. 수녀님들께 미리 성탄 인사를 드립니다. "Merry Christmas!" 곧 오실 아기 예수님의 축복이 수녀님들에게는 평화를 듬뿍 내려주시는 은총이 되시기를 기도합니다. 얼마 남지 않은 남은 을미(乙未)년 잘 보내시고 또 새해 병신(丙申)을 잘 맞이하시기를 기도합니다.

그러고 보니 오늘은 밤이 제일 길다는 동지(冬至)네요. 수녀님, 그럼 『도덕경』 43장에서 뵙도록 하겠습니다.

2015년 12월 22일 동짓날에

의인은 재앙을 벗어나 죽어가는 것이니
그는 평화 속으로 들어가고,
올바로 걷는 이는 자기 잠자리에서 편히 쉬리라.

노자는 주저하지 않고 다음과 같이 노래합니다.
'맑고 고요함'이 하늘 아래 올바름이 된다네.
노자에게 있어서 인간 행위의 최고 단계는
다름 아닌 '맑고 고요함' 곧 '청정(淸靜)'이라 합니다.

43장

하늘 아래 가장 부드러운 것은 :
없이 있고 있이 없으신 도

수녀님, 잘 계시지요? 병신년(丙申年) 새해가 밝았습니다. 새해에도 주님의 은총에 힘입어 모든 수녀님들이 주님 안에서 몸도 마음도 언제나 건강하시고 평화로우시기를 기도합니다. 드디어 겨울이 겨울다워졌다는 생각을 해 보는 요즈음입니다. 겨울이 겨울다워졌다는 얘기는 겨울이 마치 봄이나 늦가을 같던 겨울의 날씨가 비로소 제철을 깊이 인식했다는 듯 추워졌다는 것이지요. 어떤 날에는 아침부터 밤까지 또 밤부터 아침에 이르기까지 바람 부는 소리가 바다의 파도 소리처럼 들려오기도 하여 잠결에 바닷가 어느 허름한 목로집에서 구름처럼 밀려드는 파도 소리를 듣고 있는 것이 아닌가 하는 착각을 할 때도 있었답니다.

자연은 이렇듯이 사람의 오감(五感 : 視覺, 聽覺, 嗅覺, 味覺, 觸覺)의 다섯 가지 감각을 후벼파서 뒤집어 놓기도 하지요. 하지만 우리가 보기에 그럴 따름이지 실제로 자연은 세상의 그 어느 것보다도 하느님께서 마련하신 법칙에 가장 잘 따르는 것이 아닌가 생각해 봅니다.

이즈음의 우곡의 기온은 영하 19도를 오르내립니다. 그래도 처음 이곳에 들어올 때보다도 훨씬 따뜻하다고 보아야 합니다.

왜냐하면 이전에는 영하 20도에서 영하 30도를 오르락내리락하였던 때도 있었기 때문이지요. 이런 겨울엔 사람이나 몇몇 동식물들을 제외하면 대부분 거의 동면(冬眠)에 들어가 깊은 겨울잠을 자게 되지요. 말하자면 아주 잠에 떨어진 것이 아니라 다음에 올 봄을 기다리면서 '안식(安息)'을 누리고 있다고 보면 좋겠지요. 안식이란 영원하신 하느님께서 유한한 피조물들을 위하여 마련해 주신 은총이 아닐까 싶습니다. '쉼', '틈', '여유' 등이 모두 넓은 의미로 안식에 속하고 또 그러하기 때문에 하느님의 은총입니다.

만일 우리들에게 있어서도 쉼이나 틈이나 여유가 없다면 어떻게 되겠습니까? 인간이 만든 기계도 쉬어줄 때 쉬어 주어야 제대로 돌아갑니다.

하물며 사람이야 더 말해 무엇하겠습니까? 오늘날에는 사람들이 제대로 쉴 줄을 모릅니다. 쉴 줄을 모르니 틈이나 여유가 없고, 틈이나 여유가 없으니 인간성은 더욱 까칠해져서 다른 동료들에게 전혀 배려할 줄도 모르고, 심지어는 자신의 행복마저도 추구할 줄 모르면서 살아갑니다. 얼마나 안타깝고 서글픈 일인지요.

이사야 예언자는 안식을 누리는 자의 삶과 다만 그를 바라다보고만 있는 사람들의 삶의 태도를 잘 노래해 주고 있습니다.

"의인이 사라져 가도

마음에 두는 자 하나 없다.

알아보는 자 하나 없이

성실한 사람들이 죽어 간다.

그러나 의인은 재앙을 벗어나 죽어 가는 것이니

그는 평화 속으로 들어가고

올바로 걷는 이는

자기 잠자리에서 편히 쉬리라."(이사57,1-2)

노자는 '지극히 부드러운 것'과 '지극히 단단한 것'에 대해서 노래합니다. 지극히 부드러운 것은 보기에 유약하거나 허약해 보이고, 아무 일도 할 수 없을 것처럼 처량하게 보입니다. 반대로 지극히 단단한 것은 보기에 무슨 일이나 잘 해결할 것처럼 보이고, 어떤 누구와 겨루어도 결코 지지 않을 것처럼 보입니다. 하지만 노자는 부드러운 것이 단단한 것을 이긴다고 합니다.

세상에서 가장 부드럽고 유약해 보이는 것은 '물'이지요. 그렇지만 세상에서 그 물을 이길 수 있는 것이라곤 아무 것도 없답니다.

물은 '도'의 성질과 능력을 가장 잘 드러내는 것으로 노자의 절대적인 사랑을 받고 있지요. 『도덕경』 제8장에 나오는 '상선약수(上善若水)'라는 구절을 우리는 잘 알고 있을 것입니다. "가장 훌륭하고 최고의 선은 마치 물과 같다."라는 이야기입니다.

물은 낮고 더러운 곳으로 흐르고, 억지로 길을 내지 않으며 일정한 자신의 모습도 가지고 있지 않습니다. 세모난 그릇에 담기면 세모가 되고, 네모난 그릇에 담기면 네모가 되는 것이 물이랍니다.

보기에 물은 아무것도 할 수 없고 해낼 수도 없는 것처럼 보이는 가장 흔한 것입니다. 흔한 것이기 때문에 세상 어디서든지 다 있습니다. 하지만 그렇게 흔하디 흔하고 또 약하디 약하며 천대 받는 물이지만, 그 물은 모든 것을 태어나게 하고 성장하게 하며 한 방울씩 끊임없이 물방울을 떨어뜨려 마침내 돌이나 쇠붙이도 뚫어버리고, 홍수가 나면 아무리 거대한 산도 이쪽에서 저쪽으로 옮겨 버리거나 허물어 버립니다. (최진석,《노자의 목소리로 듣는 도덕경》, 소나무 출판사, 2001년, 347쪽 참조)

그러니 노자에게서의 물은 '도'의 모습이라고 할 만하지요. 노자에 따르면 '도'는 '없이 있는 존재(無有)'이고, '행함을 없이 하는 존재(無爲)'입니다. 사람들이 보기에 '도'는 없는 것처럼 보입니다. 없는 것처럼 보이기 때문에 사람들은 '도가 어디에 있느냐?'고 합니다.

또 '도'의 존재를 인식하였다고 해도 그 도는 '아무것도 할 수 없는 것'처럼 보입니다. 그래서 사람들은 "도가 우리에게 무엇을 할 수 있단 말인가?"라고 말합니다.

마치 노자가 말하는 도에서 우리는 하느님의 모습을 보는 듯합니다. 집회서 저자는 다음과 같이 노래합니다.

"그분께서는 아무에게도
 당신의 업적을 알릴 수 있게 해주시지 않으셨으니
 누가 그분의 위대한 업적을 헤아릴 수 있으랴?
 누가 그분의 위대한 권능을 측정하고
 누가 그분의 자비를 낱낱이 묘사할 수 있으랴?
 주님의 놀라운 업적에 뺄 수도 더할 수도 없고
 그것을 헤아릴 수 없다.
 인간이 그 일을 끝냈다고 생각할 때가
 바로 시작이고
 중도에 그친다 해도 미궁에 빠지기 마련이다.
 인간은 무엇인가,
 무슨 가치가 있는가?
 그의 선함은 무엇이고 악함은 무엇인가?"(집회18,4-8)

'도'가 천지만물을 위해 베푸는 작용, 혹은 활동을 우리는 '덕'이라고 합니다. 그 덕은 순전히 도의 활동이고 능력이지요. 하느님께서 천지만물을 위해 베푸시는 작용 혹은 활동하심이 곧 '은총'이고, 그 은총은 순전히 그분의 활동이고 권능입니다. 그분의 활동하심, 그분의 끝없는 권능으로 말미암아 천지만물이 비로소 숨쉬고 움직이며 살아가지요. 그래서 그분의 활동하심과 권능을 우리는 '사랑' 혹은 '자비'라고 고백합니다.

사람의 오감으로 볼 수 없고 느낄 수도 없는 분께서 사람의 오감 속으로 들어오셔서 몸소 사람이 되시어 우리 가운데 사시는 것입니다. 노자가 노래하는 도의 움직임 역시 사람들 가운데서 활동하는 그러한 움직임이지요. 하지만 그 움직임 혹은 활동하심에 대해서 천지만물은 결코 눈치조차 챌 수 없이 오묘하답니다.

그렇기 때문에 노자는 그러한 '도'의 작용, 움직임에 대해서 다음과 같이 노래하고 있는 것입니다.

하늘 아래 가장 부드러운 것은(天下之至柔)
하늘 아래 가장 단단한 것을 부려나가지(馳騁天下之至堅).
없이 있으신 분이 없는 사이로 들어가면(無有入無間)
나는 이로써 함을 없이하는 분이 유익한 분인 줄 알았지(吾是以知無爲之有益).

노자에게 있어서의 '도'의 움직임은 '말 없는 가르침' 곧 '불언지교(不言之敎)'라고 말합니다. 이 불언지교는 '무위자연(無爲自然)'을 뜻합니다. 즉 '행함이 없이 스스로 그러하다', '소리 없는 가르침'이라는 이야기입니다.

사실, 우리가 사는 사회 속에서도 "아는 사람은 말하지 않고, 말하는 사람은 알지 못한다."라는 격언이 있지요, 이 격언의 출처는 곧 『도덕경』56장에 '지자불어(知者不言), 언자부지(言者不知)'에서 나온 것이지요. 예수님께서도 이와 비슷한 말씀을 하셨답니다.

"아버지, 하늘과 땅의 주님,
지혜롭다는 자들과 슬기롭다는 자들에게는
이것을 감추시고
철부지들에게 드러내 보이시니,
아버지께 감사드립니다."(마태11,25)

불교에서는, 특히 선불교에서는 "교외별전(敎外別傳)이나 불립문자(不立文字) 혹은 이심전심(以心傳心)이나 염화시중(拈花示衆)"이라는 말을 쓰기도 합니다. 뜻은 어떠한 가르침 속에서도 전하여 가질 수 없고, 경전의 문구에 의존하지 않고, 마음에서 마음으로 직접 체험에 의해서만 전해질 수 있다는 뜻이지요. 굳이 말하지 않고 '눈빛만 보아도 알 수 있다.'는 말이 대체로 여기에서 나왔다고 보면 좋겠습니다. 하지만 우리는 말이나 눈빛 혹은 마음으로 교감을 가지기보다는 실제로 자기 눈으로 확인해야만 믿으려 드는 경향이 짙지요.

믿음(신뢰)이라는 것, 사랑이라는 것 등등에 대해서 오늘날의 사람들은 만지고 눈으로 확인하고 심지어는 자기 손 안에 들어와야만 비로소 수긍하거나 인정하려 드는 못된 습관이 있지요. 하지만 노자가 말하는 '도' 뿐 아니라 하느님에 대한 우리들의 믿음 역시 마음과 마음으로, 눈빛만으로도 충분히 소통하고 교감할 수 있어야 하지 않을까 싶습니다. 노자 역시 이 점에 대해서 다음과 같이 노래하면서 "세상에는 말없이 가르치고 함이 없으면서도 실제로 모든 것을 솔선수범하는 자들이 드물다."라고 개탄합니다. 저마다 내세우기를 좋아하고 칭찬받기를 좋아하지요. 예수께서도 말씀하십니다.

> "율법학자들을 조심하여라. 그들은 긴 겉옷을 입고 나다니며,
> 장터에서 인사 받기를 즐기고
> 회당에서는 높은 자리를
> 잔치 때에는 윗자리를 즐긴다.
> 그들은 과부들의 가산을 등쳐먹으면서
> 남에게 보이려고 기도는 길게 한다."
> (마르11,38-40/ 마태23,1-36/루카20,45-47참조)

말 없는 가르침(不言之敎)

함이 없는 유익(無爲之益)

하늘 아래는 여기에 미칠 자가 드물다네(天下希及之).

　겨울은 겨울다워야 한다고 말하면서도 "춥다. 춥구나."하는 말이 입에서 절로 나오는 요즈음입니다. 이번 추위는 온 지구촌에서 동시다발적으로 일어나고 있다고 방송에서는 연일 보도합니다. 그리고 한파의 주범으로 '지구온난화(地球溫暖化)'를 지목합니다. 과연 그럴까요? 지구 온난화의 근본적 원인을 따져서 들어가면, 결국 인간들의 못된 욕심, 이기심에서 기인한다는 것을 어렵사리 발견하게 됩니다. 부와 권력에 눈이 먼 인간들에 의해서 환경은 무자비하게 파괴되고, 끝에 가서는 파괴된 자연의 흐느낌에 지금 인류가 꽁꽁 얼어가고 있는 것이지요. 이를 두고 노자는 또 『도덕경』 5장에서 '천지불인(天地不仁)'이라고 노래합니다. 곧 하늘과 땅은 너그럽지 못하다/ 인자롭지 못하다/ 자비롭지 못하다는 뜻이지요. 인간이 자기들의 욕심으로 하늘과 땅을 파괴하면 하늘과 땅 역시 참을 수 있을 때까지 참다가 인류를 향하여 자신의 괴로움을 토로합니다.

　이 한 번의 토로에 인간은 '억'소리 한 번 내지 못하고 속절없이 당하고 말게 되겠지요. 그럴진대 노자가 말하는 '도'의 움직임은 또 어떠할런지요? '도'를 포함하여 하늘과 땅을 주재하시는 하느님의 마음은 또 어떠하시겠습니까?

　수녀님, 테레사 수녀님께서 많이 편찮으시다는 소식을 들었습니다.

거동이 불편하시기 때문에 수녀님들이 돌아가면서 함께들 하시고 계시다는 말씀에 그 '아름다운 모습들'이 떠오릅니다.

'공동체'는 미우나 고우나 비가 오나 눈이 오나, 기쁘거나 즐겁거나 슬프거나 괴롭거나 간에 함께하는 사람들의 모임을 말하지요. 그 가운데 하느님께서도 함께 하실 것이고, 하느님께서 수녀님들과 함께 하시는 한 수도원은 언제나 '감사와 찬미' 소리가 끊이지 않을 것이고, 비록 힘은 들어도, 그러나 '평화와 행복'만이 가득한 '주님의 공동체'로 불릴 만하다는 생각을 해봅니다. 날씨가 비록 매섭지만 이제 곧 하느님께서는 소리도 없이 '봄'을 보내 주시겠지요. 언제나 하느님 안에서 웃음 잃지 마시고요. 올해는 기필코 수녀님들의 모습을 뵈러 가겠습니다. 테레사 수녀님의 손이라도 한 번 잡아보러 가겠습니다. 테레사 수녀님께 힘과 용기를 내시라는 위로의 말씀을 드립니다. 아울러 내일은 안동교구에 경사스러운 일이 있습니다. 새 사제와 새 부제들이 탄생하기 때문입니다. 그들을 위해서 기도해 주십시오. 그리고 우리 교구장 주교님께서 곧 큰 수술을 앞두고 있습니다.

1월 27일에 대구가톨릭병원에 입원한다는 소식입니다. 우리 주교님을 위해서도 많은 기도를 부탁드립니다.

그럼 수녀님, 『도덕경』 제44장에서 만나뵙도록 하겠습니다.

2016년 1월 23일 토요일에

이름과 몸, 누가 가까운가?
몸과 재화, 누가 소중한가?
얻음과 잃음, 누가 병폐인가?
노자는 명예와 재화를 자기 목숨보다 소중히 여기는
오늘날 우리들에게 강한 경고를 보내고 있습니다.

이래서 심한 애착은 꼭 허비를 크게 하고,
많이 쌓아두면 반드시 잃어버리는 게 두터워지지,
만족할 줄 알면 수치스럽지 않고, 그칠 줄을 알면
위태롭지 않으며, 영원할 수 있다네.

44장

이름과 몸, 누가 가까운가?

수녀님, 얼었던 대동강 물도 풀린다는 우수(雨水)가 지난 지도 며칠 되었습니다. 모두들 잘 계시지요? 우곡의 골짜기를 뒤흔드는 바람도 이제는 제법 훈훈한 그야말로 훈풍(薰風)인 듯합니다. 세상도 이런 계절처럼 훈풍이 불면 얼마나 좋겠습니까? 그렇기 때문에 사람들은 겨울보다는 봄을, 여름보다는 가을을 좋아하는 모양입니다. 사람은 태어나면서 죽기 전까지 모름지기 '이것을 취하고 저것을 버리면서(去彼取此)' 살아가는 모양입니다.

언제나 선택과 버림의 연속이 바로 인간의 삶이 아닐까 싶습니다. '거피취차'에 대해서는 일찍이 노자가 『도덕경』 12장과 38장에서 이미 말한 적이 있습니다. 그리고 보면 노자의 『도덕경』 전체를 관통하는 하나의 관념이 있다면 곧 이 '거피취차'가 아닐까 생각합니다. 왜냐하면 사람은 인생을 살아가면서 끊임없이 '이것을 취하고 저것을 버리면서' 살아가야 하기 때문이지요. 이와는 상반되게 공자는 '극기복례(克己復禮)'라는 말을 사용합니다.

《논어. 안연(顏淵)》에 보면, 공자의 제자인 안연이 '인(仁)'에 관해서 묻습니다. 그러자 공자가 "자기의 사사로움을 이겨내고 예로 돌아가는 것이 인이다."라고 대답합니다. 그러면서 말하기를 "하루라도 그렇게 행한다면 온 세상 사람들로부터 어질다는 말을 들을 것이다.

인의 실천은 자신에게서 비롯되지 남에게서 비롯되겠는가?"라고 하자, 제자인 안연이 다시 다음과 같이 청합니다. "그 세부 항목을 말씀해 주십시오."하자, 공자는 "예가 아닌 것은 보지도 말고, 듣지도 말고, 말하지도 말고, 행하지도 말라."(顏淵問仁. 子曰 : "克己復禮爲仁. 一日克己復禮, 天下歸仁焉. 爲仁由己, 而由人乎哉?" 顏淵曰 : "請問其目." 子曰 : "非禮勿視, 非禮勿聽, 非禮勿言, 非禮勿動." 顏淵曰 : "回雖不敏, 請事斯語矣.")고 대답합니다. 그런데 노자와 공자의 말을 자세히 들여다보면 공통점이 있습니다. 노자가 말하는 '거피(저것을 버림)'나 공자가 말하는 '극기(자기를 이겨냄)'는 같은 듯하면서도 서로 다른 곳을 지향한다는 것입니다.

노자가 저것을 버린다는 것은 인위적이고 조작된 것을 버리는 것입니다. 하지만 공자의 자기를 이겨낸다는 것은 곧 하늘이 천부적으로 내려준 본래의 자아를 이겨내야 한다는 뜻으로 이해됩니다. 그리하여 노자는 인위적이지 않으면서 조작되지 않은 자연스럽고 천부적인 것을 선택해야 한다고 말합니다. 그러나 공자는 오히려 천부적인 자아를 버리고 인위적이면서 가공되고 조작된 예법으로 돌아가야만 사람이 너그러울 수 있다고 보고 있는 것이지요.

같은 시대에 살아간 노자와 공자의 이러한 상반된 주장에 대해 누구의 것, 어느 것이 옳은 이야기이겠는지요? 자세히 살펴보면, 어쩌면 이 두 사람은 결국 같은 말을 하고 있는지도 모르겠다는 생각을 해 봅니다. 왜냐하면 공자의 '극기'에서 이겨내고 극복해야 할 것은 사사로운 자아, 곧 하늘이 처음부터 내려 준 본래의 그 마음을 잃어버리고 자기가 스스로 만들어낸 욕심에 잠긴 자아를 이겨내야만 비로소 하늘이 내려준 바로 그 예법을 회복할 수 있기 때문이지요. 그렇다면 현자들은 끝에 가서는 서로 통할 수 있는 말과 행동을 서로 건네고 있는지도 모를 일입니다.

예수님은 "누가 내 어머니고 누가 내 형제들이냐? 하늘에 계신 내 아버지의 뜻을 실행하는 사람이 내 형제요 누이요 어머니다."(마태 12,48-50)라고 말씀하셨지요? 그러니 노자나 공자의 말을 듣고 또 예수님의 말씀을 되새겨보면 일상생활에서 우리가 선택해야 할 것과 버려야 할 것이 분명하게 드러나리라 생각합니다.

사실상 사람이 살아가면서 취사선택(取捨選擇)하는 것을 가만히 들여다보면, 대개는 자기에게 필요하고 편리하고 안전하며 도움이 될 것 같은 것만을 취하고 그 나머지는 버려 버립니다. 그렇다면 사람이 살아가는 데 무엇을 선택하고 또 무엇을 버려야만 하는 것입니까? 그것을 잘 분별하는 것이 곧 성인이 아닐까 생각합니다.

예수께서는 "너희는 말할 때에 '예' 할 것은 '예' 하고, '아니요' 할 것은 '아니요'라고만 하여라. 그 이상의 것은 악에서 나오는 것이다." (마태5,37)라고 말씀하십니다.

이때 누구의 말씀에 비추어서 '예' 하고 '아니요' 하는 것이겠습니까? 그것은 곧 하느님의 말씀에 근거한 것이 아니겠습니까? 하느님의 말씀은 사람에게 있어서 지극히 자연스러운 것(노자)이며 사사로운 자기 욕심이 없는 것(공자)이 아닐까 싶습니다.

이제 본론으로 돌아가서 다시 노자의 노래를 들어볼 차례입니다. 노자는 일상생활에서 이분법적인 논리를 극복하고자 부단히 노력한 현자로 보이지만 이 장에서는 "누가 가까운가? 누가 소중한가? 누가 병폐인가?"라고 하면서 마치 이분법적인 논리를 적용하는 듯이 보입니다. 하지만 그것은 이분법적인 사고를 진작시키기 위해서 펼친 주장이 아니라 오히려 노자가 바라다보며 걸어가는 인생관, 세계관, 철학관이라는 것을 금방 눈치챌 수 있을 것입니다.

노자는 노래합니다.

이름과 몸, 누가 가까운가(名與身孰親)?

몸과 재화, 누가 소중한가(身與貨孰多)?

얻음과 잃음, 누가 병폐인가(得與亡孰病)?

'이름'을 '몸'보다 소중히 여기고 또 더 절실하게 여기는 것은 동서

고금을 막론하고 더 거론할 필요가 없을 것입니다. '이름'은 곧 '명예'이지요. "어떠한 일이 있더라도 송충이는 솔잎을 먹어야 산다."는 속담도 있듯이, 명예는 소중한 것이지요. 특히 동아시아 문화 속에서는 더욱더 절실한 진리가 아닐까 싶습니다. 하지만 노자는 '몸'을 선택합니다. 사람들은 밤낮을 가리지 않고 쉴 새 없이 명예를 추구합니다. 그러나 그 사이에 자신의 몸과 마음(합쳐서 '몸')을 잃어버리게 될 줄을 모르지요. 몸은 하늘이 내려주신 것이기 때문이 아닐까 싶습니다. 예수께서도 "사람이 온 세상을 얻고도 제 목숨을 잃으면 무슨 소용이 있겠느냐? 사람이 제 목숨을 무엇과 바꿀 수 있겠느냐?"(마태16, 26)라고 말씀하셨지요. 뿐만 아니라 노자는 '몸과 재화' 가운데 어느 것이 더 소중하고 절실하냐고 묻습니다. 여기에서도 역시 노자의 대답은 '몸'입니다. 이것에 대해서 역시 예수님께서도 "너희는 자신을 위하여 보물을 땅에 쌓아 두지 마라. 땅에서는 좀과 녹이 망가뜨리고 도둑들이 뚫고 들어와 훔쳐 간다. 그러므로 하늘에 보물을 쌓아 두어라."(마태6,19-20)라고 말씀하십니다.

결과적으로 '얻음과 잃음'을 노자의 견해에 비추어 보자면, 얻는다는 것은 외부의 가치나 재화들을 나에게로 끌어당기는 것이고, 잃는다는 것은 외부로부터 들어와 나에게 쌓여 있던 것을 놓아 버리는 것이 아닐까 싶습니다.

따라서 노자는 명예와 재화를 자기 목숨보다 소중히 여기는 오늘날의 우리들에게 강한 경고를 보내고 있는 셈입니다.

사람들은 명예나 재물을 한꺼번에 섬깁니다. 그래서 명예나 재물이 자기 곳간에 차곡차곡 쌓이기를 간절히 바라는 것이 예나 지금이나 사람들의 욕심인가 봅니다. 그러나 노자는 명예나 재물 따위에 집착하고 애착을 가지면 반드시 큰 대가를 치르고 또 많이 쌓아 두면 쌓아 둘수록 반드시 크게 잃는다고 보고 있는 겁니다. 이는 예수님의 말씀과 크게 다르지 않다고 생각합니다. 복음서에 나오는 〈어리석은 비유〉가 그것을 잘 말해 주고 있지요.

"어떤 부유한 사람이 땅에서 많은 소출을 거두었다. 그래서 그는 속으로 '내가 수확한 것을 모아 둘 데가 없으니 어떻게 하나?' 하고 생각하였다. 그러다가 말하였다. '이렇게 해야지. 곳간들을 헐어내고 더 큰 것들을 지어 거기에 내 모든 곡식과 재물을 모아 두어야겠다.' 그리고 나 자신에게 말해야지. '자, 네가 여러 해 동안 쓸 많은 재산을 쌓아 두었으니, 쉬면서 먹고 마시며 즐겨라.' 그러나 하느님께서 그에게 말씀하셨다. '어리석은 자야, 오늘밤에 네 목숨을 되찾아갈 것이다. 그러면 네가 마련해 둔 것은 누구 차지가 되겠느냐?' 자신을 위해서는 재화를 모으면서 하느님 앞에서는 부유하지 못한 사람이 바로 이러하다."(루카 12,16-21)

이래서 심한 애착은 꼭 허비를 크게 하고(是故甚愛必大費)

많이 쌓아 두면 반드시 잃어 버리는 게 두터워지지(多藏必厚亡).

만족할 줄 알면 수치스럽지 않고(知足不辱)

그칠 줄을 알면 위태롭지 않으며(知止不殆)

영원할 수 있다네(可以長久).

　'애착'과 '집착'은 같은 부류이지요. 그런데도 사람들은 '사랑'과 '애착'을 혼동하고, '애착'과 '집착'이 다르다고 말합니다. 노자는 심한 애착은 반드시 크게 손상을 입고, 많이 쌓아 두면 반드시 잃어 버리는 것이 두터워진다고 말합니다. 그래서 '만족할 줄 알아야'한다고 경고성 권고를 보내고 있지요. 만일 애착이 심해서 만족할 줄 모르면 일상의 삶이 온통 치욕스러울 뿐만 아니라 그것을 알면서도 그치거나 멈출 줄 모르면 삶이 위태롭게 된다고 합니다. 하지만 그 반대의 삶을 산다면 곧 영원한 삶을 향유할 수 있다는 뜻이 될 수 있습니다. 사도 바오로도 〈필리피인들에게 보내는 서간〉에서 '만족할 줄 아는 삶'에 대해서 설명합니다.

"내가 궁핍해서 이런 말을 하는 것은 아닙니다.
　나는 어떠한 처지에서도 만족하는 법을 배웠습니다.
　나는 비천하게 살 줄도 알고

풍족하게 살 줄도 압니다.
배부르거나 배고프거나 넉넉하거나 모자라거나
그 어떤 경우에도 잘 지내는 비결을 알고 있습니다.
나에게 힘을 주시는 분 안에서
나는 모든 것을 할 수 있습니다."(필리4,12-13)

수녀님, 새해가 시작된 지 벌써 두 달이 지나갑니다. 보내 주신 제병은 잘 받았습니다. 그리고 언제나 세심한 배려를 해주시는 수녀님들을 제게 보내 주신 하느님께 감사미사를 드리곤 한답니다. 오늘은 정월 대보름날이라 달빛이 참 밝습니다.

지금은 크고 둥근달이 가장 환한 빛으로 제가 사는 우곡성지의 골짜기를 가득 메우는 시간입니다. 제가 맡은 이곳에서의 소임이 언제 끝날지는 알 수 없지만 하루하루를 만족하면서 살아왔고 또 앞으로도 그렇게 할 것입니다. 맡겨진 일에 있어서 하루하루를 그저 기쁘게 그리고 감사드리면서, 또 저를 위해 기도해 주시는 분들을 기억하면서 살아갑니다.

이제 곧 삼월이 되겠지요? 이번 겨울의 날씨는 예전에 보내던 것과는 사뭇 다르게 따뜻한 날이 많았던 것 같습니다. 예전 같으면 이 골짜기 계곡에 얼음과 칼바람이 머물러 있었을 텐데 지금은 계곡물 흐르는 소리가 귓전을 상쾌하게 두드리며 지나가고, 불어오는 바람에 봄

냄새가 상큼하게 묻어 있습니다. 머지않아 다가올 꽃피는 봄을 기다려 봅니다. 아참! 데레사 수녀님의 건강은 어떠하신지 궁금합니다. 연세가 높으셔도 수도원의 어른으로서 언제나 기쁜 마음으로 살아가시면 얼마나 좋으실까 걱정하면서 또 기도합니다.

모든 수녀님들도 일상의 생활을 기쁘고 행복한 마음으로 살아가시기를 기도합니다. 그럼 『도덕경』 45장에서 또 뵙겠습니다.

2016년 2월 22일 정월 대보름이자 성 베드로 사도좌 축일에

큰구슬봉이

청정의 상태야말로 사람이 사람으로서 오를 수 있는
최고의 경지이며, 이 경지가 바로 '도'의 경지라고 볼 수 있습니다.
노자의 '청정'과 예수님의 '자기희생'은 전혀 다른 것처럼 보이지만,
타인을 배려하고, 타인을 사랑하며, 타인에게 자유와 해방을
가져다준다는 의미에서 서로 닮은꼴을 가졌다고 볼 수 있지요.

45장

위대한 이름은 모자란 듯하지만

　수녀님, 잘 계시지요? 봄꽃이 피었다는 소식이 이곳저곳에서 들려오지만 우곡에서는 아직 꽃소식이 없어 들려드릴 수 없네요. 하지만 흐르는 물소리가 달리 들리고, 불어오는 바람 냄새가 다르고, 돌 틈에 돋아나고 있는 이름 모를 풀잎들의 싹들의 움직임을 보니 우곡에도 봄은 진작부터 와서 우리를 기다리고 있었나 봅니다.

　그렇지만 세상 사람들 살아가는 모습들을 보노라면 '춘래불사춘(春來不似春)'이라는 어느 시인의 말이 사실일 것이라는 것에 믿음을 더 두어 봅니다.

　참 하느님이시면서 사람으로 오시고 사셨던 예수님께서 이제 때가 되자 사람들을 위하여 잡히시고 매 맞으시고 사형선고를 받으시고 사형 틀인 십자가를 지시고, 십자가에 못 박히시고 돌아가시고 마침내 새로운 삶, 곧 부활로 다시 오시는 일련의 그분의 거룩한 행로를 기억하고 묵상하는 '성주간'을 보내고 있습니다.

　지금은 성주간이라 자꾸만 이사야 예언서의 말씀이 떠오릅니다.

"의인이 사라져 가도

마음에 두는 자 하나 없이

성실한 사람들이 죽어 간다.

그러나 의인은 재앙을 벗어나 죽어 가는 것이니

그는 평화 속으로 들어가고

올바로 걷는 이는

자기 잠자리에서 편히 쉬리라."(이사57, 1-2)

"그에게는 우리가 우러러볼 만한 풍채도 위험도 없었으며

우리가 바랄 만한 모습도 없었다.

사람들에게 멸시 받고 배척 당한 그는

고통의 사람, 병고에 익숙한 이였다.

남들이 그를 보고 얼굴을 가릴 만큼

그는 멸시 받았으며 우리도 그를 대수롭지 않게 여겼다.

그렇지만 그는 우리의 병고를 메고 갔으며

우리의 고통을 짊어졌다.

그런데 우리는 그를 벌 받은 자,

하느님께 매 맞은 자,

천대 받은 자로 여겼다."(이사53,3-4)

"주 하느님께서 내 귀를 열어 주시니

나는 거역하지도 않고

뒤로 물러서지도 않았다.

나는 매질하는 자들에게 등을,

수염을 잡아 뜯는 자들에게 내 뺨을 내맡겼고

모욕과 수모를 받지 않으려고

내 얼굴을 가리지도 않았다.

그러나 하느님께서 나를 도와 주시니

나는 수치를 당하지 않는다."(이사50,5-7)

위 이사야 예언자의 말씀은 모두 신약의 예수 그리스도의 생애와 깊은 관련이 있어 보입니다. 이 말씀의 결론을 우리는 사도 바오로가 로마인들에게 보낸 편지를 통하여 어느 정도 가늠해 볼 수도 있을 겁니다.

"오! 하느님의 풍요와 지혜와 지식은 정녕 깊습니다.

그분의 판단은 얼마나 헤아리기 어렵고

그분의 길을 얼마나 알아내기 어렵습니까?

누가 주님의 생각을 안 적이 있습니까?

아니면 누가 그분의 조언자가 된 적이 있습니까?

아니면 누가 그분께 무엇을 드린 적이 있어

그분의 보답을 받을 일이 있습니까?"(로마12,33-35)

사실 이 서한 역시 사도 바오로께서 「이사야」 59장, 40장, 그리고 「욥기」의 41장을 각각 인용한 것입니다. 그만큼 인간에 대한 하느님의 섭리하심에 대해 풍부하고 다양한 구약의 말씀을 인용한 것인데, 그러한 성경 말씀이 전하는 풍부한 함의를 오늘 우리가 보고자 하는 노자의 노래에서도 어느 정도 찾아볼 수 있다는 것은 놀라운 일, 경이로운 신비가 아닐 수 없다는 생각을 해봅니다.

노자의 『도덕경』을 읽으면서 어떤 구절에서는 마치 성경에서 말씀하시려고 하는, 그러나 그 의미를 제대로 파악하기 어려웠던 하느님 말씀의 의미를 조금이라도 드러내려고 애를 쓴 바로 그 흔적, 혹은 자취를 짐작하게 해주는 듯합니다. 해서 언제나 『도덕경』을 읽을 때면 곧바로 성경에 기술되어 있는 하느님의 말씀이 떠오릅니다.

크게 이룸은 마치 모자란 듯하지만(大成若缺),

그 쓰임은 해지지 않지(其用不弊).

꽉 채워짐은 텅 빈 듯하지만(大盈若沖),

그 쓰임은 다하지 못하지(其用不窮).

아주 곧은 것은 굽은 듯하고(大直若屈),

위대한 솜씨는 서투른 듯하고(大巧若拙)

훌륭한 언변은 어눌한 듯하지(大辯若訥).

재바른 움직임은 찬 기운을 이겨 내고(躁勝寒)

고요함은 더운 기운을 이겨 내지(靜勝熱).

    생각해 보십시오. 지금까지 우리가 앞에서 읽었던 노자의 숱한 노래들이 그랬던 것처럼, 위의 구절도 역시 마치 사람으로 오신 예수 그리스도의 삶을 약간이라도 드러내면서 우리들에게 그렇게 살아갈 것을 주문하고 있는 것처럼 보이지 않습니까? "크게 혹은 위대하게 무엇을 이루려고 하는 사람은 매사에 살얼음판을 걷듯 모자라거나 결핍된 사람처럼 행동하지만, 그가 하는 사언행위는 오히려 거침이 없고 모두가 다 쓸데없는 빈말이 아니라 모든 이들의 삶을 위한 충언이며 그 충언은 해도 해도 영원히 그침이 없다는 것"입니다.

    또 말하기를, "그의 삶은 꽉 채워져 충실함 그 자체이지만 뭇 사람들이 그를 볼 때는 꼭 아무것도 가진 바가 없는 텅 빈 깡통에 불과하며 아주 곧은 것은 살짝 굽어보이고, 훌륭한 솜씨는 보기에는 서투르고 훌륭한 말솜씨는 듣기에 매우 어눌한 것처럼 보인다."는 것입니다. 뿐만 아니라 노자는 또 말하기를 "재바른 움직임은 찬 기운을 이겨 내고 고요함은 더운 기운을 이겨 낸다."고 역설합니다.

여기에서 '재바른 움직임'은 곧 '양기(陽氣)'를 의미하고, '고요함'은 '음기(陰氣)'를 뜻하지요. '재바르다'는 것은 활활 타오르는 뜨거운 불과 같고, '고요하다'는 것은 차가운 물과 같기 때문에 이 두 가지는 각각 그것들과 맞대응하는 것이나 상황들을 이겨 내기에 충분한 조건을 갖추고 있다고 볼 수 있을 것입니다.

사실 이렇게 사람을 바라보는 노자의 태도는 곧 통치자의 행위, 모든 지도자들의 모습 혹은 다른 사람들과의 관계 안에서 취해야 할 자신의 태도가 어떠해야 하는지를 말하고 있다고 보아도 좋을 것입니다. '겸손(謙遜)'이나 '겸양(謙讓)'이라는 말을 이럴 때 사용하는 것이 아닐까 싶기도 합니다. 예수께서는 노자의 이런 표현보다 더 직설적으로 말씀하고 계시지요.

"너희도 알다시피 다른 민족들의 통치자들은
백성 위에 군림하고,
고관들은 백성에게 세도를 부린다.
너희는 그래서는 안 된다.
너희 가운데에서 높은 사람이 되려는 이는
너희를 섬기는 사람이 되어야 한다.
또한 너희 가운데에서 첫째가 되려는 이는
너희의 종이 되어야 한다."(루카20,25-27)

이렇게 노자가 노래한 위 구절들은 사람들의 행동거지(行動擧止)들이 모두 '도(道)'에 합당해야 하며 도에 부합하는 '사언행위(思言行爲)'가 바로 '도의 작용', 곧 '덕스러움(德)'에 해당한다는 것입니다. 그러한 덕스러움에 있어서 최고의 단계에 대해 노자는 주저하지 않고 다음과 같이 노래합니다.

맑고 고요함이 하늘 아래 올바름이 된다네(淸靜爲天下正).

노자에게 있어서 인간 행위의 최고 단계는 다름 아닌 "맑고 고요함" 곧 "청정(淸靜)"입니다.

청정의 상태야말로 사람이 사람으로서 오를 수 있는 최고의 경지이며 이 경지가 바로 도의 경지라고 볼 수 있습니다. 이러한 단계를 예수의 말씀과 대비해 보자면 예수께서는 "사람의 아들도 섬김을 받으러 온 것이 아니라 섬기러 왔고, 또 많은 이들의 몸값으로 자기 목숨을 바치러 왔다."(루카20,28) 라고 하셨지요. 얼핏 보면 노자의 '청정'과 예수님의 '자기 희생'은 전혀 다른 것처럼 보이지만, 타인을 배려하고 사랑하며 타인에게 자유와 해방을 가져다 준다는 의미에서 서로 닮은꼴을 가졌다고 볼 수 있으리라 봅니다.

수녀님, 우곡의 골짜기에 비가 내리고 바람이 불고 또 아직 찬 기운이 남아 있지만, 그래도 자세히 들여다보면 냉이, 쑥부쟁이, 꽃다지 등등이 노란 꽃봉오리의 머리를 쏘옥 내밀기 시작했음을 느낄 수 있지요. 또 양지바른 곳에서는 산수유와 꽃 동백, 버들가지들이 하마 봄기운을 머금고 마음껏 기지개를 켜는 소리도 들을 수 있고요. 보내 주신 부활초와 정성스럽게 만드신 주전부리, 그리고 예수님의 부활하심을 잊지 않고 전해 주시는 소담스런 편지를 받고 보니 감사하고 고마우신 선물을 어찌 다 기워 갚을까 걱정이 앞섭니다.

편지 끝에 데레사 수녀님의 근황에 대해서도 소식 전해 주시니 감사드립니다. 특히 "조금씩 걸음마를 떼신다."는 구절은 최고의 기쁨입니다. 그리고 그곳 부(扶) 신부님이신 전달수 안토니오 신부님께서는 신학자이시지요. 신학은 우리가 신앙생활을 하는 데 필요한 자양분을 공급해 주기 때문에 훌륭한 공급자를 보내 주셔서 수녀님들과 함께하도록 배려하심에 또한 주님께 감사 드려 봅니다.

오늘은 성 토요일 '망 부활의 날'입니다. 기쁜 우리 주 예수 그리스도의 부활하심을 축하드리고 또 함께 기뻐하고 싶습니다. 알렐루야!! 알렐루야!!

그럼 수녀님, 『도덕경』 46장에서 또 뵙겠습니다.

2016년 3월 26일 성(聖) 토요일에

'아침에 도를 들으면 저녁에 죽어도 좋다.'는 말은
곧 참된 이치를 깨달으면 죽어도 여한이 없다는 것을 비유하는
말이라고 보면 옳을 것이다.

노자는 '도'의 있고 없음에 대해 다음과 같이 노래합니다.
그의 노래는 잔잔히 흘러가는 강물처럼 보이지만,
사실은 그 물이 엄청난 대변혁의 씨앗을 품고 있는 바다와 같은지도 모를 일입니다.
겉으로 보기에는 차분하고 나긋나긋하게 보이지만,
가슴속에는 엄청난 불덩이를 품고 활화산처럼 이글거리는
불덩어리들을 세상을 향해 내뿜고 있는지도 모릅니다

46장

하늘 아래 도가 있으면

수녀님, 잘 계시지요?

누구에게는 꽃 피고 새 우는 아름다운 달이 되고, 또 누구에게는 '잔인한 달'이 되고 마는 사월도 하마 '곡우(穀雨)'를 지나 오월로 향하고 있네요. 하느님께서 우리를 위하여 마련해 놓으신 '천력(天曆)'은 신통하고 신묘하게도 한 치의 어긋남도 없이 운행(運行)되고 있으니 그 사실 하나만으로도 과연 '그분은 우리에게서 찬미와 찬송을 받으실 분'이 아니시겠는지요? 말하자면 그분은 '도'이시고, 그분의 '도'는 바로 그분 자체이시며 그분의 '도'의 작용은 곧 만물을 살리시고 먹이시고 기르시며 거두어 안아 품어 주시기까지 한답니다.

우리는 지금까지 노자의 '도'에 대해서 그리고 그 작용으로서의 '덕'에 관해서 미약하지만 일정 정도 보아왔습니다. 즉 노자에게서 '도'라고 하는 것은 길, 방법, 방도, 이치, 도리, 근본, 근원, 우주의 본체(本體), 사상(思想), 인의(仁義), 덕행(德行), 교설(敎說), 곧 말씀 등등으로 이해할 수 있다고 보았지요. 그렇기 때문에 분위기는 좀 다르긴 하지만 공자는 《논어(論語) 〈이인(里仁)〉》편에서 '조문도 석사가의(朝聞道, 夕死可矣.)'라고 하였는지도 모르겠습니다.

이는 "아침에 도를 들으면 저녁에 죽어도 좋다."는 말인데 곧 참된 이치를 깨달으면 죽어도 여한이 없다는 것을 비유하는 말이라고 보면 좋겠습니다. 봄이면 꽃이 피고 새싹이 움트며 여름이면 녹음이 우거지고 가을이면 온갖 열매를 맺으며 겨울이면 모두가 여유를 가지고 긴 쉼에로 들어가는 이치도 곧 '도'의 작용이며 이는 하느님께서 마련해 주신 은총이 아닐까 믿어 의심치 않습니다. 이러한 의미에서 지금 우곡의 골짜기는 한껏 그분의 은총의 싹을 틔우기에 여념이 없는 계절을 맞이하고 있는 셈이랍니다.

다른 한편 노자는 '도'의 있고 없음(有無)에 대해 다음과 같이 노래합니다. 그의 노래는 잔잔히 흘러가는 강물처럼 보이지만 사실은 그물이 엄청난 대변혁의 씨앗을 품고 있는 바다와 같은지도 모를 일입니다. 겉으로 보기에는 차분하게 혹은 나긋나긋하게 노래하고 있는 것처럼 보이지만 가슴속에는 엄청난 불덩이를 품고 활화산처럼 이글거리는 불덩어리들을 세상을 향해 내뿜고 있는지도 모릅니다. 또 더러는 깊은 강물처럼 잔잔히 흘러가는 것처럼 보이지만, 안에서는 해일을 일으키고 폭풍우를 불러오는 저 넓디넓은 바다의 기운을 품고 있을지도 모를 일입니다. 그러한 노자의 역발상적인 기상을 우리는 이 장에서 어느 정도 엿볼 수 있을 겁니다.

노자는 다음과 같이 노래합니다.

세상이 도를 가지게 되면(天下有道),

오히려 전쟁터를 누비던 말을 뒤로 물러서 밭갈이로 삼지(卻走馬以糞).

세상이 도를 없이하면(天下無道),

전쟁터를 누비던 말이 성 밖에서 새끼를 낳지(戎馬生於郊).

앙화는 만족할 줄 모르는 것보다 더 큰 것이 없고(禍莫大於不知足),

허물은 얻어 내려는 욕심보다 더 큰 것이 없지(咎莫大於欲得).

하늘 아래에 살아가는 온갖 만물들이 모두 '도'를 간직하고 살아간다면 전쟁이나 다툼을 위해 준비했던 살상무기, 곧 총이나 대포, 핵무기 등등이 모두 땅을 가꾸고 곡식을 기르는 농기구로 삼아 평화롭게 살아갈 수 있다는 이야기입니다. 마치 이사야 예언자가 '영원한 평화'라는 제목에서 노래한 말씀과 닮아 있습니다.

"그분께서 민족들 사이에 재판관이 되시고

　수많은 백성들 사이에 심판관이 되시리라.

　그러면 그들은 칼을 쳐서 보습을 만들고

　창을 쳐서 낫을 만들리라.

　한 민족이 다른 민족을 거슬러 칼을 쳐들지도 않고

다시는 전쟁을 배워 익히지도 않으리라."(이사2,4)

반대로 하늘 아래 도가 없어져 버리면 전쟁터를 누비던 말이 성 안으로 들어와서 제대로 쉬지도 못하고 그냥 그대로 성 밖 전쟁터에 남아 거기에서 고달픈 나날을 보내기도 하고 자신의 망아지들도 거기에서 낳을 뿐 아니라, 그렇게 해서 낳은 망아지는 또 자라면 전쟁의 도구로 살게 되는 비운을 맞게 되겠지요. 바로 여기에서 '재난(화, 앙화)'이 들이닥치는데 이는 전적으로 '도'를 따르지 않고 오로지 자신들의 욕망만을 좇는 인간의 만족할 줄 모르는 태도에서 비롯되는 것이 아닐까 싶습니다.

고구려시대 때 유명한 장군 을지문덕(乙支文德, ?~?)이 중국 수나라의 장수 우중문(于仲文, 545~613)에게 보낸 '여수장우중문시(與隋將于仲文詩)'라는 한시(漢詩)가 문득 생각납니다.

그 시의 내용은 대략 이러하지요.

신책구천문(神策究天文) : 신기한 책략은 하늘의 이치를 다했고,
묘산궁지리(妙算窮地理) : 오묘한 계획은 땅의 이치를 다했노라.
전승기공고(戰勝功旣高) : 전쟁에 이겨서 공(功) 이미 높으니,
지족원운지(知足願云止) : 만족함을 알고 그만두기를 바라노라.

결국 수나라 장수 우중문은 을지문덕 장군에게 패했는데 그 이유는 곧 '만족할 줄 모르는 데' 있었습니다. 지난 4월 13일에 총선이 있었는데 거기에 출마한 사람들은 저마다 '국민을 위하여'라는 기치를 내걸었지만 실은 자신들의 욕심을 채우기 위해 출마한 사람들이 훨씬 많았다고 보는 편이 좋겠지요. '만족할 줄 모르는 삶'은 자신의 욕심만 채우려 들기 때문에 타자(他者)가 보이지 않는 법이지요. 타자를 보지 않으면 타자를 배려하거나 이해하거나 함께하지 못하게 되고, 따라서 끝에 가서는 스스로 자신의 욕심에 발목이 잡혀 망해 버리고 말게 되겠지요? 이런 의미에서 수녀님들은 참으로 훌륭한 몫을 택한 셈이지요. 왜냐하면 공동체로 살고 계시기 때문입니다.

공동체는 자신은 없어지고 자기 안에 타자가 자리잡도록 하는 삶을 살 줄 압니다. 그래서 예수께서도 그분의 발치에 앉아 그분의 말씀에 귀를 기울이는 마리아를 칭찬하시면서 언니인 마르타를 향해 "마리아는 좋은 몫을 선택하였다. 그리고 그것을 빼앗기지 않을 것이다."(루카10,42)라고 말씀하셨지요. 또 우리가 이미 익히 듣고 알고 있던 사도 바오로의 말씀을 여기에서 다시 거론하지 않을 수 없습니다.

"내가 궁핍해서 이런 말을 하는 것은 아닙니다.
나는 어떠한 처지에서도 만족하는 법을 배웠습니다.
나는 비천하게 살 줄도 알고 풍족하게 살 줄도 압니다.

배부르거나 배고프거나 넉넉하거나 모자라거나

그 어떠한 경우에도 잘 지내는 비결을 알고 있습니다.

나에게 힘을 주시는 분 안에서

나는 모든 것을 할 수 있습니다."(필리4,11-13)

사도 바오로는 '만족할 줄 아는 삶'의 근거 혹은 배경으로 '나에게 힘을 주시는 분 안에서'라는 말씀을 합니다. '나에게 힘을 주시는 분'은 곧 두말할 것도 없이 하느님이시지요. 하느님은 노자가 말하는 '도'의 본체 혹은 실체이십니다. '도' 자체이신 분이 곧 하느님이시지요. 따라서 사도 바오로는 '도' 안에서 살고 있기 때문에 그에게 시시각각으로 다가오는 온갖 일들을 다 감당해 낼 수 있었다는 뜻이 됩니다. 노자가 세상을 바라다보며 읊은 노랫말의 의미도 결코 사도 바오로의 고백과 멀리 떨어져 있다고는 말할 수 없을 것으로 보입니다.

그래서 만족할 줄 아는 만족이야말로(故知足之足)

언제나 만족스럽다네(常足矣).

자랑이라고 해야 할지 방정을 떨거나 궁상맞다고 해야 할지 잘 모르겠습니다만, 저도 제가 밥을 짓고 빨래도 하고 반찬도 하면서 산 지가 오 년이 넘어 육 년으로 향하고 있습니다.

주변의 주교님이나 동료 신부들이 하도 저에 대해서 걱정을 많이 해 최근엔 봉화 신자 한 분이 일주일에 두 번(화요일, 금요일) 오셔서 청소며 밑반찬을 해 주고 갑니다. 그러다가 보니 어느 순간에 제가 참 많이도 게을러져 버렸다는 생각을 하게 되지요. 하지만 혼자 밥을 해 먹을 때나 누가 와서 청소까지 해 주고 있는 지금이나 별 차이 없이 지내려고 노력하고 있답니다. 물론 그 여신자는 연세도 있으시기 때문에 오전 10시쯤 오셔서 오후 4시쯤에 갑니다. 그러니 오늘 우리가 보고 있는 노자의 노래, 특별히 '만족할 줄 아는'삶에 대해 동감하는 바가 크다고 누구에게나 자신 있게 말할 수 있지요.

수녀님, 며칠 전에 바람이 불고 세차게 비가 오더니 지금 우곡의 골짜기 계곡물 흐르는 소리가 얼마나 기운차게 들리는지 모르겠습니다. 덩달아 봄꽃들도 예쁘게 피어오르고, 새들의 지저귐도 여느 때보다 청아하게 들려옵니다. 우곡의 사월뿐 아니라 하나의 계절을 보낼 때마다 언제나 소머리산 자락에 자리한 수녀님들이 계신 곳을 떠올려보기도 한답니다.

제가 그렇게 떠올려 보는 것은 그곳과 이곳의 계절 흐르는 모습이 서로 비슷하다는 생각이 들기 때문이지요. 그리고 보니 수도원의 수녀님들 모두 잘 계시지요? 특별히 데레사 수녀님께 안부 전해 주십시오. 건강이 좀 차도가 있으신지 궁금합니다. 한번 틈을 내어 찾아뵙겠다고 약속을 드렸는데 쉽지가 않습니다. 벌써 '도덕경 읽기'가 중반을 넘어

가고 있네요. 시계가 낮기도를 올리라고 재촉합니다.

수녀님들, 그럼 언제나 건강하시길 기도합니다.

47장에서 뵙겠습니다.

2016년 4월 23일 토요일 한낮에

털제비꽃

문 밖을 나서지 않고도 천하를 알고
창문을 내다보지 않아도 하늘의 도를 보고
그 나섬이 점점 멀어져 갈수록, 그 앎은 점점 줄어들지.
(노자는 '문 밖을 나서지 않고도'라는 말을 하십니다.
문 밖의 왜곡된 진리나 지식을 습득하지 않아서 좋을 뿐 아니라,
문 밖을 나서지 않음으로써 지혜의 참된 의미를 깨달을 수 있게
되기 때문에 더욱 '도'와 가까워질 수 있다는 뜻이 아닐까 싶습니다.)

예부터 사람들은 "하늘은 백성이요, 백성이 곧 하늘이다."
라는 말을 사용해왔지요. 하늘이 무지렁이로 통하는 일반 백성을
통하여 당신의 뜻을 드러내고, 백성들이 원하는 바가
곧 하늘이 원하는 바 이기 때문에 백성의 뜻을 무시한다면
결코 성인은 고사하고 백성의 지도자로 불릴 수 없다는 것입니다.

47장

문 밖을 나서지 않고도 천하를 알고

수녀님, 다시 오월이 찾아왔다가 하마 유월에게 또 자기 자리를 내주려고 차근차근 준비를 하는 듯합니다. 잘 계시지요? 녹음이 짙어지고 따라서 이곳에 이리저리 얽혀서 나 있는 오솔길마다 이름 모를 풀들이 그곳에 있을 때, 그곳에서 작은 꽃잎들이 도란도란 일어나 피어올릴 때, 열리는 곳마다 싱그러운 바람이 지나고 지나는 곳마다 또 하나의 우주가 열린다는 신비를 느끼곤 한답니다.

창을 열면 곧바로 오래된 정원이 한가득 눈 안으로 들어오고, 어느 날 밤에는 별들마저 쏟아져 들어오는 이곳이 저에게는 어느덧 더 이상 아무도 찾지 않는 수도원처럼 고즈넉하게 느껴지고 더러는 평화롭기까지 하답니다. 그래도 이곳에는 분주하게 바삐 움직이며 자신들만의 세상, 자기들만의 문화적 사회를 형성하기에 더없이 부지런한 작은 움직임들이 있지요. 저는 그런 움직임들을 물끄러미 바라보면서 하루를 시작하고 하루를 닫아 접곤 한답니다.

동시대를 살거나 살아갔던 사람들 가운데는 한평생 '두문불출(杜門

不出)'하거나 혹은 '은둔(隱遁)'하거나 또는 세상 안에 살면서도 '묵언(默言)'으로 세월을 보냈던 사람들이 있지요. 그럼에도 그분들은 세상 돌아가는 형편을 손바닥 알 듯 훤히 꿰뚫고 있거나 가끔은 조언이 필요한 사람들에게 도움의 말씀을 주기도 하면서 '있는 듯 없는 듯' 살아가는 혹은 살아간 사람들을 알고 있답니다.

그런 분들을 생각하면, 지금의 저의 삶은 누가 보면 아마추어 혹은 그저 흉내내기에 불과할 뿐이겠지요? 하지만 저는 누구의 삶을 흉내내거나 그저 따라할 생각은 전혀 없답니다. 왜냐하면 삶이 이러이러하거나 저러저러하더라도 그러한 삶을 사는 것은 전적으로 자기 자신에게 달려 있기 때문이지요. 저의 삶을 누가 대신 살아 주는 것이 아니라는 뜻입니다.

문득 4년 전에 귀천하신 정호경(鄭鎬庚, 루도비코, 1940~2012) 신부님이 생각납니다. 그분은 1990년대 초반부터 봉화 비나리 마을에 들어가 거기에서 남은 생을 자연과 벗하며 농사를 짓다 돌아가셨지요. 그분은 거의 세상사에 신경을 기울이지 않고 오로지 "나는 나에게 주어진 오늘을 어떻게 살아갈 것인가?"에 대해서 묵상하며 사셨지요. 그래서 당신을 찾아오는 사람들이나 오랫동안 함께 머물렀던 사람들에 대해 막거나 혹은 붙잡는 법 없이 온전히 자유롭게 사셨답니다.

하지만 자기 자신에게는 엄격한 나름대로의 규칙이 있어서 마치 수도자처럼 혹은 은수자처럼 살았으며 더구나 세상과는 거의 담을 쌓고 살았지만 세상 돌아가는 형편에 대해서는 누구보다도 꿰뚫고 있는 마치 오늘 『도덕경』에 나오는 노자와 닮아 있다고 해도 과언은 아닐 것이라는 생각을 해 봅니다. 그러면서 그분은 세상의 마지막을 보낼 때 구약성서의 〈시편〉을 묵상하면서 서서히 세상의 마지막을 향해 조용히 걸어나가셨답니다. 그분의 마지막 작품이 《'시편'을 묵상하며 바치는 오늘의 기도》 3권(성서와 함께, 2011년)입니다.

이미 수녀님께서도 읽어 보셨을 수 있지만 거기에서 제1권에 나오는 그분의 묵상 글 한편을 소개할까 합니다.

《시편 기도 19》: "우주와 함께 주님을 찬양합니다."

우주를 지으시고 움직이시는 주님!
해도 아름다운 해돋이와 해넘이를 되풀이해 보여 주며
당신께 찬양 노래를 부릅니다.
달도 아름다운 초승들과 보름달을 되풀이해서 보여 주며
당신께 찬양 노래를 부릅니다.
수많은 별과 은하수도
신비로운 빛을 반짝이며
당신께 찬양 노래를 부릅니다.
낮과 밤도 임무를 교대해 가며

당신께 찬양 노래를 부릅니다.

구름과 비와 눈도 당신을 찬양하고

온갖 풀과 나무도 당신을 찬양하며

온갖 벌레와 새도 당신을 찬양하며

온갖 짐승과 물고기도

당신께 찬양 노래를 부릅니다.

우주를 지으시고 보살피시는 주님!

온 우주 삼라만상이

당신의 위대한 창조 업적을 기리며

당신께 영광의 노래를 부릅니다.

그 말소리 그 노랫소리

듣지 못하는 인간은 많아도

우주 구석구석 울려 퍼지는 그 소리

때로는 속삭이고

때로는 외치며

때로는 우주의 대합창 소리가 분명합니다.

우주를 지으시고 함께하시는 주님!

일상의 삶 속에서

해와 달과 별들의 노랫소리를 듣게 하소서.

풀과 나무의 노랫소리를 듣게 하소서.

새와 벌레의 노랫소리를 듣게 하소서.

짐승과 물고기의 노랫소리를 듣게 하소서.

우주의 우렁찬 대합창 소리를 듣게 하소서.

그리고 온 우주와 함께

우리도 당신께 찬양 노래를 부르게 하소서.

온 우주의 하느님!

당신께서는 인간에게도

찬양 노래 부르는 법을 가르쳐 주셨습니다.

당신의 가르침은

금덩이보다 더 좋고 진꿀보다 더 답니다.

당신의 가르침을 따라 살면

생기가 돌고 삶의 이치를 깨닫게 되며

눈이 밝아져 제대로 보고

삶이 흔들리지 않게 되며

당신의 후한 상을 받게 된다는 것을

알고 또 믿고 있습니다.

하오나 주님!

허물이 없는 자 어디 있겠으며

모르고 지은 죄조차 없는 자 어디 있겠습니까?

저의 숱한 허물과 모르고 지은 죄를

말끔히 씻어 주십시오.

뭣보다도 오만한 마음으로 일부러 죄를 범할까 두렵습니다.

주님!

오만에 빠져 일부러 죄 짓지 않게 하소서.

불행히 죄를 지었다 하더라도

한시바삐 그 굴레에서 벗어나게 하소서.

그래야 당신의 종답게

온 우주와 함께 떳떳하게

당신께 찬양 노래를 부를 수 있지 않겠습니까?

우주의 주님이신 하느님!

제가 한 묵상과 제가 드리는 말씀이

부디 당신 마음에 들게 하소서.

우주와 하나되어 당신을 찬양합니다.

아멘, 아멘, 아멘. 〈전문〉

노자가 그러하였듯이, 정호경 신부도 자연을 벗하고 그 자연을 내신 하느님께 한없고 그지없는 찬양 노래를 불러드리며 자신을 한없이 낮추어 애절한 심경으로 하느님께 귀의하고 하느님께 자신을 드리는 기도를 바칩니다. 동시에 정호경 신부는 그럼에도 불구하고, 문밖을 나서지 않았으면서도 세상을 아는 혜안을 가졌지요. 저는 그것이 하느님께서 그에게 주신 특별한 은총이 아닐까 생각한답니다. 노자 역시 인간이 온 세상 모든 것을 억지로 경험해 봐야 지식을 얻고 지혜를 터득하는 것은 아니라고 노래합니다.

문밖을 나서지 않고도 천하를 알고(不出戶, 知天下),

창문을 내다보지 않아도 하늘의 도를 보고(不窺牖, 見天道),

그 나섬이 점점 멀어져 갈수록(其出彌遠)

그 앎은 점점 줄어들지(其知彌少).

"문밖을 나서지 않고도 천하를 알고, 창문을 내다보지 않고도 하늘의 도를 본다."는 노자의 노랫말은 무엇을 뜻하겠습니까? 문이나 창문은 사람들이 세상과 소통하는 창구이고 세상을 드나들 수 있는 출입구지요. 출입구를 통해 세상으로 나가거나 세상에서 들어올 수 있고, 창문을 통해서 세계를 볼 수 있는 유일한 창구라는 뜻이겠지요. 더 나아가서 우리는 문과 창을 통해서 우리의 귀로 들을 수 있고, 우리의 눈으로 볼 수 있다는 말이 아닐까 싶습니다.

그렇다면 귀로 듣고 눈으로 볼 수 있는 것들이 우리 안으로 들어오면, 곧 그것들은 우리가 경험하고 습득한 지식이 된다는 것을 말합니다. 하지만 문밖을 나서지 않는다면 문밖의 것을 귀로 들을 수 없고 눈으로 확인할 수 없으니 곧 지식이 그만큼 쌓여질 수 없는 이야기가 됩니다. 그러나 노자는 '문밖을 나서지 않고도'라는 말을 사용함으로써 오히려 문밖의 왜곡된 진리나 지식을 습득하지 않아서 좋을 뿐 아니라, 문밖을 나서지 않음으로써 지혜의 참된 의미를 깨달을 수 있게 되기 때문에 더욱 '도'와 가까워질 수 있다는 뜻이 아닐까 싶습니다.

그러고 보니, 이 편장은 마치 수녀님들을 위해서 미리 마련해 놓은 노자의 노랫말 같습니다. 그리고 역사 안에서 수녀님들이 속해 있는 바로 그 수도원 '맨발의 가르멜회' 공동체의 모든 구성원들의 일상의 삶과도 매우 비슷한 점들이 많다는 것을 느낍니다. 노자는 문밖에 나가지 않으면서 참된 도, 진리를 깨닫고, 그것을 실천하는 사람이야말로 '성인(聖人)'이라고 노래합니다. 성인이 되기를 원하는 사람들은 꼭 밖에 나가서 돌아다녀야만 가능한 것이 아니고, 또 자기 이름을 세상에 드러내어야만 꼭 성인이 되는 것도 아니라고 노자는 말합니다.

이래서 거룩한 사람은 나다니지 않아도 알게 되고(是以聖人不行而知),

드러내지 않아도 이름이 나게 되고(不見而名)

하지 않으면서도 이룬다네(不爲而成).

수녀님, 부활 시기도 끝나고 우리는 지금 연중 시기를 보내고 있지요. 연중 시기를 보낸다는 것은 일상생활 속에서 하느님의 말씀을 살고, 몸은 비록 이 땅에 있어도 마음은 이미 하느님 나라의 시민으로 사는 것을 말하지요. 그러고 보니 곧 까리타스 수녀님의 기일이 다가오네요. 어쩌면 까리타스 수녀님도 지금쯤 하느님 나라에서 수많은 성인들과 함께 우리를 지켜보고 계시지 않을까 믿어 의심치 않습니다. 그리고 그분 역시 우리가 드리는 미사에 함께 참여하고 계시지 않을까 싶습니다.

이 세상에 산다는 것도 하느님께서 베푸신 생명의 은총이 아니면 불가능하고, 하느님 나라에 산다는 것도 역시 하느님의 생명의 은총이 아니면 불가능한 일이 아니겠습니까? 이제 찬란했던 오월도 며칠 남지 않았네요. 곧 유월에게 자신의 자리를 내어주겠지요. 그것이 하느님께서 마련해 주신 자연의 법칙, 곧 진리겠지요? 지난번에 들려 주신 수도원의 소식 고맙습니다. 그 소식 속에서 수녀님들의 기쁘게 사시는 일상의 모습이 눈에 그려지는 것 같았습니다.

특별히 데레사 수녀님의 건강이 조금씩 회복 중에 계시다니 무엇보다도 반가운 소식이었습니다.

저는 갈수록 점점 시간의 틈새가 짧아져 가는 것을 느끼면서 살아갑니다. 하지만 하느님께서 제게 필요한 은총을 언제나 주시고 계시리라 믿으며 살아갑니다.

그럼, 하느님 안에서 모든 수녀님들이 기쁜 마음으로 유월을 맞이하시기를 기도합니다.

다음 장에서 또 만나뵙도록 하겠습니다.

2016년 5월 23일 월요일에

할미꽃

"너희도 알다시피 다른 민족들의 통치자들은 백성 위에 군림하고,
고관들은 백성에게 세도를 부린다.
그러나 너희는 그래서는 안된다.
너희 가운데서 높은 사람이 되려는 이는, 너희를 섬기는 사람이 되어야 한다.
또한 너희 가운데서 첫째가 되려는 이는,
너희의 종이 되어야 한다."(마태20,25-26)

대체로 들자하니 삶을 잘 관리하는 자는
뭍에 나다녀도 코뿔소나 호랑이를 만나지 않고
군대에 들어가도 갑옷의 병사에게 해를 입지 않는다네.

48장

배우게 되면 날로 보태어지고

수녀님, 잘 계시지요? 주황빛 나리꽃들이 지천으로 피기 시작한 유월의 하순입니다. 그동안 비다운 비가 내리지 않아서 우곡의 골짜기는 그야말로 실개천이 따로 없을 정도로 그저 졸졸졸 물줄기가 이어지고 있답니다. 그래도 그렇게 가는 물줄기지만 흘러서 큰 강을 만나고 마침내 바다에 이른다는 생각을 하면 하느님께서 베푸신 역사(役事)가 얼마나 신비로운지요! 라디오에서는 벌써 며칠째 장맛비가 쏟아질 것이라는 예보를 시도 때도 없이 내보내지만, 그리고 그러한 예보를 믿고 이제나 저제나 하고 단비를 기다려보지만 여태까지 아무런 소식이 없습니다. 그러고 보면 인간의 '배움'이란 얼마나 보잘것 없는지요? 우곡에는 지금 성당 보수공사(리모델링)가 한창이랍니다. 농은 홍유한 선생의 삶을 생각하면 보수공사가 너무 과분한 일이 아닐까 생각해 보다가도 이곳을 순례하는 순례자들을 생각하면, 조금이라도 아늑하고 차분한 기도의 장소를 제공해 주어야겠다는 나름대로의 생각 때문에 큰 마음 먹고 시작했는데 벌써 절반을 훌쩍 넘어서고 있답니다.

제 사전에는 공사, 집짓기, 전기공사, 건축 등등의 단어는 없는데, 막상 닥쳐서 부대끼며 조금씩 배워가는 재미가 쏠쏠하기도 합니다. 지금 이곳 하늘은 잔뜩 찌푸려져 있습니다. 제발 오늘 밤에는 오신다는 비님이 오셨으면 좋겠다는 생각을 해 봅니다.

이 장에서 노자는 '위학(爲學)'과 '위도(爲道)'에 대해 노래합니다. '위학'은 '배우다, 학습하다, 공부하다.'라는 뜻이고, '위도'는 '도를 닦다.' 혹은 '하늘이 정해준 방식대로 살아가다.'라는 의미를 지니고 있지요. 따라서 전자는 주로 유가(儒家)에서 중시하는 인재 교육 방법이고, 후자는 주로 도가(道家)에서 중시하는 삶의 방식이지요. 또 전자는 인위적이고 후천적일 수 있고, 후자는 자연적이고 선천적일 수 있습니다. 이 두 가지를 바라보는 태도가 결국 우리가 살아가고 있는 동아시아의 삶의 방식, 삶의 태도를 주도적으로 결정하도록 역사 안에서 방향 지어져 왔다고 보아도 과언은 아닐 것입니다. 특별히 이 두 가지를 바라보는 태도 때문에 동아시아의 사회는 언제나 투쟁 아닌 투쟁의 문화를 형성해 왔다고도 말할 수 있답니다.

왜냐하면 자연적인 것을 좋아하는 사람들은 하늘의 뜻을 소중히 여기기 때문에 소박, 질박, 통나무, 돌, 둥근 것 등을 좋아했고, 인위적인 것을 좋아하는 사람들은 정제, 질서, 모난 것 등을 좋아했기 때문에 언제나 함께 사는 사회 안에서는 사사건건이 부딪히면서 살아왔기 때문이지요. 21세기를 살아가는 현재도 역시 이 두 가지 삶의 태도는 여전히 다툼의 불씨를 품고 있다고 보아야 할 것입니다. 그 때문에 사회는 복잡하고, 정의와 평화가 깨어지고 조그만 일에도 화를 내거나 짜증스러워 하지요.

노자는 '위학'과 '도학'에 대해서 다음과 같이 노래합니다.

배움을 행하면 날마다 보태어지고(爲學日益),

도를 행하면 날마다 덜어지지(爲道日損).

덜고 또 덜어내면(損之又損)

이로써 무위에 이르게 되고(以至於無爲),

무위하면서도 하지 못하는 일 없지(無爲而無不爲),

세상을 얻는 데는 언제나 일거리를 없애기 때문이지(取天下常以無事).

'위학일선, 위도일손', 이는 어찌 보면 노자의 인간 교육론이라고 보아도 좋을 듯 싶습니다. '위학'은 곧 세상에 태어난 인간이 선대로부터 내려오는 갖가지 경험에서 비롯되는 다양한 지식이나 지혜들을 간접적으로 전수 받는 것일 겁니다. 이때 '학'이라고 하는 것은 모두 오로지 전적으로 '선한 것'이라고 보기에는 어렵습니다. 거기에는 다소 부정적이거나 비정상적이거나 반인륜적이거나 혹은 천륜에 어긋나는 것도 들어 있을 것이라고 봐야 합니다. 왜냐하면 그만큼 인간이 경험하여 갖게 된 지식이나 지혜들이 나약성을 띠고 있다고 보아야 하기 때문이지요. 반면 '위도'는 인간이 경험한 것과 체험한 것을 통하여 동시에 간접적이 아닌 직접적인 깨달음으로 이어져 자신의 삶의 대전환이 일어나는 상태를 의미한다고 보아야 합니다. 이때 대전환이란 자신이 이제까지 단 한 번도 겪어보지 못한 신비스러운 현상까지도 체험하여 자신의 삶의 한 부분, 혹은 전체를 변환시키는 그 무엇 또는 존재를 받아들이는 것을 말한다고 보아야 합니다.

이렇게 될 때, 노자에게서 '위학'은 일종의 불완전한 인간이 도모하는 얄팍한 처세술에 지나지 않다는 이야기입니다. 반면에 '위도'는 곧 하늘이 내려 주시는 바로 그 천명에 따라 살아가는 것을 의미하지요. 천명은 유가나 도가에서 공히 내세우고 있는 최고의 지혜이지만 인간 사회 안에서 표현하는 내용은 각자가 지향하는 바에 따라 달라지고, 따라서 유가는 결국 '위학' 혹은 '도학(道學)'이라고 부르고, 도가는 노자의 주장에 따라 '위도'라고 일컫고 있답니다.

여기에서 노자가 말하는 '위도'에 관한 입장을 살펴보면, 곧 복음서 안에서 말씀하시고 보여 주시는 예수님의 가르침과 닮아 있음을 엿볼 수 있을 것입니다. 물론 노자의 노래는 세상을 경영하고자 하는 사람들에 대한 담론이고, 예수의 말씀은 전적으로 하느님과 인간의 관계를 재설정해 주시는 담론으로 보아야만 할 것입니다. 노자는 노래합니다.

"배움을 행하면 날마다 보태지고 도를 행하면 날마다 덜어지지. 덜고 또 덜어내면 이로써 무위에 이르게 되고, 무위하면서도 하지 못하는 일 없지, 세상을 얻는 데는 언제나 일거리를 없애기 때문이지."

예수께서 말씀하십니다.

"나에게 '주님, 주님!' 한다고 모두 하늘나라에 들어가는 것이 아니다. 하늘에 계신 내 아버지의 뜻을 실행하는 이라야 들어간다."
(마태7, 21)

"목숨을 부지하려고 무엇을 먹을까, 몸을 보호하려고 무엇을 입을까 걱정하지 마라. 목숨은 음식보다 소중하고, 몸은 옷보다 소중하다. …(이하)"(루카12, 22절 이하)

"하느님의 뜻을 실행하는 사람이 바로 내 형제요 누이요 어머니다."(마르3, 35)

비워내고 덜어내고 또 무위함은 곧 참 하느님이시면서 참 사람으로 오신 예수께서 보여 주신 삶의 진정한 모습이었다고 볼 수 있습니다. 여기에서 '비워내고 덜어낸다.'는 것은 그분을 닮고 하느님의 말씀을 실행하려는 사람들의 삶의 태도라고 보아야 할 것입니다.

우리는 그것을 '수도(修道)', '수덕(修德)' 혹은 심지어 '수련(修鍊)'이라고 말합니다. 수도나 수덕이나 수련하는 자는 그 대상이 따로 존재하는 것이 아니라 세상에 태어난 사람이면 모두 그 대상자들이라고 보아야 하지요. 왜냐하면 모두가 '하느님의 뜻', 곧 '천명'을 실행하여야 할 사명 또는 의무를 가지고 이 땅에 태어났기 때문입니다. 그 가운데서도 이미 하느님을 알고 믿고 그분의 이름으로 세례 받은 우리는 더욱 '수련'하기를 게을리해서는 안 될 것이라고 봅니다. 그러한 수련의 가장 기본이 바로 '비워내고 덜어내기'가 아닐까 싶습니다. '무위'는 곧 최고의 지혜이시며 창조주이시고 구원자이신 하느님께만 해당되는 단어라고 보아야 하지 않을까 싶습니다. 그런 의미에서 인간은 무위의 존재가 아니라 '유위(有爲)'의 존재입니다.

급기야 일거리를 가지게 되면(及其有事)
세상을 얻기에는 부족하다네(不足以取天下).

그럼에도 사람들은 자꾸만 일거리를 가지게 되지요. 실제로 사도 바오로도 "일하기 싫어하는 자는 먹지도 말라."(2테살3,10)고 하셨지요. 하지만 이 경우는 노자가 말하는 '일거리'와 다소 온도 차이가 있습니다. 실제로 사도 바오로는 일할 수 있는 자격이 어디에서 오는지를 분명히 밝히고 있기 때문입니다.

사도 바오로는 코린토 사람들에게
"그렇다고 우리가 무슨 자격이 있어서 스스로 무엇인가 해냈다고 여긴다는 말은 아닙니다. 우리의 자격은 하느님에게서 옵니다. 하느님께서 새 계약의 일꾼이 되는 자격을 주셨습니다. 이 계약은 문자가 아니라 성령으로 된 것입니다. 문자는 사람을 죽이고 성령은 사람을 살립니다."(2코린3,5-6)

사실상 '일거리(有事)'는 일용할 양식을 얻기 위한 일거리가 아니라 천하를 '통치'하거나 '경영'하려는 일거리라고 보아야 합니다. 이러한 일거리 역시 '유위(有爲)'가 아니라 '무위(無爲)'로 돌려야 하지요. 그렇다면 일거리 역시 '유사(有事)'가 아니라 '무사(無事)'여야 하는 것은 당연한 것이 아닐까 싶습니다. 예수께서도 이러한 '일거리'에서 한말씀 하신 것을 볼 수 있지요.

"너희도 알다시피 다른 민족들의 통치자들은 백성 위에 군림하고,
고관들은 백성에게 세도를 부린다.
그러나 너희는 그래서는 안 된다.
너희 가운데서 높은 사람이 되려는 이는
너희를 섬기는 사람이 되어야 한다.
또한 너희 가운데서 첫째가 되려는 이는
너희의 종이 되어야 한다."(마태20,25-26)

예수께서 하신 이 말씀은 비단 통치자들에게만 해당되는 것이 아니

라, 어떠한 공동체에서 특별히 우리 신앙 공동체 안에서 지도자가 되려거나 이미 지도자가 된 이도 모두 포함하는 말씀이라고 봅니다. 지도자가 이미 '일거리'를 얻었다면 그 일거리는 '무위' 혹은 '무사'라고 생각해야 합니다. 곧 '하지 않음', '일거리가 없음'이라고 생각해야 하고, 그가 할 수 있는 일거리는 곧 '하느님께서 맡겨주신 일'이라고 여겨야 한다는 것입니다. 하느님께서 맡겨 주신 일을 대신 수행하는 것이며 그 일거리를 완수했을 때는 하느님께서 당신의 일거리를 사람을 통하여 이룩하셨다고 겸손하게 고백해야 한다는 이야기입니다. 예수께서도 "사람의 아들도 섬김을 받으러 온 것이 아니라 섬기러 왔고, 또 많은 이들의 몸값으로 자기 목숨을 바치러 왔다."(마태20,28)라고 하셨지요.

수녀님, 마침 오늘이 '성 세례자 요한 탄생 대축일'이네요. 세례자 요한 역시 "내 뒤에 오시는 분은 나보다 더 큰 능력을 지니신 분이시다. 나는 그분의 신발을 들고 다닐 자격조차 없다."(마태3,11)고 하심으로써 하느님 앞에서 겸손의 극치를 드러내 보였지요. 이제 유월이 또 속절없이 갑니다. 라디오에서 연일 장맛비 예보가 있었지만, 농사꾼들의 애를 태우다가 드디어 오늘 낮을 틈타 시원하게 한줄기 소나기가 내렸네요. 하느님께서 해주시지 않으면 인간은 결국 아무것도 할 수 없고, 아무것도 아니라는 것이 시원하게 내리는 저 빗줄기를 통해서 체험하고 또 깨달을 수가 있네요. 주황빛 나리꽃이 유난히도 아름답게 보이는 것은 저만이 누리는 하느님의 특별한 은총은 아니겠지요? 수녀님들과 함께 누리고 싶다는 소망이 어느 때보다도 간절합니다. 주님 안에서 언제나 기쁨과 평화를 누리시기를 기도합니다. 그럼 제 49장에서 만나겠습니다.

2016년 6월 24일 성 세례자 요한 탄생 대축일에

털양지꽃

그분께서는 "너희가 회개하여 어린이처럼 되지 않으면,
결코 하늘나라에 들어가지 못한다.
그러므로 누구든지 이 어린이처럼 자신을 낮추는 이가
하늘나라에서 가장 큰 사람이다."(마태18,1-5)라고 말씀하십니다.

| 49장 |

거룩한 사람은 고착된 마음을 없애고

수녀님, 산머루 익어가는 칠월이 정만 남겨 놓고 또 우리 곁을 떠나가려고 합니다. 잘 계시지요? 소머리산 아래 모든 수녀님들께 주님의 이름으로 평화의 인사를 드립니다. 우곡성지에서의 일상은 여전히 고요가 감돕니다.

이따금씩 성당을 수리하는 수리공들의 망치 소리가 골짜기를 울리고, 더러는 순례자들이 삼삼오오 짝을 지어 순례하면서 드리는 기도 소리와 또 더러는 산새들이 지저귀는 노래와 계곡물 흐르는 소리들뿐입니다. 하지만 지금은 이곳도 아이들의 웃음소리들로 골짜기를 가득 메우고 있습니다. 아이들은 여름방학을 맞이하였고, 각 성당에서는 이들을 데리고 이름하여 '신앙캠프'를 시작하였기 때문이지요.

얼마동안 세차게 장맛비가 쏟아지더니 이제는 길도록 빗님이 오신다는 소식이 없고, 연일 세상이 돌아가는 상황처럼 후텁지근한 날씨가 계속 이어지고 있습니다. 그래도 아침저녁으로 여름답지 않게 날씨가 초가을처럼 꽤나 선선하고, 간간이 바람이 불면 춥기까지 하답니다.

날씨에 민감하고 세상 돌아가는 일에 예민하며 골짜기의 변화에 신경을 곤두세우는 걸 보면, 저도 도인이 되기에는 아니 성인이 되기에는 글렀나 봅니다. 별별 일에 마음을 쓰고 있으니 말입니다. 그래도 예수께서 "위선자들아, 너희는 땅과 하늘의 징조는 풀이할 줄 알면서 이 시대는 어찌하여 풀이할 줄 모르느냐?"(루카 12,56)라는 말씀에 다소 위안을 가져 봅니다. 하늘과 땅의 변화뿐 아니라 사람들이 살아가는 이 시대에 대해서도 관심을 가지려고 노력하고 있으니 말입니다. 하지만 노력만 할 뿐 여전히 저는 산속에 파묻혀 손바닥만 한 하늘의 별들만 헤아리고 있는 시간들이 더 많지 않느냐 하는 생각을 해 봅니다.

노자는 오늘 여기에서 '거룩한 사람(聖人)'이란 어떤 사람인지에 대해 몇 가지 이야기를 들려 줍니다.

거룩한 사람은 고착된 마음을 없애고(聖人無常心),

백성의 마음을 자기의 마음으로 삼지(以百姓心爲心).

선한 자는 내가 그를 선하게 대하고(善者吾善之)

선하지 못한 자에게 나 역시 선하게 대한다네(不善者吾亦善之).

덕은 착하기 때문이지(德善).

미더운 사람은 내가 그를 미덥게 대하고(信者吾信之)

미덥지 못한 자에게 나 역시 미덥게 대한다네(不信者吾亦信之).

덕은 믿음직스럽기 때문이지(德信).

노자는 거룩한 사람이 가져야 할 첫 번째 덕목으로 '무상심(無常心)'을 이야기합니다. '무상심'이란 고착된 마음을 없애거나 없이하거나 없는 것을 뜻합니다. 그래서 '평상심(平常心)'이라고 해도 좋을 것 같습니다. 고착된 마음(常心)은 항상 일정하게 변하지 않는 마음으로 풀이할 수도 있지만, 주변의 어떠한 상황에서도 한 번 먹은 마음을 절대로 바꾸지 않는 마음을 뜻하지요. 물론 한 번 먹은 마음을 끝까지 유지한다는 것은 좋은 것일 수도 있겠지만 어떤 경우에는 고집불통, 옹고집이라는 오명을 뒤집어쓸 수도 있고, 타인의 입장을 전혀 고려하거나 배려해 주지 않거나 못하는 마음일 수도 있습니다. 또 잘못된 마음, 왜곡되거나 편견으로 인한 자신의 마음가짐을 올바른 마음으로 알고 끝까지 유지할 경우, 사심(私心)이나 오만한 마음, 옹졸한 마음가짐으로 오로지 자신이 먹은 마음만이 최고의 진리라고 오판할 수 있는 여지를 가질 수도 있지요. 그래서 노자는 성인은 "백성의 마음을 자기의 마음으로 여긴다."라고 보았습니다.

예부터 사람들은 "하늘은 백성이요, 백성이 곧 하늘이다.(天則民, 民則天)"라는 말을 사용해 왔지요. 하늘이 무지렁이로 통하는 일반 백성을 통하여 당신의 뜻을 드러내고, 백성들이 원하는 바가 곧 하늘이 원하는 바이기 때문에 백성의 뜻을 무시한다면 결코 성인은 고사하고 백성의 지도자로 불릴 수도 없다는 것입니다. 사실 어찌 보면, 백성의 마음은 아침저녁으로 달라지기(朝夕改變) 때문에 이기적으로 보일 수도 있지만, 이러한 민심을 파악하고 거기에 대처하지 못하면 이 또한 성인이 될 수 없지요. 뿐만 아니라 성인은 민심이 아무리 고약하더라도, 또 거기에 선(善)-불선(不善), 신(信)-불신(不信) 곧 선한 자나 선하지 못한 자나 믿을 만한 자나 믿음직스럽지 못한 자이건 간에 그들을 모두 구별하거나 차별하는 별도의 기준을 정하지 않고 누구에게나 똑같이 선하게 대하고 믿음직스러운 마음을 가지고 대한다는 것입니다. 이는 예수님의 말씀과도 통하는 바가 있다고 볼 수도 있을 것입니다. 예수께서는 말씀하셨지요.

"그분께서는 악인에게나 선인에게나
　당신의 해가 떠오르게 하시고,
　의로운 이에게나 불의한 이에게나
　비를 내려 주신다.
　사실 너희가 자기를 사랑하는 이들만 사랑한다면
　무슨 상을 받겠느냐?
　그것은 세리들도 하지 않느냐?
　그리고 너희가 자기 형제들에게만 인사한다면,
　너희가 남보다 잘하는 것이 무엇이겠느냐?
　그런 것은 다른 민족 사람들도 하지 않느냐?"(마태5,46-47)

예수께서는 아버지 하느님께서도 지상에 살고 있는 모든 인간들에 대해서 차별하시거나 구별해서 대하시지 않는데, 하물며 같은 인간들끼리 서로 위로하고, 서로 도와주며 서로 사랑하지 못한다면 어떻게 '하느님의 사람'이 될 수 있겠느냐 라고 말씀하시는 것이지요. 예수께서는 결론적으로 "그러므로 너희 아버지께서 완전하신 것처럼 너희도 완전한 사람이 되어야 한다."라고 매우 강한 어조로 말씀하십니다. 결국 예수께서 강변하신 말씀은 우리가 '이 땅에서 성인이 되어주기를 바라는 간곡한 당신의 마음'이 아니겠습니까?

거룩한 사람은 하늘 아래에 있어서(聖人在天下)
거기 있는 그대로 받아들이고(歙歙焉)
천하를 위해서는 자신의 마음을 바보스럽게 하지(爲天下渾其心).
백성은 모두 그들의 귀와 눈을 그에게로 돌리고(百姓皆注其耳目),
거룩한 사람은 모두 그들을 어린 아이가 되게 하네(聖人皆孩之).

노자가 말하는 거룩한 사람 곧 성인은 '하늘 아래에 있는 모든 것을 있는 그대로 받아들이는 사람'이며, 세상을 위해서는 '자신의 마음을 바보스럽게 하거나 혹은 세상과 뒤섞이게 하는' 삶을 사는 사람이라고 볼 수 있답니다.

비록 세상이 혼탁하고 그 혼란스러운 세상과 함께하는 자기 자신이 우스꽝스럽고 바보스러운 일이 될지라도 그것을 통하여 세상과 통교 혹은 소통하고, 그 소통을 통하여 세상을 구원에로 이끌 수 있다면 '어린 아이' 취급을 당해도 괜찮다는 것이지요. 이는 이사야 예언자가 일찍이 말씀하신 바와 일정 정도 그 맥이 닿아 있다고 보아도 좋을 듯합니다.

> "그의 모습이 사람 같지 않게 망가지고
> 그의 자태가 인간 같지 않게 망가져
> 많은 이들이 그를 보고 질겁하였다.
> ……………………………………
> 그에게는 우리가 우러러볼 만한
> 풍채도 위엄도 없었으며
> 우리가 바랄 만한 모습도 없었다.
> 사람들에게 멸시 받고 배척 당한 그는
> 고통의 사람, 병고에 익숙한 이였다.
> 남들이 그를 보고 얼굴을 가릴 만큼
> 그는 멸시만 받았으며
> 우리도 그를 대수롭지 않게 여겼다.
> 그렇지만 그는 우리의 병고를 메고 갔으며

우리의 고통을 짊어졌다.

그런데 우리는 그를 벌 받은 자,

하느님께 매 맞은 자, 천대 받은 자로 여겼다.

그러나 그가 찔린 것은 우리의 악행 때문이고

그가 으스러진 것은 우리의 죄악 때문이다.

우리의 평화를 위하여 그가 징벌을 받았고

그의 상처로 우리는 나았다."(이사53,1-5)

우리는 복음말씀 안에서 구세주이신 그분께서 "너희가 회개하여 어린이처럼 되지 않으면 결코 하늘나라에 들어가지 못한다. 그러므로 누구든지 이 어린이처럼 자신을 낮추는 이가 하늘나라에서 가장 큰사람이다. 또 누구든지 이런 어린이 하나를 내 이름으로 받아들이면 나를 받아들이는 것이다."(마태18,1-5 참조)라고 하신 말씀을 익히 알고 있을 것입니다. 노자도 자신에게 손가락질을 하고 바보 취급하는 사람들을 '어린아이'가 되게 하는 사람을 '성인'이라고 '거룩한 사람'이라고 힘주어 노래합니다. 사실 어린아이는 지혜도 지식도 힘도 모자라고, 누가 거들어 주거나 도와 주지 않으면 홀로 일어설 수도, 살아나갈 수도 없는 존재지요. 예수께서도 다음과 같은 감사기도를 바치셨지요. "아버지, 하늘과 땅의 주님! 지혜롭다는 자들과 슬기롭다는 자들에게 이것을 감추시고 철부지들에게 드러내 보이시니 아버지께 감사 드립니

다."(마태11,25)

수녀님, 저는 지금 우곡성지 한 모서리에 마련된 야외 수영장에서 신나게 물놀이를 즐기고 있는 아이들의 맑은 웃음소리를 듣고 있습니다. 날씨는 어제보다도 더 뜨겁지만 그 뜨거움마저도 하느님께서 우리들에게 필요한 것이기 때문에 주신 것이라고 생각하니 더운 생각도, 후텁지근한 마음도 모두 그분께서 주시는 은총으로 받아들입니다. 노자는 '덕스러운 사람'을 거룩한 사람, 곧 성인이라고 불렀지요. 성인은 착한 사람, 착하지 않은 사람, 미더운 사람, 미덥지 못한 사람을 구별하거나 차별하지 않고, 오로지 그들 안에 들어가서 그들과 함께 살면서 그들을 어린아이처럼 해맑게, 탐욕스럽지 않게 살도록 만들어 가지요. 어쩌면 우리 신앙공동체의 모든 구성원들이 지향해야 할 삶과도 닮아 있는 것이 아닐까 생각해 봅니다.

또 이쯤해서 저는 저의 기억 속에서 늘 어린이처럼 해맑게 웃으시는 수녀님들의 삶을 떠올려 봅니다.

노자가 노래했던 성인에 관한 담론들이 문득 수녀님들의 삶과 무척 닮아 있다는 생각이 들기 때문입니다. 우곡성지의 성당 리모델링은 수녀님들의 기도와 도움 덕분에 차질 없이 차곡차곡 진행되고 있습니다. 늦어도 8월 초면 다 끝마칠 것 같습니다.

이미 성당 내부는 다 끝냈기 때문에 거기에서 미사를 올리고 있답니다. 더운 날씨에 두꺼운 옷을 입고 수도생활을 하시는 수녀님들의 건강을 염려해 봅니다.

　언제나 주님 안에서 몸도 마음도 건강하시고 기쁘게 사시기를 기도

합니다.

　그럼 『도덕경』 50장에서 뵙겠습니다.

　　　　　　　　　　　2016년 7월 23일 금요일 마리아 막달레나 축일에

땅비싸리

코뿔소는 자기 뿔로 들이받을 곳이 없고
호랑이는 그 발톱을 들이 댈 곳이 없으며
병사는 자기 칼로 겨눌 곳이 없지
대체 무슨 까닭일까?
이로써 죽음에 이를 여지를 없애버렸기 때문이라네.

50장

벗어나면 살고 들어가면 죽고

수녀님, 말복도 처서도 다 지났는데 아직도 폭염이 판을 치고 기승을 부립니다. 하지만 하느님의 정의 앞에서는 모든 것이 어찌할 수 없는 것이 아닌가 싶습니다. 그렇게 맹위를 떨치던 팔월의 기세도 울음소리마저 처량하게 떨고 있는 가을매미(寒蟬)처럼 가늘어져만 가는 것이 또한 사실입니다. 잘 계시지요? 연일 35~6도를 오르내리고 있는 날씨인데도 두터운 갑옷 같은 수도복을 입고 더위를 이겨 내고 계실 수녀님들의 늠름한 모습을 그려보며 그러한 늠름함이 대체 어디에서 오는 걸까 생각해봅니다. 하느님의 은총이 아니고서는 달리 생각할 수 없지요. 맹위를 떨치던 여름 더위도, 가늘어져 가는 매미의 울음 소리도 노자에 의하면, '벗어나면 살고 들어가면 죽는(出生入死)', 좀더 다르게 설명하면, '사는 길을 떠나 죽는 길로 들어서는(出生入死)' 몸부림이 아닐까 싶습니다. 한문이 재미있는 부분이 곧 우리말로 번역할 때인데, 이렇게 저렇게 번역해도 뜻이 통한다는 점입니다. 그런데 더 흥미로운 점은 '사는 길을 떠나거나 벗어나면 산다.'는 것은 곧 세상에 나와서 한생을 살다가 자연의 품으로 돌아간다는 것을 뜻하지요. 그런데 이 말을 좀더 꼬아서 생각해보면 자연의 품으로 돌아가면 영원히 살게 되고, 인간의 삶 속으로 들어가거나 거기에서 영원히 머물려고 한다면 결국은 죽어 없어지게 마련이라는 이야기가 아닐까 싶습니다. 마치 예수께서 "제 목숨을 얻으려는 사람은 목숨을 잃고, 나 때문에 제 목숨을 잃는 사람은 목숨을 얻을 것이다."(마태10,39)라고 말씀하신 내용과 무척 닮아 있습니다. 절기상으로 처서가 지났으니 곧 가을이 오겠지요? 가을이 오면 오곡백과는 무르익고 농부들은 수확을 하는 기쁨으로 입가에 웃음을 가득 머금고 있을지도 모르겠습니다. 하지만 사람들이나 움직이는 살아있는 것들에게 열매를 내어 주는 식물들의 몸통은 서서히 모든 것을 내려놓고 자연의 순리에 따라 자연의 품으로 돌아갈 채비를 차리지 않을까 싶습니다. 이러한 섭리에 대해 노자는 오늘 여기에서 노래하고 있는 것이 아니겠는지요?

벗어나면 살고 들어가면 죽고(出生入死),
생명의 무리가 열에 셋이 있고(生之徒十有三),
죽음의 무리도 열에 셋이 있지(死之徒十有三).
사람은 태어나서 죽음의 땅으로 옮아가고(人之生, 動之死地),
또한 열에 셋이 있으니(亦十有三),
대체 무슨 까닭인가(夫何故)?

자기 사는 삶을 두텁게 했기 때문이지(以其生生之厚).

그렇다고 해서 노자가 이 세상의 삶을 비극적으로 보거나 부정적으로 보고 있는 것은 아니랍니다. 다만 노자가 말했던 것처럼 모든 인간들이 자신의 근원과 처지를 생각하지 않고 세상의 삶에 너무 집착해 있는 것에 대해 슬픔을 금할 수 없기 때문일 것이라 생각합니다. '되돌아온 곳으로 돌아갈 것'은 거역할 수 없는 진리인데도 인간들은 언제까지나 그 자리에서 영원히 살 것처럼 탐욕, 교만, 집착, 인색한 삶을 계속해서 살려고 애를 쓰기 때문이지요.

노자에 따르면, 세상에 살아가는 무리들 가운데는 자연의 순리에 따라 자신의 삶을 맡기면서 겸허하게, 자비롭게, 온유하게, 타자를 존중하면서 살아가는 무리들이 '열에 셋' 곧 3/10 혹은 1/3이 있다고 합니다. 이들이 곧 '생명의 무리'입니다. '죽음의 무리'는 삶을 손상시키면서 가는 무리들이지요. 이 무리들은 자신이나 타인을 위해 아무것도 하지 않고 오로지 무위도식(無爲徒食)하면서 자연이 준 생명의 삶을 손상시켜 생명을 단축하는 무리들인데, 이런 자들이 3/10 혹은 1/3이나 있다고 합니다. 또 마지막으로 '삶을 두텁게 하는 무리'가 있습니다. 이들은 악착같이 자신의 생명, 삶을 탐하다가 느닷없이 죽음에 빠지는 무리입니다. 사람은 누구나 태어나서 죽음으로 옮아가는 것이 당연지사인데 이들은 올바른 삶이 무엇인지, 사사로운 뜻에 맞추어 살아가는 삶이 무엇인지를 분별하지 않고 천지조화의 법을 따르지도 않으며 타인을 존중하지도 않고, 나누지도 않고, 자신에게 닥쳐오는 시련이나 고통 등을 남에게 전가시키려는 부류를 일컫는다고 보면 될 것입니다. 이러한 부류들이 3/10 혹은 1/3이 있다고 합니다. 그렇다면 우리는 이런 세 부류 가운데 어디에 속하는 무리들일까요? 아무래도 '생명의 무리'에 속하려고 노력해야 되지 않을까 싶습니다.

대체로 듣자하니 삶을 잘 관리하는 자는(蓋聞善攝生者)

뭍에 나다녀도 코뿔소나 호랑이를 만나지 않고(陸行不遇兇虎),

군대에 들어가도 갑옷의 병사에게 해를 입지 않는다네(入軍不被甲兵).

코뿔소는 자기 뿔로 들이받을 곳이 없고(兇無所投其角),

호랑이는 그 발톱을 들이댈 곳이 없으며(虎無所措其爪)

병사는 자기 칼로 겨눌 곳이 없지(兵無所容其刃).

대체 무슨 까닭일까(夫何故)?

이로써 죽음에 이를 여지를 없애 버렸기 때문이라네(以其無死地).

노자에 따르면, 올바르게 사는 삶과 삶을 손상시켜 죽음에 이르는 삶은 종이 한 장 차이에 불과합니다. 손바닥을 뒤집으면 '생명의 무리'에 들고, 또 뒤집으면 '죽음의 무리' 혹은 '현재적 삶에 집착하는 무리'가 되고 만다는 뜻이지요. 삶과 죽음에 대해서는 모든 살아있는 사람들의 주요 관심사 가운데 가장 높은 것이 아닐까 싶습니다. 그러나 결국 하느님으로부터 받은 자신에게 주어진 삶을 어떻게 살 것인가가 문제가 아닐까 싶습니다. 이사야 예언자는 백성들을 핍박하는 지도자들을 죽음의 무리로 규정하면서 그 무리들이 생각하는 삶을 다음과 같이 전해 줍니다. 다음은 이사야가 전해 주는 죽음의 무리들이 말하는 내용입니다.

"우리는 죽음과 계약을 맺고
저승과 협약을 체결하였지.
사나운 재앙이 지나간다 해도
우리에게는 미치지 않으니,
거짓을 우리의 피신처로 삼고
속임수 속에 우리 몸을 숨겼기 때문이다."(이사28,14-15)

또 이사야 예언자는 '메시아와 평화의 왕국'에 대해 들려 주면서 '생명의 무리'가 사는 삶을 우리들에게 그려 줍니다.

"정의가 그의 허리를 두르는 띠가 되고
신의가 그의 몸을 두르는 띠가 되리라.
늑대가 새끼 양과 함께 살고

표범이 새끼 염소와 함께 지내리라.

송아지가 새끼 사자와 더불어 살쪄 가고

어린아이가 그들을 몰고 다니리라.

암소와 곰이 나란히 풀을 뜯고

그 새끼들이 함께 지내리라.

사자가 소처럼 여물을 먹고

젖먹이가 독사 굴 위에서 장난하며

젖 떨어진 아이가 살모사 굴에 손을 디밀리라.

나의 거룩한 산은

악하게도 패덕하게도 행동하지 않으리니.

바다를 덮는 물처럼

땅이 주님을 앎으로

가득할 것이기 때문이다."(이사11,5-9)

또 이사야 예언자는 말합니다.

"그분께서 민족들 사이에 재판관이 되시고

수많은 백성들 사이에 심판관이 되시리라.

그러면 그들은 칼을 쳐서 보습을 만들고

창을 쳐서 낫을 만들리라.

한 민족이 다른 민족을 거슬러 칼을 쳐들지도 않고
다시는 전쟁을 배워 익히지도 않으리라."(이사2,4)

노자의 노래와 이사야 예언자의 말씀을 서로 비교하여 보건대, 어쩌면 이렇게 닮은 데가 많은지 모르겠습니다. 어쩌면 노자가 꿈꾸고 소망하는 지상의 삶이 곧 이사야 예언자가 예언한 내용이 아니었나 싶을 정도로 닮아 있습니다.

"뭍에 나다녀도 코뿔소나 호랑이를 만나지 않고
군대에 들어가도 갑옷의 병사에게 해를 입지 않는다네.
코뿔소는 자기 뿔로 들이받을 곳이 없고,
호랑이는 그 발톱을 들이댈 곳이 없으며
병사는 자기 칼로 겨눌 곳이 없지.
대체 무슨 까닭일까?
이로써 죽음에 이를 여지를 없애 버렸기 때문이라네."

수녀님, 지금 우리가 사는 세상이 매우 걱정이 됩니다. 지금의 세상은 노자가 노래하는 〈50장〉과도 거리가 멀어져 있고, 이사야 예언자의 말씀과도 정면으로 배치되고 있으니 말입니다. 우곡의 골짜기에도 어느덧 산 그늘이 짙게 드리워져 가고 있습니다.

산 그늘이 이렇게 드리워지면 그렇게 매섭던 무더위도 산 그늘 속으로 숨어버리고, 서늘한 바람이 골짜기를 따라 오르락내리락 하면서 더불어 기온도 내려가지요. 이맘때면 어느 때보다도 매미 소리가 요란하고, 요란한 매미 소리에 놀란 산새들이 여기저기에서 자신의 노래 소리를 마음껏 뽐내는 듯합니다. 내일은 대도시를 뒤로하고 안동교구 지역으로 귀농한 귀농인들의 모임이 이곳에서 있습니다.

주교님께서 오셔서 미사를 집전하시게 되겠지요? 이제 우곡성지 성당에 대한 리모델링 작업도 수녀님들의 기도 덕분으로 무사히 끝마쳤고, 조금 쉬었다가 구월부터는 피정의 집도 손을 볼 예정입니다. 날씨가 더워서 풀을 깎지 못했습니다. 우곡의 길섶엔 풀들이 우거져 있지요. 풀이 우거져 있으니 그동안 만나지 못한 희한한 풀꽃들이 고개를 내밀고 인사를 합니다.

수녀님, 벌써 이곳 삶이 오는 구월이면 일곱 해로 접어듭니다.

세월은 빠르게 흐르고 시간의 똑딱거리는 소리가 저를 재촉합니다. 가을로 접어들어 가고 있다고는 하나 아직도 덥습니다. 그리고 아침저녁 기온의 차이가 심합니다. 언제나 주님 안에서 그곳의 모든 수녀님들이 건강하시기를 기도합니다.

『도덕경』 제51장에서 또 뵙겠습니다.

2016년 8월 23일 화요일 로사성녀 축일에

도는 내고, 덕은 길러내니,
만물이 꼴을 갖추어가고, 환경이 이루어지지,
이래서 만물은 도를 높이고 덕을 귀히 여기지 않을 수 없지.

내시고도 소유하려 들지 않고
위하면서도 자랑하지 않으며
자라게 하고도 지배하려 들지 않으니
이것을 '거룩한 덕'이라 한다네.

51장

도는 내고 덕은 길러지니

수녀님, 잘 계시지요? 한가윗날을 즐겁게 보내셨는지요? 보름달 닮은 송편은 빚어서 잘 자셨습니까? 수녀님들이 오순도순 둘러앉아 웃음꽃 피우면서 가윗날을 보내시는 것을 생각만 해도 가슴 훈훈한 광경이 눈에 그려집니다. 접때에 원장 수녀님의 전화를 받고 데레사 수녀님이 입원하고 계시는 대구 파티마병원에 들렀지요. 그곳엔 가톨릭피부과병원 엠마 전 원장님이 계셨고, 마침 데레사 수녀님의 병세의 차도가 아주 좋아 보여서 내심으로 감사를 드렸답니다. 불교에서는 '생로병사(生老病死)'의 굴레를 벗어나는 것을 '해탈(解脫)'이라고 했지요. 물론 육도윤회(六道輪廻)의 고리를 끊어 버리는 것을 포함하면서 말이지요. 우리 식으로서는 모든 무거운 짐을 다 내려놓고 '하느님을 만나는 일'이 아닐까 싶습니다. 아직도 가윗날 연휴가 계속되고 있는데 오늘은 하염없이 가을비가 내립니다. 그동안 가뭄 속에서 지냈으니 비가 내리는 것 또한 은총이 아닐까 싶습니다. 하지만 지구의 어느 곳에선 태풍이 휩쓸고 지나가고 며칠 전 경주에서는 지진이 발생했다는 소식을 들으면서 그토록 위대하다고 떠들던 인간의 존재가 과연 정말 위대하다고 말할 수 있을 것인지에 대해 다시금 반성하게 되는 시간입니다. 일반적으로 땅이 흔들리고 태풍이 몰아칠 때엔 개미나 공중에 나는 새들이나 물고기들이 그러한 징조를 빨리 알아차리고 피할 행동을 취한답니다. 그러나 사람은 그렇지 못하지요? 일이 벌어졌을 때 비로소 움직이는 것이 우리들이 아닌가 싶습니다.

〈욥기〉에서 욥은 다음과 같이 노래합니다.

"누가 따오기에게 지혜를 내렸느냐?
또 누가 수탉에게 슬기를 주었느냐?
누가 구름들을 지혜로 헤아릴 수 있느냐?
또 누가 하늘의 물통을 기울일 수 있느냐?
먼지가 덩어리로 굳어지고
흙덩이들이 서로 달라붙을 때에 말이다."(욥38,36-38)

또 시편 작가는 하느님의 역사하심에 대해 다음과 같이 노래합니다.

"하늘은 하느님의 영광을 이야기하고
창공은 그 분의 솜씨를 알리네.
낮은 낮에게 말을 건네고

밤은 밤에게 지식을 전하네.

말도 없고 이야기도 없으며

그들 목소리조차 들리지 않지만

그 소리는 온 땅으로

그 말은 누리 끝까지 퍼져 나가네."(시편19, 2-5)

위 두 가지 노래는 모두 하느님께서 세상 천지만물을 위하여 그리하셨음을 솔직히 털어놓는 신앙고백이지요. 이보다 좀더 구체적으로 털어놓는 고백이 있는데 그것은 바로 집회서 작가의 신앙고백이 아닐까 싶습니다.

"주님께서는 한처음 당신의 작품들을 창조하실 때부터,

그것들을 지으실 때부터 제자리를 각각 정해 놓으셨다.

그분께서는 당신의 작품들에게 영원한 질서를 주시고

제 영역을 세세대대로 정해 놓으셨다.

그리하여 그들은 굶주리거나 지치지 않고

제 구실을 그만두지도 않는다.

그들은 서로 부딪치는 일도 없고

그분의 말씀을 영원히 거역하지도 않으리라.

이렇게 정하신 후,

주님께서는 땅을 굽어보시고

그곳을 당신의 좋은 것들로 채우셨다.

그분께서는 온갖 생물로 땅의 얼굴을 덮으셨으니,

그 모든 것은 다시 땅으로 돌아가게 되어 있다."(집회16,26-30)

이밖에도 신구약 성서 속에서는 사람뿐 아니라 세상의 온갖 만물들을 내시고, 길러 주시고, 품어 주시고, 거두어 주시는 내용들로 가득 차 있지요. 그저께 지축을 흔들었던 지진이나 오늘처럼 하염없이 내리는 가을비나 모두 그분께서 결국 인간을 위해 마련하신 은총이라는 것을 깨달을 때, 또한 그분께 얼마나 감사의 기도를 드려야 할지요. 그렇기 때문에 시편 작가는 "인간이 무엇이기에 이토록 기억해 주십니까? 사람이 무엇이기에 이토록 돌보아 주십니까?"(시편8,5-6)라고 가슴 벅찬 신앙고백을 노래로 표현하였는지도 모를 일입니다. 이번 장에서 읽어 볼 '노자의 노래'도 역시 표현 방법만 다를 뿐, 성서의 작가들과 무척 닮은 노래를 부르고 있지요.

도는 내고(道生之),

덕은 길러 내니(德畜之),

만물이 꼴을 갖추어 가고(物形之)

환경이 이루어지지(勢成之).

이래서 만물은 도를 높이고 덕을 귀히 여기지
않을 수 없지(是以萬物莫不尊道而貴德).

　　노자에게서 '도'와 '덕'은 존재와 작용, 내용과 형식, 안과 밖, 곧 우
주만물을 존재케 하는 원리와 그 원리가 구체적인 천지만물 안에서 이
루어지는 작용을 말하는 것이지요. 그래서 '도'는 만물을 '내고(낳고)',
'덕'은 만물을 '길러 내는' 마치 성부께서 세상만물을 창조하시고, 성령
과 성자께서 만물을 변화시키시고 길러 내시는 역할을 하시는 것과 유
사하고, 또 부모와 자식이라는 가정 공동체의 삶의 모습을 연상케 한
답니다. 이는 한 개인에게서도 그대로 적용되지요. 한 개인은 하느님
의 모상, 생명을 가지고 태어나서 그것을 바탕으로 하여 또 다른 개인
들과의 관계 안에서 하느님으로부터 받은 천명(天命)에 따라 자신의 삶
을 살아가는 것이 아니겠습니까? 이것을 우리는 '도덕인(道德人)'이라고
부를 수 있고, 좀더 구체적으로는 하느님을 공경하는 '신앙인'이라고
불릴 수 있게 되지요.

　　하느님께서 몸소 친히 세상만물을 창조하셨고, 창조하신 만물을 길
러 내셨으면서도 결코 단 한 번도 세상만물 위에 군림하려고 하지 않
으셨던 것처럼 노자에게서의 도와 덕도 이와 다르지 않습니다. 오히려
천지만물을 '길러 내고', '돌보아 주며', '자라게 하고', '감싸 주며 뜨겁
게 해 주고', '길러 주며 어루만져 주는' 그야말로 어미가 아이에게 젖

을 물리는 심정으로 오매불망 온갖 정성을 다 기울입니다. 지혜서의 작가는 말합니다. "옹기장이가 부드러운 흙을 열심히 개어 우리에게 쓸모 있는 갖가지 그릇을 빚습니다. 같은 진흙을 가지고 깨끗한 일에 쓰일 기물도 반대되는 일에 쓰일 것도 다 같은 방식으로 빚어 냅니다. 그러나 어느 것이 어디에 쓰일지는 도공이 결정합니다."(지혜15,7)

도가 높고 덕은 귀하면서도(道之尊, 德之貴)

무릇 명령하지도 않으면서 언제나 스스로 그러하지(夫莫之命而常自然).

그래서 도는 내고 덕은 길러 내고(故道生之德畜之),

자라게 하고 돌보아 주며(長之育之),

감싸 주고 뜨겁게 해 주며(亭之毒之),

길러 주고 어루만져 주지(養之覆之).

우리를 '길러 내고, 자라게 하고, 돌보아 주며, 감싸 주고, 뜨겁게 해 주며, 길러 주고 어루만져 주시는 분'은 오직 천지만물을 내시고 마침내 당신께로 도로 불러 주시는 하느님뿐이시지요? 그래서 예수께서도 "너희 가운데서 누가 걱정한다고 해서 자기 수명을 조금이라도 늘릴 수 있겠느냐? 그리고 너희는 왜 옷 걱정을 하느냐? 들에 핀 나리꽃들이 어떻게 자라는지 지켜보아라. 그것들은 애쓰지도 않고 길쌈도 하지 않는다........하늘의 너희 아버지께서는 이 모든 것이 너희에게 필

요함을 아신다."(마태6,27 이하 참조)

내시고도 소유하려 들지 않고(生而不有),
위하면서도 자랑하지 않으며(爲而不恃),
자라게 하고도 지배하려 들지 않으니(長而不宰),
이것을 '거룩한 덕'이라 한다네(是謂玄德)

　수녀님, 노자가 노래하는 것처럼 이 세상 사람들도 그렇듯이 한 세상을 살아가면 얼마나 좋을까 생각해 봅니다. 노자에 따르면 욕심내지도 않고, 교만하지도 않으며 자라나게 하면서도 지배하려 들지도 않는 것이 도와 덕의 원리와 작용이라고 합니다. 지금 이 시대 사람들도 그와 같이 살아간다면 이 시대는 보다 훈훈한 인정이 넘치는 세상이 되지 않을까 생각합니다. 이제 이곳 우곡에도 가을 바람이 불기 시작합니다. 하염없이 내리던 비도 조금은 잦아들었네요. 데레사 수녀님의 근황은 어떠하신지요? 퇴원은 하셨는지 궁금합니다. 곧 있으면 소머리산 아래 수도원에도 가을 분위기가 감싸지겠지요? 하지만 아직도 아침 저녁과 한낮의 기온은 많은 차이가 있으니 이 환절기에 모든 수녀님들이 건강했으면 좋겠습니다. 그럼 『도덕경』 52장에서 또 뵙겠습니다.

2016년 9월 19일 토요일에

노자는 작은 것을 볼 줄 아는 것을 밝음이라 하고,
부드러움을 지켜내는 것을 강함이라 한다.

52장

하늘 아래는 시작을 가지고 있다네.

　수녀님, 구월이 시월에게 자리를 내어 주던 때가 엊그제 같은데 하마 또 속절없이 시월이 갑니다. 사제관의 창으로 내다보이는 산허리 풍광은 어느덧 가을의 한복판에 들어섰음을 느끼기에 충분합니다. 며칠 전 15일에 데레사 수녀님 축일이었는데 병마와 사투를 벌이시는 데레사 수녀님을 생각했습니다. 그리고 하느님께 "당신의 뜻대로 하시면 좋겠습니다."라고 기도 드렸답니다. 사실 창 밖으로 내다보이는 가을 풍광도, 바람에 하늘거리는 들꽃도, 돌 틈 사이로 쉼 없이 재잘거리며 내려오는 계곡물도 모두 하느님의 손길이 아니시면 가능하지 않다는 것을 어느 때보다도 굳게 믿는 것이 요즈음입니다. 구약성서 「욥기」에서 욥은 예전의 행복에 대해서 다음과 같이 노래합니다.

　"아, 지난 세월 같았으면!
　하느님께서 나를 보살피시던 날들.
　그분의 등불이 내 머리 위를 비추고

그분 빛으로 내가 어둠 속을 걷던 시절.

내 나이 한창이었고

하느님의 우정이 내 천막을 감싸던 때."(욥 29,1-4)

누구나 추억처럼 아련한 좋았던 기억들을 가지고 있고, 그것들을 시간이 지남에 따라, 특히 어려운 고비를 겪어낼 때마다 끄집어내고는 현재 자신의 처한 상황과 대비하곤 합니다. 이제 가을날의 한복판에 서 있으니 지금쯤 계절의 변화, 시간의 흐름을 느끼면서 누구나 한 번쯤은 지나온 셀 수 없을 만큼의 흘러온 날들을 되돌아보지 않을까 싶습니다. 이번 장에서 노자도 지나온 나날들, 곧 인생이 무엇인지를 비교적 솔직하게 고백하고 있지 않나 싶습니다. 이 고백은 마치 어떤 의미에서 욥의 신앙고백과 닮아 있다는 생각을 해 봅니다. 노자는 노래합니다.

하늘 아래는 시작을 가지고 있다네(天下有始).

이로써 어미로 삼지(以爲天下母).

이미 그 어미를 얻게 되니(旣得其母).

이로써 그 자식을 알게 되지(以知其子).

놀랍게도 천하, 온 세상은 '시작(始)'을 가지고 있다고 합니다. 시작이 있다는 것은 곧 시작한 존재가 있다는 것을 뜻하지요. 시작은 있는데 그 시작을 처음으로 시행한 존재가 없다는 것은 말이 되질 않습니다. '시'라고 하는 것은 곧 존재하는 모든 것들의 '근원', '시원', '연원'을 가리킵니다. 그래서 노자는 그 시작을 수행하는 존재를 '어미(母)'라고 보고 있습니다.

이 '어미'에게서 하늘 아래에 유형무형의 것들이 비로소 있게 되었고, 천하의 유형무형한 존재들은 모두 이 '어미'에게서 '어미'를 통하여 그 어미의 '자식(子)'으로 탄생되었지요. 물론 성서 안의 '창조론'처럼 정밀하지는 못하더라도 이미 노자는 그 만물의 발생 과정을 『도덕경』 42장에서 노래한 적이 있었음을 감안해 보자면, 이 장 역시 일정 정도 노자의 '창조론'의 한 축을 가지고 있다고 보아도 과언은 아닐 것이라고 생각합니다.

사실, 이즈음 가톨릭 신학자들 사이에서도 가끔씩 하느님을 '아버지'라고 부르는 대신에 '어머니'라고 부르는 경우들이 왕왕 있지요. '창조'를 '낳음'이라고 표현한다면, 곧 '창조주이신 하느님 아버지'를 '세상 만물을 낳으신 하느님 어머니'라고 불러도 반드시 틀렸다거나 교리에 위배된다거나 할 수는 없을 것입니다. 왜냐하면 하느님께는 '아비'와 '어미'의 속성이 모두 존재하고 있기 때문이지요.

이미 그 자식을 알게 되었다면(旣知其子)

다시 그 어머니를 지키기로 되돌아가는 건(復守其母)

몸을 다한대도 위태롭지 않다네(沒身不殆).

자기의 입을 틀어막고 자기의 문을 닫아 버리게 되면(塞其兌, 閉其門),

몸이 끝 날 때까지 힘들지 않게 되고(終身不勤),

자기 입을 열어 놓고 자기 일거리를 조장해 버리게 되면(開其兌, 濟其事),

몸이 끝 날 때까지 구원 받지 못하지(終身不救).

결국 창조주께서 창조하신 모든 만물은 마지막 날에 창조주께로 돌아갈 수밖에 없지요. 피조물이 창조주께로 되돌아가는 것은 지극히 자연스러운 일이며, 만일 그렇게 되지 않는다면 피조물들은 언제나 불안하고 위태로운 존재로 전락해 버리고 마는 것이 또한 당연지사이지 않을까 싶습니다.

어차피 그분이 내셨으니 그분이 거두어 가시는 것이지요. 욥은 땅에 엎드려 다음과 같이 말합니다.

"알몸으로 어머니 배에서 나온 이 몸

알몸으로 그리 돌아가리라.

주님께서 주셨다가

주님께서 가져가시니

주님의 이름은 찬미 받으소서."(욥1,21)

노자도 말하기를 "이미 그 자식을 알게 되었다면 다시 그 어머니를 지키기로 되돌아가는 건 몸을 다한대도 위태롭지 않다."고 합니다. 어찌 보면 욥과 노자의 사상은 서로 맥이 닿아 있거나 아주 가까이 있다고 보아도 좋을 듯합니다. 그렇지만 여기에서 '시'와 '모'를 '도'라고 쉽게 단정하는 것은 옳지 못합니다. '시'와 '모'는 세계의 근원적인 모습을 가리키는 것은 옳지만 근원이나 실체, 혹은 본체를 말하는 것이 아니라 세상이 어떻게 존재하는가 하는 세상의 가장 밑바탕이 되는 존재형식을 곧 '진상(眞相)'을 가리키는 것으로 이해되어야 할 것입니다. 이렇게 된다면 '시'와 '모'와 '진상'은 동일한 것으로 볼 수 있고, 모두 도의 작용, 곧 '덕(德)'으로 간주될 수도 있을 것입니다. 이때 시와 모와 진상은 자연스럽게 도에서 우러나오는 덕으로 이해될 수 있기 때문에 덕으로 돌아가는 행위 역시 '덕스럽지' 않으면 안 된다는 것입니다.

그래서 노자에 따르면, 만일 천지만물 가운데서 어떤 존재가 "자기의 입을 틀어막고 자기의 문을 닫아 버리게 되면 자신의 몸이 끝날 때까지 힘들지 않게" 되지요. 왜냐하면 덕스러움을 추구하는 자는 자신의 일거수일투족을 '도'의 작용에 내맡기기 때문에 거추장스러운 말, 자신의 어설픈 주장 따위가 필요 없게 되니까요. 반대로 만약 어떤 존재가 "자기 입을 열어 놓고 자기 일거리를 조장해 버리게 되면, 몸이 끝 날 때까지 구원 받지 못하게" 되지요. 왜냐하면 자기 자신을 도의 자연스러운 작용에 내맡기지 않고 억지로 자신의 주장대로 움직이려 고 하기 때문입니다. 이렇게 볼 때, 노자의 도와 도의 작용은 어찌 보 면 꼭 하느님과 하느님의 작용, 곧 하느님과 하느님의 은총과도 닮아 있는 듯 보입니다.

마치 욥이 '하느님의 현존'에 대해 고백하는 듯합니다.

"그분께서는 내 길을 알고 계시니
  나를 시험해 보시면 내가 순금으로 나오련마는
  내 발은 그분의 발자취를 놓치지 않았고
  나는 그분의 길을 지켜 빗나가지 않았네.
  그분 입술에서 나온 계명을 벗어나지 않았고
  내 결정보다 그분 입에서 나온 말씀을 더 소중히 간직하였네.
  그러나 그분은 유일하신 분,
  누가 그분을 말릴 수 있으리오?
  그분께서 원하시면 해내고야 마시거늘.
  나에 대해 결정하신 바를 마무리하시리니
  이런 일들이 그분께는 많기도 하다네."(욥23,10-14)

그렇지요. 수녀님? 하느님께서는 천지만물을 창조하시고, 그 하나 하나를 일일이 다 챙겨주시니 어느 누가 있어 그분의 은총을 거부할리가 있겠습니까? 중요한 것은 그러한 분의 은총을 어떻게 우리가 이 지상에서 깨달을 수 있으며 어떻게 그분께 감사드릴 수 있겠는가? 하는 점이 아닐까 싶습니다. 노자도 또한 도와 도의 작용, 곧 도의 덕스러움에 대해서 노래합니다.

작은 것을 볼 줄 아는 것을 '밝음(明)'이라 하고(見小曰明)
부드러움을 지켜내는 것을 '강함(强)'이라 하지(守柔曰强).
그 빛을 쓰면서도 그 밝음에로 되돌아오면(用其光, 復歸其明),
몸에 재앙을 남겨 둠이 없게 되고(無遺身殃).
이것을 곧 '습상'이라 한다네(是爲習常).

'작은 것', 그것은 '도의 지극히 오묘한 이치'를 말하지요. 인간의 눈에는 도의 작용이 하도 미묘해서 눈에 잘 띄지 않을 뿐 아니라, 눈에 띄더라도 매우 하찮은 것으로 보이기 마련입니다. 이 때문에 사람들은 '도'를 도로 보지 못하고, 그 작용을 작용으로 인식하지 못하지요. 다만 사람들은 '도'에 대해서 거창하고 거대하며 위대하고 화려한 어떤 존재라고 생각하지요. 하지만 그러한 생각은 모두 착각이고 오해이며 또 다른 의미에서 자신들의 허영, 욕망, 탐욕, 교만에서 비롯된 망상이 아닐까 싶습니다.

노자는 그 '작음(小)'을 볼 줄 아는 것을 '명(明)'이라고 불렀습니다.

이 '명'은 곧 '명오(明悟)'이지요. '명오'는 대개 우리의 신앙 선조들이 사용했던 단어였지요. 말하자면 '명오'란 깨달음이 시작된다는 뜻으로 사물에 대하여 바르게 인식하는 일이나 힘을 가리키는 말로 사용되어 왔습니다. 교회에서는 보통 6~7세에 명오가 열린다고 가르치고 있지요. 한편 명오는 사전적 의미로 볼 때, 어떤 면에서 지성, 이성, 이해력 등의 비물질적 고차원의 사고 기능을 말하기도 합니다. 또 노자는 "약한 것이 강한 것을 이기고, 부드러움이 굳셈을 이긴다. (弱之勝強"柔之勝剛)(제78장)"고 말합니다. 따라서 노자는 여기에서 '부드러움을 지켜내는 것을 강함'이라고 표현한 것은 결국 동일한 의미라고 보아야 할 것입니다. 하지만 세상은 강하고 굳센 것만을 바라지요. 그러나 강하고 굳센 것을 추구하다 보면 그것들은 언젠가 제풀에 지쳐 부러지고 쇠하게 되고 만다는 것을 사람들은 알지 못하고 끊임없이 바라마지 않습니다.

노자는 모든 사람들이 모두 '빛' 속에 머물기를 바라고, 그 빛을 사용하면서 모두가 '밝음'에로 돌아오기를 희망합니다. 그렇게 되면 사람들은 모두 '재앙'에 사로잡혀 있지 않게 되고, 재앙에서 벗어날 수가 있다는 것입니다. 옳은 말이라고 생각합니다. 그렇게 하려면 우리는 끊임없이 수련하고 수행해야 하겠지요? 노자는 그것을 '습상(習常)'이라고 부릅니다. '습상'은 곧 '도를 옷 입는 것'을 말합니다. 이때 '습 (習)'이라는 글자는 곧 '습(襲)'과 통한다고 볼 수 있습니다. '익힌다.'와 '옷 입는다.'는 동일한 의미로 통용될 수 있기 때문이지요. 사도 바오로도 다음과 같이 말합니다.

"밤이 물러가고 낮이 가까이 왔습니다.
그러니 어둠의 행실을 벗어 버리고 빛의 갑옷을 입읍시다.
대낮에 행동하듯이 품위 있게 살아갑시다.
흥청대는 술 잔치와 만취, 음탕과 방탕,
다툼과 시기 속에 살지 맙시다.
그 대신에 주 예수 그리스도를 입으십시오."(로마13,12-14)

또 말하기를 "그리스도와 하나 되는 세례를 받은 여러분은 그리스도를 입었습니다."(갈라3,27)라고 하였는데, 결과적으로 노자가 말하는 '습상'과 그 맥이 맞닿아 있다고 보아도 좋을 듯합니다.

이제 우곡성지 골짜기도 모든 살아있는 것들이 서서히 가을로 옷을 갈아입고 있는 듯합니다. 자연은 이렇듯이 조금씩 조금씩 천지를 창조하신 하느님의 말씀에 따라 옷을 입고 있는데, 이는 곧 그들이 '습상'한 때문이겠지요? 세상의 모든 것은 시작이 있고, 시작이 있으면 시작하신 분이 계시겠지요. 또 시작이 있으면 곧 마침도 있을 것입니다. 마침이 있다면 마쳐진 모든 것들을 거두는 분도 계실 것입니다. 이제 곧 '위령성월'인 십일월이 올 것입니다. 십일월에 생각해야 할 것들을 이 시월에 미리 생각하도록 배려하신 하느님께 찬미를 드립니다.

아울러 우리 데레사 수녀님께도 생명을 주관하시는 하느님께서 자비로이 배려해 주셨으면 좋겠다는 기도를 드려 봅니다. 오늘은 '민족들의 복음화를 위하여 봉헌하는 미사'를 드렸습니다. 세상의 모든 사람들이 하느님의 기쁜 말씀 안에서 모두가 하나되기를 소망해 봅니다. 창 밖에는 울긋불긋하게 단풍 든 산허리가 보이고, 그 산허리부터 서서히 어둠이 몰려오는 시간입니다.

그리고 아주 작게 발자국 소리를 내면서 가을비가 창을 두드리는 시간이기도 합니다. 날씨가 추워질 모양입니다. 이 시월 잘 보내시고 십일월『도덕경』제53장에서 또 뵙겠습니다.

2016년 10월 23일 연중 제 30주일 하오에

뚝갈

노자는 나로 하여금 지혜를 갖도록 해 주신다면
대도를 걸어가겠네라고 노래하셨다.
대도는 매우 편안하지만, 사람들은 비탈길을 좋아한다.

노자가 살고 싶은 마음의 거처는 오로지 '도 속에서 살고지고'이지요.
마리아가 살고 싶은 마음의 거처는 오로지
'자비로우신 하느님 안에서 살고지고'입니다.
도속에서 살지 못하고, 하느님 안에서 살지 않으면서
호가호위 하는 것은 곧 도적의 우두머리라고 노자는 말합니다.

53장

나로 하여금 지혜를 갖도록 해 주신다면……

 수녀님, 드디어 2016년 11월이 우리 곁을 떠나려 합니다. 마치 가을이 내려놓은 낙엽들을 데리고 겨울로 떠날 채비를 차리는 것처럼 말입니다. 전례력도 또한 위령성월과 자비의 해를 폐막하고 새로운 해, 대림절로 들어서려 하고 있지요. 어쩌면 지금의 계절이 인간의 삶 또한 새로 시작할 때와 내려놓아야 할 때를 잘 알아야 제대로 된 인생 여정을 걸어가는 것이라고 말해 주는 듯합니다. 까리따스 수녀님과 데레사 수녀님을 하느님 나라로 떠나 보낸 수녀님들의 마음도 이 계절의 분위기처럼 인간적으로 허전하고 쓸쓸하지 않을까 생각해봅니다. 저역시 그 분들에 대해 한번이라도 더 찾아뵐 걸 하는 후회스러운 마음, 죄송스럽고 아쉬운 마음이 가득합니다. 하지만 머지않은 시간에 다시 만날 수 있다는 희망이 있기에 마음을 추스르고 다시 기쁜 마음으로 오늘을 살아간답니다.

 예수께서도 당신의 때가 가까워지자 제자들에게 "내가 가는 곳에 네가 지금은 따라올 수 없다. 그러나 나중에는 따라오게 될 것이다...너희 마음이 산란해지는 일이 없도록 하여라...나는 너희에게 평화를 남기고 간다.

내 평화를 너희에게 준다. 내가 주는 평화는 세상이 주는 평화와 같지 않다...나는 아버지에게서 나와 세상에 왔다가 다시 세상을 떠나 아버지께 간다...”(요한13장-16장 참조)라고 말씀하셨지요. 이 말씀을 되새겨보면, 비록 부족한 우리지만 그분의 도우심에 힘입어 그분에게로 가서 먼저 가신 수녀님들을 만날 수 있겠지요. ‘그분의 도우심’이란 곧 ‘성령(聖靈)’이시지요. 예수께서도 “그분, 곧 진리의 영께서 오시면 너희를 진리 안으로 이끌어 주실 것이다...그렇기 때문에 성령께서 나에게서 받아 너희에게 알려 주실 것이라고 내가 말하였다.”(요한16,13-15)라고 하시지 않습니까? 이와는 좀 다르지만 노자 역시 ‘지혜’를 말하면서 참다운 지혜의 길인 ‘대도’를 언급합니다.

나로 하여금 문득 지혜를 갖도록 해 주신다면(使我介然有知),

대도를 걸어가겠네(行於大道).

오직 기울어질까 봐 두려울 뿐이라네(唯施是畏).

대도는 매우 편안하지만(大道甚夷),

사람들은 비탈길을 좋아하지(而民好徑).

“나로 하여금 문득 지혜를 갖도록 해 주신다면 대도를 걸어가겠네.”라고 노래한 노자의 각오는 어쩌면 베드로만큼이나 대단한 용기를 발하고 있는지도 모를 일입니다.

베드로는 “주님, 저는 주님과 함께라면 감옥에 갈 준비도 되어 있고, 죽을 준비도 되어 있습니다.”(루카22,33)라고 용감하게 말했지요. 하지만 예수께서는 “베드로야, 내가 너에게 말한다. 오늘 닭이 울기 전에 세 번이나 나를 모른다고 할 것이다.”(루카22,34)라고 조용히 말씀하셨습니다. 노자도 역시 지금 “대도를 걸어가겠네.”라고 하였지만 오히려 그 길을 걷지 못하고 다른 쪽으로 ‘기울어질까봐’ 두려워하였지만, 어떻게 보면 베드로보다 노자가 훨씬 더 똑똑했다는 것을 알 수 있습니다.

사실 노자가 말한 대로 사람들은 ‘대도’인걸 알지만, 대도로 걸어가지 않고 ‘비탈길’을 더 좋아하는지도 모를 일입니다. 이 점에 대해서도 일찍이 예수께서 한말씀 하셨지요? “너희는 좁은 문으로 들어가라. 멸망으로 이끄는 문은 넓고 길도 널찍하여 그리로 들어가는 자들이 많다. 생명으로 이끄는 문은 얼마나 좁고 또 그 길은 얼마나 비좁은지 그리로 찾아드는 이들이 적다.”(마태7,13-14)고 하셨습니다. 노자의 ‘대도’는 예수께서 말씀하시는 ‘생명으로 이끄는 문’이고, ‘기울어진 비탈길’은 ‘멸망의 길’과 좋은 대조를 이룬다고 볼 수 있고, 또 그렇게 서로 맥이 닿아 있다고 생각해 볼 수 있지 않을까 싶습니다.

조정은 너무나 화려하고(朝甚除),

논밭은 매우 황폐해졌으며(田甚蕪),

곳간은 텅텅 비어 있지(倉甚虛).

비단으로 수놓은 옷을 입으며(服文綵)

날카로운 칼을 차고(帶利劍)

질리도록 먹고 마시는데도(厭飮食)

재화는 남아돌지(財貨有餘).

이것을 일러서 '도적의 우두머리'라 하지(是謂盜夸)

결코 도가 아니라네(非道也哉).

　노자의『도덕경』을 읽노라면, 자연의 '대도'를 노자가 처한 현실적인 삶 안에 적용해 보려는 노자의 피눈물 나는 노력을 생각해 보지 않을 수 없습니다. 예나 지금이나 사람들은 '사특(私慝)'하고 '사악(邪惡)'하며 왜곡되고 오염된 것들을 더 선호하고 있지요. 백성의 지도자로 자처하는 사람들은 더욱더 밝고, 맑지 못하며 온갖 거짓, 사기, 축적, 권력의 남용 등으로 해서 나라를 망치게 하고 백성을 도탄에 빠뜨리며 끝에 가서는 자기 자신도 없어지고 말지요. 이를 '인과응보(因果應報)'라고 하는지 모르겠습니다. 노자가 살았던 사회의 형편을 살펴보면서 오늘날의 사회 형편과 비교해 보면, 한 치의 오차도 없이 꼭 닮아 있음을 알 수가 있습니다. 조정과 국가가 이렇게 부패하고 백성

들의 살림은 바닥이 났는데도, 이른바 지도자들이라고 하는 사람들은
여전히 좋은 음식을 먹고, 비수처럼 날카로운 권력을 차고 다니며 화려
한 옷을 입고 거들먹거리고 있으니 노자가 보기에 얼마나 한심한 세상
이겠는지요?

> "조정은 너무나 화려하고
> 논밭은 매우 황폐해졌으며,
> 곳간은 텅텅 비어 있지.
> 비단으로 수놓은 옷을 입으며,
> 날카로운 칼을 차고,
> 질리도록 먹고 마시는데도
> 재화는 남아돌지"

이러한 노자시대의 사회 풍광을 바라보면서 우리는 저 유명한 '마리
아의 노래'를 떠올리지 않을 수 없습니다.

> "내 영혼이 주님을 찬송하고,
> 내 마음이 나의 구원자 하느님 안에서 기뻐 뛰니,
> 그분께서 당신 종의 비천함을 굽어보셨기 때문입니다.
> 이제부터 과연 모든 세대가 나를 행복하다 하리니

전능하신 분께서 나에게 큰일을 하셨기 때문입니다.

그분의 이름은 거룩하고

그분의 자비는 대대로

당신을 경외하는 이들에게 미칩니다.

그분께서는 당신 팔로 권능을 떨치시어

마음 속 생각이 교만한 자들을 흩으셨습니다.

통치자들을 왕좌에서 끌어내리시고

비천한 이들을 들어 높이셨으며

굶주린 이들을 좋은 것으로 배불리시고

부유한 자들을 빈손으로 내치셨습니다.

당신의 자비를 기억하시어

당신 종 이스라엘을 거두어 주셨으니

우리 조상들에게 말씀하신 대로

그 자비가 아브라함과 그 후손에게 영원히 미칠 것입니다."

(루카1,46-46)

노자가 살고 싶은 마음의 거처는 오로지 '도 속에서 살고 지고' 이지요. 마리아가 살고 싶은 마음의 거처는 오로지 '자비로우신 하느님 안에서 살고지고'입니다. '도 속에서 살지' 못하고, '자비로우신 하느님 안에서' 살지 않으면서 호가호위(狐假虎威)하는 것은 곧 '도적의 우두머

178

리'라고 노자는 말합니다. 말하자면 '마귀'인 셈이지요. '마귀'라는 뜻은 성서적인 의미로 '갈라놓는 자', '이간질 하는 자', '훼방꾼' 등등이지요. 노자의 지적대로 '질리도록 먹고 마시는데도 재화는 남아도는' 현상은 2016년을 살고 있는 이 시대에도 여전히 유효한 지적이 아닐까 싶습니다. 나눌 줄도 모르고 움켜쥘 줄만 아는 이 시대 한국 사회의 풍토는 참으로 '도적의 우두머리'만을 선호하고 길러 내는 거대한 양성소가 아닐까 싶기도 합니다.

수녀님, 저물어가는 십일월입니다. 우곡의 아름답던 단풍도 낙엽이 되어 하나둘 땅으로 내려앉고, 오늘은 추적추적 늦가을 비까지 내리는 밤입니다. 노자가 '도'의 길을 걸어가고 싶은 소망이나 우리가 하느님께서 제시하신 '길'을 걸어가고 싶은 마음은 다 같은 것이 아닐까 생각해 봅니다. 연중시기의 끝을 향해, 위령성월의 끝을 향해 달려가면서 문득 어느 때보다도 어지러워진 이 시대의 민낯을 바라봅니다. 오늘 미사를 봉헌하는 중에 복음 말씀은 예수께서 예루살렘의 도성을 보시고 울음을 우셨다고 전합니다. "오늘 너도 평화를 가져다 주는 것이 무엇인지 알았더라면..........."(루카19,42)라고 하신 말씀이 아직도 귓전을 울립니다. 아울러 지난번 데레사 수녀님을 떠나보내는 장례미사에는 함께하지 못했지만, 그래도 전날 미사에서 잠깐이라도 수녀님들의 모습을 볼 수 있어서 기뻤습니다. 수녀님들의 맑게 울리는 기도 소리 속에서 수녀님들의 아름다운 모습, 곧 성모 마리아처럼 '자비로우신 하느님 안에서 살고 지고'하는 모습을 보았지요. 노자의 표현대로라면 '도 속에서 살고 지고'이지요. 언제나 기쁘고 행복한 삶을 사시길 기도합니다. 그럼 『도덕경』 제54장에서 다시 뵙겠습니다. 십이월이지만, 사실 그때는 전례력으로 새해가 되겠지요. 내년에 뵙는 셈이 되네요.~~~~~^^

2016년 11월 18일 금요일

솜방망이

누구든지 자기가 처한 자리에서 하늘이 내려준 덕을
'제대로 세우고', '잘 껴안고', '제대로 자신의 몸을 닦으면'
뽑혀나가지도 벗겨나가지도 않게 될 뿐만 아니라
마침내 자신 안에서 닦여진 덕이 온 천하에 두루 미칠 것이라고 장담합니다.

만물은 기세등등하면 곧 늙어가는 데,
그것을 '도답지 못하다'라고 하지.
도답지 못하면 일찍 끝나버리고 만다네.

54장

제대로 세워진 것은 뽑혀 나가지 않고 : 도의 공동체

수녀님, 병신년 새해가 밝아온 지가 엊그제 같은데 벌써 한 해의 끝 자락에 서 있습니다. 모두들 잘 계시지요? 돌이켜보면, 세상은 여전히 시끄럽고 혼란스럽지만 하느님께서 마련하신 시계는 의연하게 돌아갑니다. 이 시계를 옛사람들은 하늘의 때 곧 '천시(天時)'라고 불렀답니다. '천시'는 사람의 때, 곧 '인시(人時)'와는 다릅니다.

예로부터 '천시'에 잘 순응하는 사람을 '성인(聖人)'으로 존경했다고 합니다. 하지만 현재 한국 사회는 저마다 '천시'를 따르지 않고, 오로지 '인시'에만 매달리다 보니까 이렇게 온 사회가 시끄럽고 어지럽지 않나 생각해 봅니다. 보내 주신 엽서, 반갑고 기쁜 마음으로 읽었습니다. 수녀님의 말씀대로 우리들이 살아가는 현실 사회를 들여다보면 답답하고 가슴이 먹먹해집니다. 하지만 생명이시고 사랑이시며 희망이신 하느님께서 우리와 함께 계시기에 마음을 굳게 먹고 두 주먹을 쥐고 힘을 불끈 내어 봅니다. 생각해 보면 사람은 저 혼자 잘난 맛으로는 결코 살아갈 수 없다는 것을 금방 알게 됩니다. 사람이 자기 생활을 영위하기 위해서는 물, 공기, 동식물 등 자연과 부모, 친척, 이웃들이 서로 더불어 살아가야 한다는 말이지요. 이렇게 살아가는 모습을 옛사람들은 '상생(相生)'이라고 불렀지요. 상생이란 사실 '음양오행설(陰陽五行說)'에서 주로 사용되었던 말입니다. 곧 음양오행설에서는 금은 수를, 수는 목을, 목은 화를, 화는 토를, 토는 금을 낳음(金生水 水生木, 木生火, 火生土)을 이르는 말이었지요. 그러던 것이 점차적으로 세월이 흐르면서 두 가지 또는 여럿이 서로 공존하면서 살아감을 비유적으로 이르는 말로 바뀌었답니다. 노자도 역시 『도덕경』 2장에서 '유무상생(有無相生)'이란 말을 사용하였지요. '있음(有)과 없음(無)'이 서로 함께 사는 대화합의 정신을 강조한 노자의 위대한 사상의 단편을 엿볼 수 있는 대목입니다. 지금 이 시대는 어찌 보면, 모든 것을 이분법적으로 보려는 사고에 사로잡혀 있다고도 말할 수 있습니다. 모든 것을 좋고 나쁨, 선악으로 구별하거나 차별하여 보려고 급급한 현대인들이 되새겨 보아야 할 대목이 아닐까 싶기도 합니다. 이러한 상생의 원리를 조금만 깊이 들여다보면, 현재뿐 아니라 미래로 나아가려는 인류가 가져야 할 최고의 가치 기준이 아닐까 생각해 봅니다. 왜냐하면 인간은 결국 함께 살아가야만 생존을 영위할 수밖에 없는 존재이기 때문이지요. 우리는 그것을 '공동체(共同體)'라고 부릅니다. 공동체는 미우나 고우나 함께 살아갈 수밖에 없는 마치 공동운명체와 같은 동일한 의미랍니다.

공동운명체, 운명공동체는 자신의 삶뿐 아니라 타인의 삶마저도 자신의 삶처럼 소중하게 여겨야만 가능한 것이지요. 《구약성서》에서 토빗은 자기 아들 토비야에게 다음과 같이 말합니다.

"평생토록 늘 주님을 생각하고
죄를 짓거나 주님의 계명을 어기려는 뜻을 품지 말라.
평생토록 선행을 하고 불의한 길은 걷지 마라

……………………………………

네가 가진 것에서 자선을 베풀어라.
그리고 자선을 베풀 때에는 아까워하지 마라.
누구든 가난한 이에게서 얼굴을 돌리지 마라.

……………………………………

자선을 베풀기를 두려워하지 마라.

……………………………………

네가 싫어하는 일은 아무에게도 하지 마라.

……………………………………

배고픈 이에게 먹을 것을 나누어 주고,
헐벗은 이들에게 입을 것을 나누어 주어라."(토빗4,3 이하 참조)

또 〈마태오 복음 5장〉에서 예수께서도 말씀하시기를 "화해하여라."(21-27절)/"극기하여라."(27-30절)/"정직하여라."(33-37절)/"폭력을 포기하여라."(38-42절)/"원수를 사랑하여라."(43-48절)이라고 하셨지요. 이 모든 말씀도 또한 상생, 공동체로 살아가라는 말씀이라고 봅니다. 그렇게 생각에 생각을 거듭하다 보면, 곧 수녀님들께서 '지금 구체적으로 여기에서' 살아가는 모든 일들이 '공동의 일'이고, '공동체를 살리는 일'이라는 생각까지 나아가게 됩니다. 공동, 상생이라는 의미 속에는 이미 생명을 살리는 일, 서로가 서로를 배려하고 아끼는 일, 서로가 서로를 '내 몸처럼' 소중히 여기는 삶의 태도가 묻어 있음을 발견해 내기가 그리 어렵지는 않을 것입니다. 이러한 생각을 하면서 노자의 노래를 살펴보면, 참으로 인간이 어떻게 살아야 인간답게 살아갈 수 있게 되는지를 알게 된답니다.

제대로 세워진 것은 뽑혀 나가지 않고(善建者不拔),

잘 껴안은 것은 벗겨 나가지 않지(善抱者不脫).

자손은 제사로써 그치지 않게 한다네(子孫以祭祀不輟).

몸으로 닦으면 그 덕은 곧 참되고(修之於身 其德乃眞),

집안에서 닦으면 그 덕은 곧 넉넉해지며(修之於家, 其德乃餘),

고을에서 닦으면 그 덕은 곧 자라나게 되고(修之於鄕, 其德乃長),

나라에서 닦으면 풍요로워지며(修之於國, 其德乃豊)

천하에서 닦으면 그 덕은 곧 두루 하게 되지(修之於天下, 其德乃普).

누구든지 자기가 처한 자리에서 하늘이 내려준 덕을 '제대로 세우고', '잘 껴안고', '제대로 자신의 몸을 닦으면' 뽑혀나가지도, 벗겨나가지도 않게 될 뿐만 아니라 마침내 자신 안에서 닦여진 덕이 온 천하에 두루 미칠 것이라고 장담합니다.

유가의 경전 『중용(中庸)』에서도 통치자가 도덕성을 회복하여 덕치(德治)를 실행하면 인근 사방의 백성들이 몰려들고, 그 백성들은 그 성군이 통치하는 나라의 노동력과 군사력이 증가하는 효과를 가지게 되고, 그렇게 되면 덕치가 부국(富國)으로 이어진다(최진석 『노자의 목소리로 듣는 도덕경』 참조)고 말하고 있습니다. 곧 '수신제가치국평천하(修身齊家治國平天下)'가 바로 그것이지요. 말하자면 유가에 있어서 '덕치'의 출발점은 '수신'에 있고, 수신이 되면 '제가'가 되고, 제가가 되면 '치국'이 되며 치국이 되면 '평천하'로 나아가게 된다는 것입니다. 즉 '수신'에 모든 것이 달려 있다는 것이 유가사상의 골자이지요. 하지만 노자는 이와는 좀 다르게 생각합니다. '자신을 닦는 것'과 집, 고을, 나라, 천하에서 닦는 것을 연결시켜서 말하지 않지요. 몸은 몸이고, 집안과 고을과 나라와 천하는 각각 그저 집안, 고을, 나라, 천하로만 보는 것입니다. 말하자면 노자는 각자의 개성을 무시하지 않으며 따라서 자기 개성을 각자의 처지에 따라 제대로 살려야 한다는 것입니다.

사실 공동체는 각자가 모여서 이루어 내는 '생명살이 모임'입니다.

그 모임에서는 각자의 개성, 역량, 취미, 장단점 등을 모두 인정해야만 하지요. 각자의 특징을 인정한다는 것은 자신의 특징을 오히려 작게 만들어야만 가능한 일이 됩니다. 우리는 그것을 '사랑의 행위'라고 부를 수도 있을 것입니다. 사랑의 행위 안에는 생명, 정의, 평화, 인내, 자비 등 모든 인간적인 덕목들이 모두 포함되어 있지요. 따라서 사람들이 단순히 모여 사는 것을 공동체로 보지 않고, 거기에는 구성원 서로서로가 서로서로에게 향하는 사랑의 행위가 깃들어 있어야 가능한 것이 아닐까 싶습니다. '신앙공동체', '수도공동체', '교구공동체'라고 하는 등등의 말이 곧 공동체는 사익(私益)이 전제된 집단적, 이기적 모임이 아니라 공익(公益)이 필연적으로 전제된 개념이라고 말할 수 있지 않을까 싶습니다. 그 때문에 사도 바오로도 '공동의 선' 곧 '공동선'에 대해서 다음과 같이 언급하였지 않나 싶습니다.

"은사는 여러 가지지만 성령은 같은 성령이십니다.
직분은 여러 가지지만 주님은 같은 주님이십니다.
활동은 여러 가지지만 모든 사람 안에서 모든 활동을
일으키시는 분은 하느님이십니다.
하느님께서는 각 사람에게 공동선을 위하여
성령을 드러내 보여 주십니다."(1코린 12,4-8)

사도 바오로에 따르면 결국 '공동선'을 위하여 사람을 만드셨고, 사람들은 하느님의 말씀에 따라 각자의 역량, 개성, 장단점 등을 모두 공동의 선익을 위해 사용해야 한다는 것이지요. 이것이 하느님께서 소망하시는 '사랑의 공동체'가 아닐까 생각해 봅니다. 만일 지구상의 모든 사람들, 특히 지도자라고 하는 사람들이 하느님의 말씀에 따라 살고 있다면 21세기의 지구촌, 아니 현재의 한국 사회는 이렇게 혼탁해 있지 않았을 것이라고 생각합니다.

그러므로 몸으로 몸을 살피고(故以身觀身)

집안으로 집안을 살피며(以家觀家),

고을로 고을을 살피고(以鄕觀鄕)

나라를 나라로 살피며(以國觀國)

천하로 천하를 살펴본다네(以天下觀天下).

내가 어찌 천하가 그러하다는 걸 알겠는가(吾何以知天下然哉)?

이 방식을 가졌기 때문이네(以此).

노자는 공동체를 사는 구성원들에게 말하기를 "몸을 몸으로 살피고, 집안으로 집안을 살피며 고을로 고을을 살피고, 나라를 나라로 살피며 천하로 천하를 살펴야 한다."라고 노래합니다. 이는 유가에서 '수신제가치국평천하'처럼 몸의 수행이라는 첫 단계로부터 천하에 이르기까지 확장해서 나아가라는 뜻이 아니라 각자의 자리에서 그가 처한 상황에 맞게 처신하라는 뜻이지요. 예컨대 교황은 교황의 자리에서, 추기경과 주교는 추기경과 주교의 자리에서, 성직자는 성직자의 자리에서, 수도자는 수도자의 자리에서, 평신도는 평신도의 자리에서 각각의 맡겨진 사명에 따라 처신하라는 겁니다. 그렇게 되면, 공동체 구성원 전체가 모두 화평한 삶을 영위할 수가 있다는 것이지요. 노자가 이렇게 생각하고 그것을 알게 된 연유는 곧 그가 현실 생활 안에서 그와 같은 방식으로 살고 있기 때문이라고 고백합니다.

예수께서도 공생활을 하시기 전에 당신의 삶의 방식을 대외적으로 선포하신 적이 있으시지요. 그 말씀은 곧 〈이사야 61,1~2〉에 나오는 말씀을 인용하시는 것으로 시작합니다.

"주님께서 나에게 기름을 부어 주시니,
주님의 영이 나에게 내리셨다.
주님께서 나를 보내시어
가난한 이들에게 기쁜 소식을 전하고
잡혀간 이들에게 해방을 선포하며
눈먼 이들을 다시 보게 하고
억압 받는 이들을 해방시켜 내보내시며
주님의 은혜로운 해를 선포하게 하셨다."(루카4,18-19)

저는 위 대목을 예수님의 '사명선언문'이라고 붙여 봅니다. 〈마태오 복음 5,1~12〉에 나오는 진복팔단을 '하느님 나라의 대헌장'이라고 부른다면 〈루카복음〉의 이 구절은 곧 예수님의 사명선언문에 해당하지요. 사명선언문이든, 하느님 나라의 대헌장이든 모두 하느님과 그 외아들 구세주 예수 그리스도를 중심으로 하여 온 인류가 '한 몸 한 뜻'의 공동체로 살아야 한다는 진리의 말씀이시지요.

하느님 안에서 공동체로 살아가는 수녀님들의 삶을 보면서 새삼 우리가 어떻게 살아야 제대로 살아가는 것인지를 돌이켜 생각해 보게 합니다. 수녀님, 지금 우곡에는 하염없이 눈발이 흩날리고 있습니다.

어지러운 세상을 구원하러 오시는 아기 예수님의 거룩한 탄신일(성탄)을 앞두고, 이렇게 온 세상을 새하얗게 만들어 주는 저 눈발이 마치도 어지럽게 불안에 떨고 있는 우리들을 당신 은총의 가슴으로 살포시 덮어 주시는 듯합니다. 이제 곧 오실 아기 예수님의 은총이 수녀님들의 삶의 공동체 모든 자매들에게도 풍성히 내리시기를 기도합니다.

메리!!! 크리스마스!!!

아기 예수님의 성탄을 진심으로 기뻐하고 또 축하드립니다. 『도덕경』 제55장에서 뵙겠습니다. 아니 새해에 뵙겠네요..........

2016년 12월 23일 대림 제4주간 금요일에

어울릴 줄 아는 것을 불변의 '도'라 하고
불변의 '도'를 아는 것을 밝음(明)이라 하지.
생명을 탐내는 것을 '요사스러움'이라 하고
마음이 기를 부리는 것을 '굳셈(强)'이라 하지.

| 55장 |

덕을 두텁게 머금은 이는 :
도로 이루어지는 태평성대

수녀님, 말도 많고 탈도 많았던, 그러나 되돌이켜보면 하느님의 손길이 아니 계신 곳이 없었던 병신년(丙申年)을 뒤로하고, 정유년(丁酉年)이 밝아왔습니다.

수녀원의 모든 식구들이 모두 언제나 '밝음'으로 다가오시는 하느님의 부드러운 손길 속에서 행복하시기를 기도합니다. 먼저 저의 소식을 전합니다. 이미 아시고 계시겠지만, 저는 이제 여섯 해 반이나 정들었던 이곳을 떠나게 됩니다.

그동안 수녀님들의 기도가 아니었으면 이곳에서 쉽게 버텨 내는 삶을 살지 못했을 겁니다. 감사드립니다. 노자의 노래처럼 '갓난아기'로 살고자 노력했지만, 아직 '덕'이 부족한지 '덕'을 머금고 살기보다는 하느님의 은총과 지인들의 기도에 기대어 살고 있지요. 그래도 그것마저도 은총인걸 보면 세상에 태어나 살아간다는 것 자체가 그분의 은총이 아닌 것이 없다는 것을 새삼 깨닫습니다.

덕을 두텁게 머금은 이는(含德之厚),

갓난아기에 견주게 되지(比於赤子).

벌이나 전갈이나 독사가 물지 않고(蜂蠆虺蛇不螫),

용맹한 들짐승이 할퀴지 않으며(猛獸不據),

사나운 날짐승이 채어 가지 못한다네(攫鳥不搏).

뼈는 약하고 힘줄은 부드러워도 움켜쥠은 세지(骨弱筋柔而握固).

아직 남녀의 교합을 알지 못해도 갓난아기의 고추는 일어서니

(未知牝牡之合而全作),

정기가 지극하기 때문이지(精之至也).

종일토록 울음을 토해도 목이 쉬지 않으니(終日號而不嗄),

어울림이 지극하기 때문이라네(和之至也).

위에서 들려주는 노자의 노랫소리는 마치 구약의 이사야 예언자가 들려 주는 "메시아와 평화의 왕국"에 관한 노랫말과 흡사하다는 생각을 해 봅니다.

"늑대가 새끼 양과 함께 살고

표범이 새끼 염소와 함께 지내리라.

송아지가 새끼 사자와 더불어 살쪄 가고

어린 아이가 그들을 몰고 다니리라.

암소와 곰이 나란히 풀을 뜯고

그 새끼들이 함께 지내리라.

사자가 소처럼 여물을 먹고

젖먹이가 독사 굴 위에서 장난하며

젖 떨어진 아이가 살모사 굴에

손을 디밀리라.

나의 거룩한 산 어디에서도

사람들은 악하게도 패덕하게도

행동하지 않으리니

바다를 덮는 물처럼

땅이 주님을 앎으로 가득할 것이기 때문이다."(이사11,6-9)

어울릴 줄 아는 것을 '불변의 도'라 하고(知和曰常),

불변의 도를 아는 것을 '밝음(明)'이라 하지(知常曰明).

생명을 탐내는 것을 '요사스러움'이라 하고(益生曰祥),

마음이 기를 부리는 것을 '굳셈(强)'이라 하지(心使氣曰强).

만물은 기세등등하면 곧 늙어가는데(物壯則老),

그것을 '도답지 못하다'라고 하지(謂之不道).

도답지 못하면 일찍 끝나 버리고 만다네(不道早已).

사실 유가의 이상적인 인간상은 도덕적 경지가 우주의 영역까지 확장된 사람이지요. 이를 성인이라고 부른답니다.

전통적으로 내려오는 가치 체계를 꾸준히 학습하여 자기 마음대로 해도 그 전통이나 모순과 갈등을 빚지 않고 전통과 일치를 이루는 사람이지요. 하지만 노자가 주장하는 성인은 유가의 군자상과는 사뭇 다른 '갓난애'입니다. 갓난애가 되는 최상의 덕목들은 곧 '무명(無名)', '무욕(無欲)', '비움(虛)', '어울림(和)', '유약(柔弱)', '치우침이 없음(中)', '무위(無爲)', '불언(不言)' 등인데 그 가운데서도 '어울림'을 중시한답니다.

이 어울림과 가장 어울리는 단어가 있다면, 곧 '어린애' 혹은 '갓난애'이지요. 사실 어른들은 조금만 오래 울거나 조금만 오래 노래를 불러도 바로 목이 쉬는데 갓난애는 하루종일 울어도 목이 쉬지 않습니다. 이것은 바로 자연으로부터 부여 받은 조화의 상태를 잘 유지하고 있기 때문이라(최진석,《노자의 목소리로 듣는 도덕경》에서)고 합니다.

사실 인생이라는 것은 어찌 보면 삶과 죽음 사이의 '어울림(조화)'가 아닐까 싶습니다. 지나치게 삶만을 위한다면 그것은 자연의 조화를 해치는 것으로 결국 큰 재앙을 초래하게 된다는 것은 만고불변의 진리가 아닐까 싶습니다.

이제 55장의 이야기는 여기에서 그치고, 제가 이곳을 떠나가는 삶에 대해서 잠깐 이야기를 하고 이 편지를 마칠까 합니다. 사제들, 특히 교구 사제들의 삶이란 결국 얼마나 잘 떠나느냐 하는 것에 달려 있지 않을까 싶습니다. 하느님께서 '가라'고 하시면 언제든지 자기 자리를 비워 내고, 내어 주고 군말 없이 '가라'고 하는 곳으로 훌쩍 떠나는 것이 사제 된 자의 가장 큰 '덕목' 가운데 하나라는 생각이 들기 때문입니다.

누군가는 인생을 떠다니는 삶이라고 부평초 같다고 했지요. 여섯 해를 넘게 살았던 이 자리를 누군가에게 넘겨 주고 또 이제 떠나야만 합니다. 아니 떠날 때가 되었다고 생각했지요. 그래서 언제나 마음속에서부터 그날이 오면 훌쩍 떠나야겠다는 다짐을 안 해본 것은 아니지만, 막상 자리를 비워 내고 떠나야 한다는 당위성을 껴안고 보니 참으로 만감이 교차하는 것도 사실입니다.

오랫동안 구축하였던 이 자리를 누군가에게 내어 주기 싫다는 말이 아니라, 그저 비우고 또 비워내고, 내리고 내려놓고 싶은데 짐을 하나 둘씩 정리하다가 보니 의외로 움켜잡고 있었던 것들이, 잊고 살았던 무거운 것들이 나를 엄습해 옵니다. 아하, 그래서 사람들은 다들 내어 놓기, 내어 주기, 내려놓기를 어려워했나 보다 라는 서글픈 생각까지 들었습니다.

모든 것을 내려놓고 떠나기란 또 어떨까요? 꼭 누군가에게 쫓겨서 도망치듯 떠나야 하는 것이 아니더냐? 라는 생각이 들 때는 참으로 착잡했답니다. 세워 놓은 계획은 물거품이 되고, 그동안 알음알음으로 나를 심정적으로 혹은 물질적으로 후원...을 아끼지 않았던 사람들마저도 이제는 그 끈을 놓아 드려야 할 때, 그저 그동안 구축해 놓았던 나의 몹쓸 욕망의 다름 아님을 문득 깨달을 때, 가슴속으로 물밀 듯 치밀어 오르는 그 모든 것들이 아하, 결국 나의 부끄러움이 아니었더냐? 라는 것입니다.

지금 이 순간 어쩌면 나는 또 '떠남' 혹은 '비워냄'을 즐기고 있는지도 모르겠습니다. 즐긴다는 말은 별로 좋은 어감은 아니지만 이 시간만큼은 특별한 어감으로 다가옵니다.

여기를 떠나면 떠나온 자리를 두 번 다시 뒤돌아보지는 않을 것입니다. 뒤돌아본다는 것은 인생을 슬프게 만들어 주기 때문이지요. 그래서 다가올 내 앞에 펼쳐지는 것들에 또한 집중해야 할 것이라는 새로운 긴장의 끈을 마음에다 드리워 놓아 봅니다. 행복한 긴장감이 곧 내 앞에 현실로 거기에 서 있을 것이기 때문이지요. 그것은 분명 '낯섦'이기는 하지만 이 또한 짧은 인생에서 하느님께서 배려해 주신 '즐거운 낯섦'이 아닐까 생각해 봅니다. 홀연, 창 밖 눈 쌓인 우곡에 칼바람이 골짜기를 흔들며 지나갑니다.

수녀님, 사실 모든 사람들은 언젠가는 자기 자리를 다른 이에게 내어 주고 떠날 준비를 하고 또 실제로 떠나야만 하는 존재들이지요. 그 가운데 사제는 더욱더 그렇고요. 이제 『도덕경』 56장은 새로운 임지에서 적어 보내게 될 것입니다. 지금 이제 짐을 하나둘씩 싸고 꾸리면서 이 편지를 적어 보냅니다. 이 편지를 써내려 가면서 머리에, 가슴속에서 들려오는 소리는 '모든 것이 그분의 은총이 아닌 것이 없었다.'라는 울림입니다.

내일 모레가 '설'입니다. '설날'에는 오전에 여기에서 미사를 드리고, 오후에는 고향인 쌍호공소에 가서 미사를 봉헌할 계획입니다.

아무쪼록 즐거운 설날을 기쁘게 맞이하시고 또 하느님께서 주시는 축복을 가득히 받으시기를 기도합니다.

그럼 『도덕경』 제56장에서 만나뵙겠습니다.

2016년 1월 26일 성 티모테오와 성 티토 주교 축일에

솜양지꽃

아버지, 하늘과 땅의 주님,
지혜롭다는 자들과 슬기롭다는 자들에게는 이것을 감추시고,
철부지들에게는 드러내 보이시니, 아버지께 감사드립니다.
그렇습니다. 아버지!
아버지의 선하신 뜻이 이렇게 이루어졌습니다.(마태11,25-26)

56장

아는 자는 말을 하지 않고

수녀님, 이월입니다. 다들 잘 계시지요? 저는 덕분에 교구청으로 이사를 하고 짐을 풀고는 모처럼의 망중한(忙中閑)을 보내고 있습니다. 하지만 이삿짐을 싸고 풀 때마다 매번 느끼는 것이지만, 느낄 때마다 매번 나 스스로는 그대로인데 사는 삶이 새롭게 바뀌어 있다는 것을 깨닫습니다. 이번에도 예외는 아닙니다. 제가 맡은 소임은 안동 교회사 연구소의 책임을 맡는 일과 '교구 설정 50년 통사(通史)'를 편찬하는 작업인데, 요즘처럼 이렇게 걱정을 많이 한 것이 얼마 만일까 할 정도로 생각이 깊습니다. 하지만 하느님의 은총에 힘입어 그저 최선을 다하는 도리밖에는 더 없을 것이라고 스스로 위안을 해 봅니다.

사실 예수께서는 말씀하시기를 "내 안에 머물러라. 나도 너희 안에 머무르겠다. 가지가 포도나무에 붙어 있지 않으면 스스로 열매를 맺을 수 없는 것처럼, 너희도 내 안에 머무르지 않으면 열매를 맺지 못한다."(요한15,4)라고 하셨는데, 그 말씀이 요즘처럼 가슴에 와 닿는 때가 몇 번이나 있었던가 자문하면서 하루하루를 보내고 있습니다. 분명한 것은 이전에는 제 손으로 밥을 하고, 빨래를 하고 살았는데 지금은 밥을 해주고, 빨래를 해 주는 사람이 있다는 것입니다. 그러다 보니까 시간이 흐를수록 점점 게을러지는 저를 발견하고는 적잖이 놀랄 때가 많습니다.

『도덕경』 2장에 나오는 '행불언지교(行不言之教)'라는 말이 생각납니다. '불언의 가르침을 행하라.'라는 뜻이지요. '불언의 가르침', 곧 '불언지교'는 아무런 말도 하지 않으면서 행동하는 침묵 형태의 가르침을 말하는 것이 아니라 사사건건의 일상사 안에서 반드시 이유와 조건과 목적 등등을 말로 드러내야만 비로소 모든 것이 소통이 되고 또 이루어질 수 있다는 세속적인 통념들을 불식시키는 말이 아니겠는가 싶습니다. 예컨대 이제 곧 봄이 온다고 사람들은 말합니다. 하지만 자연은 일체의 어떤 말도 하지 않고 훈훈한 봄바람을 내보내고, 꽃을 피우며 새싹을 움트게 합니다. 거기에 아무런 말이 없어도 사람들은 비로소 "아, 이제 봄이로구나."라고 자연의 변화를 알아차리고 느끼게 되지요. 아마도 그러한 의미에서 노자는 일찍이 "불언지교"를 말했고, 또 지금은 "아는 자는 말을 하지 않고, 말을 하는 자는 알 줄 모르지." 라며 노래하였는지도 모를 일입니다.

아는 자는 말을 하지 않고(知者不言),
말을 하는 자는 알 줄 모르지(言者不知).

그 구멍을 틀어막고(塞其兌),

그 문을 닫아걸며(閉其門),

그 날카로움을 꺾어 버리고(挫其銳),

그 나누어진 것을 풀어 버리며(解其分),

그 빛과 어울리고(和其光),

그 찌든 먼지와 함께하지(同其塵).

이것을 '심오한 동행(玄同)'이라 한다네(是謂玄同).

　노자는 "아는 자는 말을 하지 않고, 말을 하는 자는 알 줄 모르지."
라고 노래합니다. 아시다시피 흔히들 '지혜(智慧)'와 '지식(知識)'에 대해
서 잘 구별하려고 애를 쓰지 않지요. 하지만 이 두 가지를 우리는 구
별해서 생각할 필요가 있다고 봅니다. 사전에 따르면 지혜는 사물의
이치나 상황을 제대로 깨닫고 그것에 현명하게 대처할 방도를 생각해
내는 정신의 능력 등을 의미하고, 지식은 교육이나 경험, 또는 연구를
통해 얻은 체계화된 인식의 총체를 가리키지요. 얼핏 보기에 두 가지
는 서로 비슷해 보이지만, 지혜는 주변 상황을 인식하여 거기에 자신
의 정신력을 집중시켜서 대처하는 능동적인 방식이고, 지식은 다른 이
들의 가르침을 통해 얻어낸 앎을 자신의 머릿속에 차곡차곡 쌓아 두고
필요할 때마다 꺼내어 사용하는 것, 곧 수동적인 측면이 강하다고 보
면 되지 않을까 싶습니다. 그러나 이 두 가지는 모두 인간이 살아가는

데 필요한 것이 아닐 수 없답니다.

사도 바오로는 코린토 공동체에 보내는 첫째 편지에서 이르기를 "성숙한 이들 가운데에서는 우리도 지혜를 말합니다. 그러나 지혜는 이 세상의 것도 아니고 파멸하게 되어 있는 이 세상 우두머리들의 것도 아닙니다. 우리는 하느님의 신비롭고 또 감추어져 있던 지혜를 말합니다. 그것은 세상이 시작되기 전, 하느님께서 우리의 영광을 위하여 미리 정하신 지혜입니다. 이 세상 우두머리들은 아무도 그 지혜를 깨닫지 못하였습니다. 그들이 깨달았더라면 영광의 주님을 십자가에 못 박지 않았을 것입니다."(1코린2,6-9)라고 하였습니다.

옛적에 다산(茶山) 정약용(丁若鏞, 1762-1836) 선생도 머리 좋고 잘난 사람들의 삶의 행태에 대해서 말하면서, 그들의 우수한 머리로 출세하기 위한 '과거시험'의 폐해에 대해서 이야기 한 적이 있지요.

"과거학(科擧學)은 이단(異端) 가운데서도 폐해가 가장 혹독하다. 이단의 대표적인 양묵(楊墨)은 고대의 일이고 불로(佛老)는 현실과는 너무 먼 주장들이다. 그러나 과거학만은 그 해독을 생각해 보면 비록 홍수와 맹수라도 비유할 바가 못된다. 과거 공부를 하는 사람들 중에는 시부(詩賦)가 수천 수(首)에 이르고 의의(疑意)가 5천 수에 이르는 사람도 있는데, 이런 공력을 학문하는 데로 옮길 수 있다면 주자(朱子)와 같은 학자가 될 수 있을 것이다"≪위반산정수칠증언(爲盤山丁修七贈言)에서 발췌≫

이에 대하여 현대의 어떤 학자는 "세상을 그르치고, 나라를 위태롭
게 하며 역사를 후퇴시켰던 그 많은 소인배들은 대체로 머리도 뛰어나
고 공부도 잘했으며 우수한 성적으로 과거시험에 합격한 사람이 많았
습니다. 일세의 도덕군자이던 정암(靜庵) 조광조(趙光祖, 1482~1520)를
허위 사실로 모함하여 30대에 사약을 받고 죽어가게 했던 남곤·심정
같은 사람도 머리 좋고 글 잘하며 잘 생겼던 것은 분명한 사실입니다.
광해군(光海君)이 쫓겨나도록 패악을 저지르는 일에 주역이던 이이첨(
李爾瞻,1560~1623) 또한 참으로 잘난 소인배였고, 나라를 팔아먹는 데
큰 공을 세운 이완용 또한 잘 생기고 글 잘하던 대표적인 소인이었습
니다."라고 지혜로운 자가 아닌 머리가 똑똑하고 지식이 많은 자들의
행태를 따끔하게 질타합니다. 그 학자는 또 말하기를 "머리 좋고 잘난
사람들이 왜 그렇게 소인이 되고 말았을까요. 그 점에 대한 다산의 진
단을 참고할 필요가 있습니다. 라고 말하며 머리 좋고 글 잘하는 사람
들이 암기력은 뛰어나 학문과는 거리가 먼 과거시험 과목만 달달 외워
과거시험에 우수한 성적으로 합격하여 벼슬에 임하다 보니 인격의 형
성은 뒤쳐져 소인배가 되고 만다는 생각에서 조선시대 과거제도의 폐
단을 혹독하게 비판한 다산의 주장이었습니다."라고 이야기 합니다.
뿐만 아니라 그는 현재의 대한민국의 상황에 대해서도 비판하기를 주
저하지 않고 다음과 같이 말합니다.

"현재의 대한민국은 조선시대의 가장 나쁜 과거제도에서 벗어나지 못하고 사법시험이나 행정고시를 거쳐야만 고관대작이 될 수 있습니다. 머리 좋고 암기력이 뛰어난 사람들은 당연히 좋은 성적으로 합격하여 모든 가치는 팽개치고 오직 권력과 재물의 추구에만 뛰어난 머리를 활용하다보니, 그들이야말로 옛날의 소인배로 타락할 수밖에 다른 도리가 없습니다. 그렇지 않은 사람이 없는 것은 아니지만 현재 우리의 현실을 살펴보면 대체로 그런 경우가 적지 않다는 것입니다. 머리가 좋으니 유신헌법도 기초하고 출셋길이 열려 있으니 부잣집으로 장가가고 그렇게 해서 권력과 재물에 맛이 들고 보면 모든 가치는 팽개치고 어떻게 해서라도 권력을 쥘 수 있고, 재산을 모으는 일에 전념하지 않을 수 없고 그러다 보니 세상과 나라를 무너뜨리게 하는 죄악에 빠지게 됩니다."

다산의 어록이나 최근 학자의 말을 되새겨 볼 때, 지금 우리는 어떠한 처지에 놓여 있는지 모르겠습니다. 새롭게 우리 자신을 되돌아봐야 하지 않을까 생각해 봅니다. 예수께서도 말씀하셨지요.

"아버지, 하늘과 땅의 주님! 지혜롭다는 자들과 슬기롭다는 자들에게는 이것을 감추시고, 철부지들에게는 드러내 보이시니 아버지께 감사드립니다. 그렇습니다, 아버지! 아버지의 선하신 뜻이 이렇게 이루어졌습니다."(마태11,25-26)

여기에서 '지혜롭다' 혹은 '슬기롭다'라고 하신 예수의 말씀은 단순히 일반적인 의미에서 '안다'라는 뜻이 아닐까 싶습니다. 진정한 앎에 도달한 사람은 자기가 아는 내용을 언어화 하지 않지요. 언어화 한다는 말은 명제화나 체계화 한다는 뜻이겠지요? 그렇게 되면 '감추시다.' 라고 하신 의미가 퇴색되어 버리기 때문이지요. 따라서 예수의 말씀과 노자의 '불언지교'는, 모든 앎의 행위를 정의 내리고 체계를 세우며 개념화하는 작업으로 귀결시키는 사람은 진정한 삶 혹은 지혜나 슬기에 도달했다고 할 수 없습니다.

왜냐하면 앎의 대상, 지혜의 대상이나 혹은 세계는 관계와 변화 속에 놓여 있거나 불가사의(不可思議)한 대상이고, 언어적 체계화는 본질을 드러내고 정지된 상태로 지속시키는 활동이므로 상호 간에 불협화음 내지는 부조화가 일어나기 때문입니다. 그래서 이른바 '안다는 사람'이나 '똑똑하다'고 자신을 내세우는 사람은 참된 의미에서 안다고 볼 수 있는 사람이 아니라는 것입니다.

그래서 가까이 할 수도 없고(故不可得而親),

멀리할 수도 없으며(不可得而疏),

이로워질 수도 없고(不可得而利),

해로워질 수도 없으며(不可得而害),

귀해질 수도 없고(不可得而貴),

천해질 수도 없지(不可得而賤).

그러므로 천하가 귀하게 여긴다네(故爲天下貴).

　　사실 '참된 앎'은 오로지 하느님께만 유보되어 있는 것이 아닐까 싶습니다. 그분의 피조물인 우리가 안다면 얼마나 어디까지를 안다고 말할 수 있을지 모르겠습니다. 지금 우리 사회는 안다는 사람들과 똑똑하다는 사람들이 차고 넘쳐납니다. 차고 넘쳐나기 때문에 오히려 그 가치는 귀한 것이 아니라 천박하기가 이를 데 없지 않을까 싶습니다. '천하가 귀하게 여기는 존재', 어떤 의미에서는 세상에 태어난 모든 이들이 모두 '귀한 존재들'이 아닐까요? 사람, 나무, 풀, 꽃, 새, 물고기, 구름, 지렁이, 바람 등등이 모두 귀한 존재들이지요. 그렇지만 우리는 그들을 노자의 표현대로 가까이 할 수도 멀리 할 수도 없습니다. 또 그들이 현실적으로 나에게 이로워질 수도 해로워질 수도 없기에 귀해질 수도 천해질 수도 없지요. 하지만 그들이 나와 가깝거나 멀거나 이롭거나 해롭거나 귀하거나 천하게 되는 것은 순전히 '나에게' 달려 있지요. 내가 그들을 어떻게 대하는가? 내가 그들과 어떤 관계를 맺으면서 살아가느냐가 문제를 풀 수 있는 관건이 아닐까 싶습니다. 나의 마음, 나의 의지, 나의 생각, 나의 습관들이 모두 어떻게 움직이고 반응하느냐에 따라 세계관, 인생관, 심지어는 신앙관이 달라지지 않을까 싶습니다.

　　수도원에서도 약간의 변화가 생겼다는 소식을 주교님으로부터 들었습니다. 수도원 원장 수녀님이 바뀌셨다는 소식 말입니다. 그동안 요안나 수녀님 고생 많으셨습니다. 또 새로 원장에 뽑히신 수녀님 축하드립니다. 하지만 어느 분이 원장이 되시든 원장으로서의 직분 수행은 무거운 십자가지요. 원장으로서 공동체를 위하여 짊어지고 가야 할 십자가이기 때문에 희생이고, 희생이기 때문에 사랑이고, 사랑이기 때문에 섬김이며 섬김이기 때문에 겸손이고, 겸손이기 때문에 자기 낮춤이며 자기 낮춤이기 때문에 자기 비하(卑下)이고, 자기 비하이기 때문에 자기 포기이며 자기 포기이기 때문에 자기 비움이지요. 자기를 비우는 대신에 희생과 사랑과 겸손과 섬김과 낮춤과 포기로써 '하느님의 비천한 여종 성모 마리아'를 닮아 나가는 삶을 사셔야 되지 않을까 싶습니다. 하지만 주님 안에서 모두가 온전한 하나의 식구들이기 때문에 그곳에서 살아가시는 수녀님들 모두가 원장이 되어야 하고, 모두가 주님의 일꾼이 되어야겠습니다. 저도 이제 새로 지은 교구청에서의 삶이 제법 익숙해져 갑니다. 그동안 '교회사 연구소'의 책임을 맡고 있으면서도 변변한 연구실 하나 없이 살았는데 주교님의 배려로 목성동 주교좌성당 앞 옛 교구청(설립 당시 교구청) 2층 방을 얻게 되었답니다. 오래된 건물이라서 낡고 어설프지만 청소하고 책상을 넣고 책꽂이를 들여놓으면 연구소다운 모습이 되지 않을까 내심 기쁜 마음으로 기대를 모아 보고 있답니다.

수녀님, 입춘(立春)이 지나가고 추운 겨울이 서서히 물러가고 또 본격적으로 봄이 시작된다는 우수(雨水)도 지나갔는데 아직 바람이 찹니다. 겨울이 순순히 봄에게 자리를 내주기 싫어하는 모양입니다. 하지만 오는 봄을 누가 막을 수 있겠습니까? 소머리산 아래 수도원의 모든 수녀님들, 주님 안에서 언제나 기쁜 마음으로 살아가시길 기도합니다. 그리고 부족한 저를 위해 기도해 주시니 항상 감사드립니다. 그럼 다음달 『도덕경』 제57장에서 만나겠습니다.

2017년 2월 23일 성 폴리카르포 주교 순교자 축일에

까슬쑥부쟁이

　　　'통나무'는 질박하고 순박하기 때문에 그 자체로
　'도'의 본모습을 잘 간직하고 또 잘 드러내주고 있습니다.
그래서 우리 또한 '통나무'처럼 살아가야 한다는 이야기지요.
하지만 지금의 사람들은 질박하지도 않고 순박하지도 않으며
자신의 아둔한 지식만 믿고, 이기적으로 설쳐대고 있지요.

도라는 것은 만물에게는 아랫목
선한 사람에게는 보배, 선하지 못한 사람도 지켜내야만 하는 것.
아리따운 말은 시장에 내다 팔 수 있고
고상한 행위는 사람들에게 보태 줄 수도 있지
사람에게 좋지 못한 것이라고 하여
어찌 그것을 포기해버릴 수 있겠는가.

57장

올바름으로 나라를 평정하고

　수녀님, 이 편장을 보내 드린 걸로 착각하고 하마터면 빠트릴 뻔했네요. 요즘 바쁘다는 핑계로 정신이 산란합니다.

　그래서 그동안 수녀원에 보내 드린 원고 뭉치들마저 잃어버리고 새로 적어서 보내 드립니다. 오늘 이 장에서 노자가 노래한 것은 '도의 일꾼이 되는 길'은 어떠해야 하는지를 담론하고 있지요. '올바름(正)', '기묘함(奇)', '일거리를 없앰(無事)' 등등은 모두 '도'가 품고 있는 것들이지요. 공동체를 이끌어 나갈 지도자들은 이것을 가지고, 또 이것 안에 머물러 있을 때 비로소 일꾼다운 일꾼이 될 수 있다는 뜻입니다.

　노자는 이러한 사실에 대해 '아둔한 인간'으로서는 잘 알 수 없지만, 그러한 지혜에 대해서는 장차 '도'가 일러줄 것이라고 합니다.

올바름으로 나라를 평정하고(以正治國),

기묘함으로 병사를 운용하며(以奇用兵),

일거리를 없앰으로써 천하를 차지하게 되지(以無事取天下).

내 어찌 그것이 그러한 줄을 알겠는가(吾何以知其然哉)?

이것을 가지고서라네(以此).

　또 노자는 말합니다. 세상에 '금기가 많으면 많을수록, 백성들은 점점 가난해지고', 가난해진 백성들이 결국 '등을 돌리게 된다.'는 것입니다. 그래서 마침내 백성들은 날카로운 도구들을 가지고, 나라를 이끌어 가는 지도자들에게 대항을 하게 되겠지요? 그렇게 되면 나라는 혼란에 빠지게 되고, 이상한 일들이 많이 일어나게 되는 법이지요. 따라서 공동체의 지도자들은 또 이것을 막아 내기 위해 새로운 법령들을 만들게 되니 거기에 몰래 항거하기 위해 도적들이 날뛰게 될지도 모른다는 것입니다. 어쩌면 이렇게 노자는 21세기를 살아가는 우리들에게 경종을 울리듯 이야기하고 있는지 모르겠습니다. 노자는 지금부터 2500년 전 사람인데 그때나 지금이나 사람 사는 일은 비슷했는지도 모를 일입니다.

하늘 아래에는 금하고 거리끼는 것들이 많아질수록(天下多忌諱)

백성들은 점점 가난해지지(而民彌貧).

백성들이 날카로운 그릇들을 많이 가질수록(民多利器)

나라는 점점 혼란으로 빠져들고(國家滋昏),

사람들은 기교가 많아질수록(人多伎巧)

이상한 것들이 점점 많이 일어난다네(奇物滋起).

법령이 점점 드러날수록(法令滋彰)

도적들은 많아지게 되지(盜賊多有).

　　노자에 따르면, 결국 '도를 따라가는 사람들', '도의 일꾼'들이 나서야 하는데, 일꾼들은 무엇을 이룩하려고 애를 쓰지 말고 그저 '도'의 뜻에 맞추어 살아가야 한다는 것입니다. '무위(無爲)'가 바로 그런 의미이지요. 곧 공동체 구성원들을 사랑하고 아껴주고 존중해 주어야 한다는 것입니다. 그렇게 될 때, 맡겨진 공동체 구성원들은 저절로 제2, 제3의 '도의 일꾼'이 되어 참다운 사람으로 거듭날 수 있다는 뜻이 아닐까 싶습니다.

　　'통나무(樸)'는 질박하고 순박하기 때문에 그 자체로 '도'의 본모습을 잘 간직하고 또 잘 드러내 주고 있습니다. 그래서 우리 또한 '통나무'처럼 살아가야 한다는 이야기지요. 하지만 지금의 사람들은 질박하지도 않고 순박하지도 않으며 자신의 아둔한 지식만 믿고 이기적으로 설쳐대고 있지요.

그래서 거룩한 사람은 말하지(故聖人云).

내가 함이 없으면 백성은 저절로 교화되고(我無爲而民自化),

내가 고요함을 좋아하면 백성은 스스로 올바르게 되며(我好靜而民自正),

내가 일거리를 없애면 백성은 저절로 부유해지고(我無事而民自富),

내가 욕심을 없애면 백성은 저절로 통나무가 된다네(我無欲而民自樸).

수녀님, 앞서도 말씀 드렸지만 이 장은 이미 몇 개월 전에 보내 드려야 하는 건데, 몇 개월 뒤인 지금에야 보내드려서 송구스럽습니다. 수녀님들께도 '송구하다'는 말씀을 드려 주었으면 합니다.

사실 이미 이 장에 대한 '편지'를 이것과는 다르게 써 놓았는지도 모를 일입니다. 다만 그 편지뿐 아니라 원고 뭉치를 잃어 버려서 억지로 하나둘 모아 이제 거의 복구했지만, 이 장은 찾을 길이 없어서 이렇게 부랴부랴 다시 적어 보내 드립니다. 아무튼 가을의 문턱에서 수녀원의 모든 수녀님들, 주님 안에서 몸도 마음도 강건하시기를 기도합니다.

오늘 이렇게 『도덕경』 57장에 관한 편지를 드려요, 그럼 『도덕경』 58장에서 다시 찾아뵙겠습니다.

(2017년 9월 11일 비 내리는 월요일 아침에)

노자는 성인에 대해 말하기를 '네모나도 갈라치지 않고'
날카로워도 상처를 내지 않으며,
올곧으면서도 자기 멋대로 날뛰지 않고,
가만히 있어도 빛이 나지만 다른 사람들에게 결코 눈부시지 않도록 하는,
바로 그런 사람을 가리킵니다.

예부터 사람들은 "하늘은 백성이요, 백성이 곧 하늘이다."라는 말을 사용해왔지요.
하늘이 무지렁이로 통하는 일반 백성을 통하여 당신의 뜻을 드러내고,
백성들이 원하는 바가 곧 하늘이 원하는 바 이기 때문에 백성의 뜻을 무시한다면
결코 성인은 고사하고 백성의 지도자로 불릴 수 없다는 것입니다.

58장

그 정치가 너무 어눌하면

수녀님, 또다시 사월이 찾아왔습니다. 우리를 찾아왔다가는 또 속절없이 가 버리려고 하네요. 지나간 해들의 사월들에 대해서 할 말이 많았지만, 올해의 사월은 지나간 그 어느 때보다도 할 말이 무척 많은 때가 아닌가 생각해 봅니다. 안동으로 이사 온 지 벌써 두 달을 넘어서서 석 달로 향합니다. 요즘엔 새로 마련된 교회사 연구실로 출퇴근하는 것이 일상이 되어 버렸답니다. 조용한 우곡성지를 떠나서 이곳에 오니 이곳은 별천지 같습니다. 도로마다 가득한 차량들이며 수많은 사람들, 그리고 노변에 널려 있는 수없이 많은 상업적 간판들 틈바구니 속에서 어느덧 저도 도시민의 한사람으로 살아가고 있구나 하는 자조 섞인 너털웃음을 지어 봅니다.

우선 우리 주님이신 예수 그리스도께서 부활하심에 축하 인사를 드립니다. 기쁘고 신명나고 행복한 시간이 날마다 되시기를 기도합니다. 이즈음의 도시 생활을 이야기하다가 보니 쓸쓸한 감정을 결코 속일 수 없는 것이 솔직한 심정입니다. 사실 사람들은 저마다 자기의 삶의 자리가 있기 마련인데 텅 빈 사무실에 홀로 앉아서 되먹지 않는 서책들과 씨름을 하며 지내고 있으니 약간은 하느님께 송구스럽기도 합니다. 해서 '하느님의 일꾼'으로 이 시대를 살아간다는 것이 어떤 의미가 있을까 하고 생각하는 요즈음입니다. 노자는 '도의 일꾼'으로 살아가려면 어떤 태도를 지녀야 하는지를 노래하고 있지요. 물론 그의 노랫말의 내용을 보면 정치인의 삶의 행태를 이야기한 것은 사실이지만, 정치를 말하면 정치는 어느 특정인들의 특정하는 독점물이 아니라 세상의 모든 사람들의 일상생활이 모두 정치가 아닐까 생각을 해 봅니다. 노자는 백성들의 정치 지도자들의 삶을 사회를 형성하는 모든 구성원들에게 적용하려고 노력했던 것으로 보입니다.

그 정치가 너무 어눌하면 그 백성들은 순박해지고(其政悶悶 其民淳淳),

그 정치가 너무 따져들면 그 백성은 각박해지지(其政察察, 其民缺缺).

앙화로다! 복이 거기에 기대어져 있구나(禍兮福之所倚).

복되어라! 앙화가 거기에 엎드려 있구나(福兮禍之所伏).

누가 그 끝을 알겠는가(孰知其極)?

그는 올바름을 없애 버리지(其無正).

올바른 것은 다시 이상하게 되어 버리고(正復爲奇),

좋은 것은 다시 요상하게 되어 버리지(善復爲妖).

사람이 갈피를 잡지 못한 그런 날이 아주 오래 되었지(人之迷, 其日固久).

다산 정약용(丁若鏞, 1762-1836) 선생은 정치의 '정(政)'을 '정(正)'이라고 보았습니다. '올바름' 혹은 '올바로 잡기' 등으로 이해할 수 있기 때문에 '政治'라는 것은 '물이 제대로 올바르게 흘러가게 해주는 것'이라고 볼 수 있지요. 그래서 정치는 어쩌면 '소통(疏通)'이라고 말해야 될 것 같습니다. 이왕 '소통'이라고 했으니 이 소통은 사람과 사람 사이의 관계 설정이 어떠해야 하는지를 말해 주고 있지요. 관계가 원만하다는 것은 소통이 비교적 잘 되고 있다는 뜻이 아닐까 싶습니다. 따라서 정치 지도자는 사회 구성원들의 관계가 원만하게 소통할 수 있도록 해주어야 할 책무가 당연히 있어야 하겠지요? 이것은 집단이나 공동체 혹은 우리 교회 안으로 끌어와서 대입하여 적용해 볼 수 있지 않을까 생각해 봅니다.

일찍이 〈지혜서〉의 저자는 첫머리에 이렇게 노래하고 있습니다.

"세상의 통치자들아, 정의를 사랑하여라.
선량한 마음으로 주님을 생각하고
순수한 마음으로 그분을 찾아라.
주님께서는 당신을 시험하지 않는 이들을 만나 주시고
당신을 불신하지 않는 이들에게 당신 자신을 드러내 보이신다.
비뚤어진 생각을 하는 사람은 하느님에게서 멀어지고

그분의 권능을 시험하는 자들은 어리석은 자로다.

지혜는 간악한 영혼 안으로 들지 않고

죄에 얽매인 육신 안에 머무르지 않는다.

가르침을 주는 거룩한 영은 거짓을 피해가고

미련한 생각을 꺼려 떠나가 버리며

불의가 다가옴을 수치스러워한다.

지혜는 다정한 영,

그러나 하느님을 모독하는 자는

그 말에 책임을 지게 한다."(지혜1,1-6)

한때는 한 나라의 대통령이라는 자가 '비정상의 정상화'라는 말을 쓰면서 온통 나라의 근간을 뒤흔들어 놓았지요. 그 결과 대통령은 자리에서 파면되고 죄인의 신분으로 철창 신세를 지고 있고요. 그는 거의 신들린 사람처럼 '올바름'을 없애 버렸지요. 그 덕분에 '올바른 것은 다시 이상하게 되어버리고, 좋은 것은 다시 요상하게 되어버리고 말았으며 사람들은 어떻게 살아야 할지 갈피를 잡지 못한 채' 하루하루를 보내는 시간이 아주 오래 되었지요. 그 덕분에 사람들은 수만 갈래로 갈라져 버리고 말았으며 최근 들어 다시 대통령을 뽑는다고 야단들입니다.

제발 이번에 뽑히는 대통령은 국민을 생각하고, 가난한 이들을 생각하며 순수한 마음으로 순박한 마음으로 가슴 쓰라린 국민들을 따스하게 대해주는 사람이 되면 좋겠다는 생각을 해 봅니다. 그런 사람이 틀림없이 뽑혀야만 이 나라가 다시 희망이 생겨나고 일어설 수 있지 않을까 싶습니다. 정도를 걸어가고, 정의를 생각하며 민족의 평화가 실현되도록 노력하는 자가 곧 올바른 지도자가 아니겠는가 생각해 봅니다. 노자는 이런 사람을 '거룩한 사람', 곧 '성인(聖人)'이라고 말합니다. 이러한 노자의 성인 관념은 비단 나라뿐 아니라 가정과 사회, 그리고 교회 안에도 마찬가지로 적용되어야 할 관념이 아닐까 싶습니다.

이래서 거룩한 사람은 네모나도 갈라치지 않고(是以聖人方而不割),

날카로워도 상처를 입히지 않으며(廉而不劌),

올곧으면서도 멋대로 하지 않고(直而不肆),

빛이 나면서도 눈부시게 하지 않는다네(光而不燿).

노자는 성인에 대해서 말하기를 '네모나도 갈라치지 않고', '날카로워도 상처를 내지 않으며', '올곧으면서도 자기 멋대로 날뛰지 않고', '가만히 있어도 빛이 나지만 다른 사람들에게 결코 눈부시지 않도록 하는' 바로 그런 사람을 가리킵니다.

수녀님, 또 이사를 하였습니다. 교구청에서 잠시 머물다가 와룡 서지마을이란 곳에 새로 지은 은퇴 사제관으로 옮겼답니다. 거기에서 은

퇴 사제들과 함께 지낸답니다. 그리고 거기에서 매일 연구소로 출퇴근합니다. 어차피 사람은 떠나는 인생이니 떠나는 연습을 미리미리 해 두는 것도 은총이라 생각하고 있지요. 뿐만 아니라 집에서 출퇴근하는 재미가 약간은 쏠쏠하답니다. 봄이 왔는가 싶더니 어느새 또 여름이 온 것처럼 착각할 정도로 한낮의 기온은 높게 올라갑니다. 지금쯤 소머리산 아래 수도원도 초록빛으로 아름답게 물들여져 있으리라 생각하고, 또 지난날의 행복했던 삶을 눈에 그려 보기도 한답니다. 언제나 수도원의 모든 수녀님들이 부활하신 주님 안에서 기쁘고 즐겁고 행복하게 지내시기를 기도합니다.

그럼 『도덕경』 제59장에서 뵙겠습니다.

2017년 4월 24일 월요일에

무릇

하느님 안에서 영원한 삶, 영원한 행복을 누리려고 하는 사람은
일상 안에서 만나는 온갖 것들을 사랑할 줄 알아야 하고,
사랑 할 줄 안다면 아껴줄 줄도 알아야 하며,
아껴줄 줄 안다면 모든 이에게 온유하게 대할 줄도 알아야 하지만,
단지 온유하기만 하면되는 것이 아니라 의로운 일에
목숨을 내놓을 줄도 알아야 한다는 것이 아니겠는가 싶습니다.

'뿌리를 깊게 하고 밑둥을 굳세게 하다'라는 말은
'모든 것은 모든 것'인 하느님께 우리들의 몸과 마음을
깊고 튼튼하게 고정하여 살라는 뜻이다.

| 59장 |
사람들을 돌보아 주고 하늘을 섬김에는

수녀님, 성모의 성월이요 제일 좋은 시절인 오월이 우리 안에 들어왔다가 다시 떠나가려고 하네요. 수녀원의 모든 식구들 다 잘 계시지요? 새로 이사 간 동네는 어느새 싱그러운 아카시아 꽃향기로 가득하고, 주변의 논밭에는 부지런한 농부들의 손길로 인해 붉은 황토의 논밭이 푸르게 변해 가고 있는 요즘입니다.

이맘때면 지난날 수녀님들과 함께 살 때 수도원의 그 너른 밭에 감자며 고구마, 배추며 무를 심고 가꾸던 일들이 가끔씩 생각납니다. 밭이랑을 고르며 벌레를 잡던 시절이 그립기도 하고요. 고것들은 사람의 손과 발이 얼마만큼 가까이, 그리고 자주 가느냐에 따라서 풍성하게 인간에게 자신의 것들을 내어주기도 하고 내어주지 않기도 한다는 것을 그때 체험을 했답니다.

아껴주면 아낌없이 내어주는 것이 자연의 이치이고 하느님께서 마련해 주신 법도이지요. '아낌'이라는 말이 이토록 절절하게 저의 가슴을 요동치게 만든답니다.

'아끼다'라는 단어를 사전에서 찾아보면, 영어로는 대체로 'without regret; ungrudgingly; freely; generously.' 또는 'prize; value; set great value on' 혹은 'spare; economize; be frugal/ grudge; be stingy; be stint.'라는 단어들이 있는데, 이것들은 대개 '미련 없이' 혹은 '후하게' 또는 '소중히 여기다.' 또는 '함부로 쓰지 않다 / 내놓기 싫어하다'라는 등등의 뜻으로 쓰인답니다.

국어사전에는 '귀중하게 여겨 함부로 쓰거나 다루지 아니하다 / 소중히 여겨 자상하게 보살피다.' 등등으로 풀이해 놓았답니다. 한자로는 대체로 '애(愛)'를 쓰는데, 이는 '사랑한다.'라는 뜻이 강하지요. 하지만 노자는 '색(嗇)'이라는 단어를 쓰고 있습니다.

여기에는 '사랑하다.'와 '절약하다.'라는 두 가지 뜻이 동시에 들어 있으니 우리말 사전에서의 '아끼다'라는 동사와 잘 어울린다고도 볼 수 있습니다.

어떤 사람은 "사랑하는 마음(愛)없이 어떻게 아낄 수(嗇) 있겠는가?"라고 말하기도 합니다. 또 반대로 "아끼는 마음 없이 어떻게 사랑할 수 있겠는가?"라고 말해도 그리 어색하지는 않을 듯싶습니다. 사랑하는 마음이 없으면서 무작정 아끼기만 하면 그것은 인색(吝嗇)한 것이고, 아끼지도 않으면서 사랑한다고 말만 하면 그것은 집착(執着)에 다름이 아닐까 생각해 봅니다. 특히 공동체의 지도자나 어른의 구실을 하려는 사람이나 하고 있는 사람은 어쩌면 노자의 아래 노랫말들을 새겨들어야 하지 않을까 싶기도 합니다.

사람들을 돌보아 주고 하늘을 섬김에는 '아낌' 만한 것이 없지(治人事天莫若嗇).

무릇 오로지 아낌일 뿐이지(夫唯嗇).

이로써 일찌감치 따른다네(是以早服).

일찌감치 따른다는 것은 '거듭하여 덕을 쌓기'라고 하지(早服, 謂之重積德).

거듭하여 덕을 쌓으면 이겨 나가지 못할 게 없네(重積德, 則無不克).

이겨 나가지 못할 게 없으면 그 끝말도 알지 못하지(無不克, 則莫知其極).

그 끝말을 알지 못하면 나라를 차지할 수 있으리니(莫知其極, 可以有國).

나라의 어머니를 차지하면 영원할 수 있지(有國之母, 可以長久).

'사람들을 돌보아 주고 하늘을 섬긴다.'는 것은 곧 사람들을 사랑하고 하느님을 사랑하라는 가톨릭의 정신과 다르지 않다고 여겨집니다. 예로부터 사람들은 '경천애인(敬天愛人)'이라는 말을 진리로 새겨 왔지요. 하늘을 공경하고 사람을 사랑하라는 것이지요. 이때 '애인'은 다른 사람을 내 몸처럼 아끼라는 말과도 같은 뜻이라고 보아야 합니다. 예수께서는 율법학자들과 토론하는 가운데 어떤 율법학자의 질문을 받습니다. "모든 계명 가운데 첫째가는 계명은 무엇입니까?" 이에 예수께서 대답하시지요.

"첫째는 이것이다.

'이스라엘아 들어라.

주 우리 하느님은 한 분이신 주님이시다.

그러므로 너는 마음을 다하여 주 너의 하느님을 사랑해야 한다.'

둘째는 이것이다.

'네 이웃을 너 자신처럼 사랑해야 한다.'

이보다 더 큰 계명은 없다."(마르12, 28절 이하 참조)

그리고 예수께서는 또 다른 곳에서 말씀하시기를, "온 율법과 예언서의 정신이 이 두 계명에 달렸다."(마태22,40)고 하셨으며 또 말씀하시기를 "그렇게 하여라. 그러면 네가 살 것이다."(루카10,28)라고 하셨지요. 결국 사랑할 줄 안다는 말은 아낄 줄 안다는 말이고, 아낄 줄 안다는 것은 덕을 쌓아가는 일이며 덕을 쌓아갈 줄 안다면 곧 노자가 설명한 바처럼 '영원한 나라' 바로 그 나라의 '어머니'를 차지할 수 있다는 것입니다.

이것을 '뿌리를 깊게 하고 밑둥을 굳세게 하여

영원히 살아 오래도록 뵙게 될 도'라고 하지(是謂深根固柢, 長生久視之道).

"뿌리를 깊게 하고 밑둥을 굳세게 하다."라는 말은 곧 우리들의 삶

230

의 태도를 일컫는 말이 아닌가 싶습니다.

'모든 것은 모든 것'인 하느님께 우리들의 몸과 마음을 깊고 튼튼하게 고정하여 살라는 뜻이겠지요? 예수께서는 '참된 행복'에 관해 말씀하시는 가운데 "행복하여라, 마음이 가난한 사람들! 하늘나라가 그들의 것이다.........행복하여라, 온유한 사람들! 그들은 땅을 차지할 것이다..........행복하여라, 의로움 때문에 박해를 받는 사람들! 하늘나라가 그들의 것이다."(마태5, 3절 이하 참조)라고 하셨지요. 결국 하느님 안에서 영원한 삶, 영원한 행복을 누리려고 하는 사람은 하느님과 일상 안에서 만나는 온갖 것들을 사랑할 줄 알아야 하고, 사랑할 줄 안다면 아껴줄 줄도 알아야 하며 아껴줄 줄 안다면 모든 이에게 온유하게 대할 줄도 알아야 하지만, 단지 온유하기만 하면 되는 것이 아니라 의로운 일에 목숨을 내놓을 줄도 알아야 한다는 것이 아니겠는가 싶습니다.

이 아름답고 행복한 계절, 오월이 우리 곁을 떠나가려고 합니다. 떠나가는 것은 어쩌면 오월이 아니라 오월이라는 달력에 깨알처럼 박혀 있는 숫자들일지도 모르겠습니다. 세월이 흘러갈수록 숫자에 민감해져 가는 것이 어쩌면 우리들일지도 모르겠다는 생각이 듭니다.

오늘은 모처럼 비가 내립니다. 어제 저녁 늦게 시원하게 한줄기 비가 쏟아지더니 지금까지도 가늘게 실비가 촉촉하게 땅을 적셔 주고 있습니다. 얼마나 고마운 비인지 모르겠습니다.

수녀님, 따지고 보면 우리는 모두 하느님으로부터 생명을 부여 받아 살아가는 하느님의 자녀들이지요. 그렇기 때문에 함께 오순도순 살아가야 하고, 함께 살자면 자신을 낮출 수밖에 없으며 자신을 낮추려면 다른 이들을 높여주고, 아껴주고, 사랑해 주어야 합니다. '아끼고 사랑한다.'는 말은 곧 덕을 닦아 나가는 것(修德)이고, 덕을 닦으려면 말씀을 닦아 나가야 하지(修道)요. 산이며 들판에 아무렇게나 돋아나는 풀이나 나무들도 결국은 하느님의 말씀에 순응하며 자신을 낮추어 타자에게 여러 가지로 도움을 주려고 애를 쓰고 있지 않을까 싶습니다.

공동체로 살아간다는 것은 자기 몸과 마음을 내어놓는 행위이고, 그 행위는 자신을 통째로 비워내는 일이며 그 일은 자신을 포기하는 것이고, 그것은 자신을 없이하고 타인을 있게 하는 행위이며 그 행위는 사랑의 행위, 생명의 행위, 평화의 행위이며 그렇게 될 때 비로소 자기 자신은 참된 의미에서 자유로워질 수 있지 않을까 생각합니다. 오월이 가면 또 유월이 우리 안으로 다가서겠지요?

수녀님들께서도 언제나 하느님 안에서 몸도 마음도 자유로워지는 '아낌없이 주는 나무'로 서 있으시기를 기도합니다.

『도덕경』 제60장에서 뵙겠습니다.

2017년 5월 24일 부활 제6주간 수요일에

노자는 세상을 다스리는 통치자라면
'마치 작은 생선을 굽듯이 조심스럽게 행동하라고 한다.
도로써 천하를 다스리게 되면, 귀신도 신령스럽지 못하게 되고,
신도 사람을 상하게 하지 못한다. 라고 한다.
그처럼 한 공동체의 지도자나, 한 집안의 가장도 마찬가지다.

　　"도의 덕스러움"을 "도덕"이라 하는데, 이는 인간이라면
　　마땅히 지켜야 할 도리나 그 행위를 말하지요.
　　그런데 그 도리나 행위는 결코 크고 화려하거나
　귀족적인 분위기에 어울리는 그런 것이 아니라, 작고 미세하고,
　　　　사람들이 천박하다고 외면해버리는
　바로 그곳에서부터 시작되어야 하는 관념이 아닐까 싶습니다.

60장

큰 나라를 다스릴 때에는

수녀님, 어느새 또 유월이 왔다가는 또다시 우리 곁을 떠나가려고 합니다. 제가 사는 와룡의 서지마을에는 몇 개의 모퉁이를 돌아갔다가 돌아올 수 있는 산책로가 있답니다. 그 길로는 마을 사람들이 트럭이 며 경운기를 끌고 갈 수 있고, 길을 가운데 놓고 산 아래로는 집들이 옹기종기 붙어 있고, 반대편에는 그리 넓지 않은 밭이며 논 몇 떼기가 있는데, 거기에는 주인들의 정성에 걸맞게 곡식들이 자라고 있지요. 전체적으로 마을 분위기를 둘러보면 좌우로는 야트막한 산이 병풍처 럼 둘러 있고, 마을은 그 가운데 옴팡한 곳에 자리하고 있답니다. 대 체로 너무나 조용하고 고요하면서도 양지바른 곳이어서 사람 살기에 무척이나 편안한 곳이 아닐까 생각해 봅니다.

마을 사람들 가운데는 학생들을 가르치는 교수나 중·고등학교 선 생도 있고, 예술가도 있으며 안동 시내에서 가게 하는 사람들과 회사 원도 있고, 아마 중·고등학교 학생으로 보이는 젊은이들도 있고, 제 가 살고 있는 옆집에는 이제 갓 세네 살쯤 되어 보이는 어린아이도 있지요. 물론 농사 짓는 사람들도 있지만 그렇지 않은 사람들은 저마다 텃밭을 가지고 있어서 거기에 채소며 나무 같은 것을 심어 가꾸고 있답니다. 동네는 전형적인 농촌의 목가적인 전원적 분위기를 풍기는데 마을 구성원들은 이처럼 다양합니다. 하지만 마을이 그리 크지는 않습니다. 가구 수는 20가구가 채 안 되기 때문에 40여명도 채 안 되는 작은 마을이지요. 하지만 아침부터 저녁까지 저마다 부지런하게 살아가는 모습이 참 아름답기까지 합니다.

언젠가 독일 태생의 영국 경제학자인 E. F. 슈마허(1911~1977)가 1973년에 쓴 《작은 것이 아름답다(Small is Beautiful)》라는 책을 읽은 적이 있지요. 아마도 감수성이 예민했던 중·고등학교 시절이 아닌가 싶습니다.

이 책은 '인간을 소중하게 생각할 경우 경제학은 어떻게 될 것인가에 관한 연구'라는 부제가 달려 있었는데, 오늘날 거대화(巨大化)에 기반을 두고 있는 경제 형태 (성장주의, 거대 과학기술)를 대신할 사고를 '인간의 키에 맞는 규모 : 휴먼 스케일', 분권, 분산화의 개념에 따라 서술하였다는 것이 일반적인 독자들의 견해입니다. '부족함을 아는 불교 경제학', '지역에 뿌리 내린 중간 기술'의 제창이 환경 관점에서 건전하고 인간다운 경제 형태를 찾는 사람들에게 강한 영향을 주어 "작은 것이 아름답다"는 말은 당시 거의 모든 환경운동 단체들의 구호가 되다시피 하였다는 것입니다.

40년이 지난 지금에도 여전히 "작은 것이 아름답다"라는 이 말은 현대를 살아가는 인류에게 유효한 말이며, 특히 21세기 물질만능주의가 판을 치고 빈부 격차가 극심한, 그래서 '행복'이라는 개념이 심각하게 왜곡되어져 가는 이 시대에 더욱 가슴 깊이로 절실하게 와 닿는 명언이 아닐까 생각합니다. 이는 마치 예수께서 "어린이들이 나에게 오는 것을 막지 말고 그냥 놓아두어라. 사실 하느님의 나라는 이 어린이들과 같은 사람들의 것이다. 내가 진실로 너희에게 말한다. 어린이와 같이 하느님의 나라를 받아들이지 않는 자는 결코 그곳에 들어가지 못한다."(마르10,14-15)고 하신 말씀을 요약한 것과 닮은 담론처럼 보입니다.

'도의 덕스러움'을 '도덕(道德)'이라 하는데 이는 인간이라면 마땅히 지켜야 할 도리나 그 행위를 말하지요. 수녀님, 그런데 그 도리나 행위는 결코 크고 화려하거나 귀족적인 분위기에 어울리는 그런 것이 아니라 작고 미세하고 사람들이 천박하다고 외면해 버리는 바로 그곳에서부터 시작되어야 하는 관념이 아닐까 싶습니다. 그런 의미에서의 노자는 이 장을 노래했다고 보고 싶습니다.

큰 나라를 다스릴 때에는(治大國),

마치 작은 생선을 굽듯이 하지(若烹小鮮).

도로써 천하를 다스리게 되면(以道莅天下),

귀신도 신령스럽지 못하게 되고(其鬼不神),

귀신이 신령스럽지 못하게 할 뿐 아니라(非其鬼不神),

신도 사람을 상하게 하지 못하지(其神不傷人),

신이 사람을 상하게 하지 못할 뿐 아니라(非其神不傷人),

거룩한 사람 또한 사람을 상하게 하지는 못한다네(聖人亦不傷人).

　　노자는 세상을 다스리는 통치자라면 "마치 작은 생선을 굽듯이 조심스럽게 행동해야 한다."라고 했는데 저도 노자의 말에 전적으로 동감합니다. 작은 생선 하나 굽는 데도 온갖 정성을 다 기울여야 마침내 둘러 있는 온 가족들이 맛있게 먹을 수 있게끔 잘 익을 수 있다는 이야기지요. 거기에는 흔히 말하는 법률이나 규정이나 규범들이 필요 없지요. 필요하더라도 엄격하지 않으며 약간은 '어눌하게 보일 정도'로 자연스러움이 통용될 수 있도록 세상을 다스려야 한다는 뜻이 아닐까 싶습니다. 이는 세상의 통치자뿐 아니라 한 집안의 가장, 한 공동체의 지도자, 나아가서는 교회의 모든 지도자들에게 해당되어야 할 것이고, 그 지도자들은 그 공동체 위에 군림하는 존재가 아니라 오히려 봉사하고, 종으로서 주인을 섬기듯이 헌신해야 할 덕목을 갖추고 있어야 한다는 뜻이겠지요? 사실 노자의 『도덕경』을 관통하는 하나의 주안점이 있다면 그것은 바로 자연의 도를 체득하여 살아가야 할 인 는 것입니다. 그 방향은 곧 군림이니 통치니 하는 땅위의 법률적 관념이 아니라 인간 본래의 자연을 닮은 순박한 도덕성을 회복해야 한다는 것이지요. 이 도덕성의 회복은 귀신의 영역도 아니고 귀신과 통교하는 성인의 영역도 아닌 인간의 자리를 가리키는 것이지요. 말하자면 인간이 행해야 할 일을 인간이 마땅히 해야 한다는 철저한 '인간 중심'의 철학이라고 보아도 좋을 듯합니다. 이런 의미에서 《성경》과 『도덕경』은 일정 정도 거리를 두고 있는 것도 사실입니다. 아직까지 노자의 『도덕경』은 신의 영역, 하느님의 영역을 말하지 못하고, 땅에서 구체적으로 이렇게 혹은 저렇게 살아가는 인간이 어떻게 살아가야만 '도의 덕스러움', '말씀의 덕스러움'을 닮아갈 수 있을까 하는 차원에 머무르고 있다는 뜻입니다. 따라서 노자의 사상은 '신앙(信仰)'의 차원이 아니라 '신념(信念)'의 차원에 머물러 있다는 것이지요. 하지만 "하느님을 사랑하고, 네 이웃을 너 자신처럼 사랑해야 한다."(마르 12,30-31)라는 예수님의 말씀에 비추어 보면 그리 멀지 않는 곳에 노자가 머물러 있다고 봐도 과언은 아닐 것이라는 생각을 해 봅니다.

무릇 둘이 서로 상하게 하지 못하기 때문에(夫兩不相傷)
그러므로 덕은 서로에게로 돌아간다네(故德交歸焉).

수녀님, 예수성심성월인 유월도 이제 얼마 남지 않았습니다. 내일은 새로 지은 교구청에서 사제 성화의 날을 맞이하여 예수성심성월 대축일 미사를 교구의 모든 사제들이 모여서 드리고 점심도 함께 나누기로 한 날입니다. 이 땅의 모든 사제들이 예수님의 거룩하신 바로 그 마음을 닮아 맡겨진 일들을 하느님의 일꾼으로서 성실히 온 정성을 다해 수행해 나가기를 기도해 봅니다.

장마철이 시작되었는데도 하늘에서는 비가 내릴 기미가 보이질 않습니다. 예보로는 다가오는 주말쯤에야 약간의 비가 내린다는 소식이 있는데, 제발 농부들이 애써 지은 농사가 허사로 돌아가지 않도록 하늘에서 단비가 푹 내리셨으면 좋겠습니다.

저는 매일같이 사무실에 출퇴근합니다. 안동시의 기온은 아침부터 섭씨 30도를 오르내립니다. 무더워서 머리까지 뜨거워지는 것이...수녀원은 어떠하신지 모르겠습니다. 산으로 둘러쳐져 있어서 이곳보다는 비교적 시원하지 않을까 싶습니다. 게다가 수녀님들의 자연을 닮은 해맑은 웃음들이 언제나 가득하기 때문에 더위 따위는 근처도 못 올 것이고, 근처에 왔더라도 수녀님들의 '인내의 덕'에 도망 가 버리지 않을까 상상을 해 봅니다. 이제 예수성심성월도 며칠밖에 남지 않았네요. 모두들 예수님의 거룩하신 마음 안에서 몸도 마음도 건강하시기를 기도합니다.

그럼 수녀님, 『도덕경』 제61장에서 또 뵙겠습니다.

2017년 6월 22일 하지 다음날에 교회사 연구소에서

큰 나라는 낮은 데로 흘러서 천하를 품어 내는 암컷이 되고,
천하가 사귀어드는 곳이 되지.
암컷은 언제나 고요해서 수컷을 이겨내는데
고요함을 가지고 낮추어가기 때문이지.

그래서 큰 나라가 낮추어서 작은 나라를 대하면
작은 나라를 차지하게 되고, 작은 나라가 낮추어서 큰 나라를
대하면 큰 나라에게 얻게 된다네.

61장

큰 나라는 낮은 데로 흘러서

　수녀님, 비가 내리기도 하고 때로는 폭염으로 대지를 불태우면서 덩달아 사람들의 마음도 몸도 후텁지근하게 만드는 삼복더위가 시작되었나 봅니다. 수녀원의 모든 수녀님들, 다 잘 계시지요? 이 더위에 더위 자시지 마시고 건강 꼭 챙기시기를 기도합니다.

　예로부터 삼복더위를 사람들은 '삼복증염(三伏蒸炎)'이라고 불렀지요. 이 뜻은 "삼복 무렵에는 더위가 찌는 듯하다."는 데서 유래했답니다. 그래서 조상들은 여름날의 가장 더운 시기를 셋으로 나누어 하지(夏至) 뒤의 셋째 경일(庚日)을 초복(初伏), 넷째 경일을 중복(中伏), 입추(立秋) 뒤의 첫째 경일을 말복(末伏)이라 이르고, 이 때를 가리켜 '삼복염천(三伏炎天)'이라고 했는데, '염천(炎天)'이란 몹시 더운 날씨를 뜻하기 때문에 삼복(三伏) 무렵의 아주 심한 더위를 가리키지요.

　그런데 '삼복(三伏)'에서 '복(伏)'의 뜻은 복날이라는 뜻도 있지만, 엎드리다, 숨다, 혹은 굴복하다는 뜻도 가지고 있답니다. 그러니까 납작 엎드리다, 복종하다 라는 뜻이지요. 납작 엎드리다, 복종하다는 의미는 어떤 대상 혹은 그 누군가에게 굴복하거나 순종하거나 혹은 그 대상을 우러러보거나 존숭한다는 뜻이 되겠지요. 그래서 옛사람들은 여름날의 가장 극심한 무더위 앞에서 혹은 거역할 수 없는 대자연의 위대함 앞에서 자기 자신의 몸을 납작 엎드려 머리를 조아리거나 굴복하면서 조용히 아무런 해도 입히지 않고 지나가시기를 빌고 또 빌었을 것입니다. 아무런 탈이 나지 않게 더위가 물러가고 오곡백과가 풍성해지기를 소원했을 것입니다. 그것이 곧 하늘이 인간에게 베풀어 주시는 '은덕(恩德)'이라 생각했을 것이지요. 자신을 낮추지 않으면 결국 거만하거나 오만하거나 교만한 태도를 가질 수밖에 없고, 그런 태도를 가지게 되면 자연은 물론이거니와 대자연을 주재하시는 하느님도 더이상 인간에게 자비를 베푸시지 않을 것이기 때문이 아닐까 싶습니다. 따라서 '복'은 어쩌면 겸손하다는 의미에서의 '겸(謙)'과 통하는 단어가 아닐까 싶습니다.

일찍이 사도 바오로는 예수께서 지니신 바로 그 마음에 대해서 "그 마음을 여러분 안에 간직하십시오."라고 노래한 적이 있었지요.

"그분께서는 하느님의 모습을 지니셨지만
하느님과 같음을 당연한 것으로 여기지 않으시고
오히려 당신 자신을 비우시어
종의 모습을 취하시고

사람들과 같이 되셨습니다.

이렇게 여느 사람처럼 나타나

당신 자신을 낮추시어

죽음에 이르기까지,

십자가 죽음에 이르기까지 순종하셨습니다.........."(필리2,6-9)

'엎드린다.'는 것은 '자신을 낮춘다.'는 것이고, 자신을 낮춘다는 것은 '자신을 비워 낸다.'는 것이며 자신을 비워낸다는 것은 상대를 '받아들이고', '높여 주고', '채워 준다.'는 것이 아닐까 싶습니다. 이것을 우리는 '겸손하다'라고 합니다. 겸손하면 포용할 수 있으며 포용하면 함께 하나가 될 수 있고, 하나가 된다는 것은 사랑하지 않으면 결코 용납될 수 없는 거룩하고 숭고한 행위가 되겠지요. 경우가 좀 다르긴 하지만, 노자도 모든 인간들이 '겸손' 혹은 '겸하(謙下)'하기를 바라면서 아래의 노래를 부른 것이 아닐까 생각합니다. 또 다른 의미에서 노자의 다음 노래는 어쩌면 노자 자신이 하나가 되고자 하는 '도(道)'의 모습을 그려 주는 동시에 도의 '자기 비하(自己卑下)'를 그린 것이 아닐까 싶기도 합니다.

큰 나라는 낮은 데로 흘러서(大國者下流),

천하를 품어 내는 암컷이 되고(天下之牝),

천하가 사귀어 드는 곳이 되지(天下之交).

암컷은 언제나 고요해서 수컷을 이겨 내는데(牝常以靜勝牡),

고요함을 가지고 낮추어 가기 때문이지(以靜爲下).

그래서 큰 나라가 낮추어서 작은 나라를 대하면(故大國以下小國)

작은 나라를 차지하게 되고(則取小國),

작은 나라가 낮추어서 큰 나라를 대하면(小國以下大國),

큰 나라에게 얻게 된다네(則取大國).

노자가 말하는 '암컷(牝)' 혹은 '모성(母性)'에 대해서는 이미 『도덕경』 6장에서 한차례 살펴본 바가 있답니다. 텅 비어 있는 도의 모습, 도의 여성성, 휘황찬란하지도 않고 요란스럽지도 않으며 은근히 자신의 역할을 수행하는 도의 기능이나 작용을, 모성애적인 도의 모습을 이미 들여다본 적이 있었을 것입니다.

노자가 이제 그 모습을 천하에 견주어 이 장에서 다시 한 번 담론하는 데는 그만한 이유가 있을 것입니다. 겸손, 겸하, 비하 등등이 그만큼 인간사회 안에서 중요한 요소 또는 일이기 때문임을 일깨워 주기 위함이 아니었을까요?

현대 우리가 사는 세상을 들여다보면 곧 그 옛날 노자가 애절하게 부른 노랫말에 담겨 있는 깊은 통찰력에 찬사를 보내지 않을 수 없다는 생각을 해 봅니다. 큰 나라는 낮추어야 작은 나라를 이끌어 갈 힘을 가지게 되고, 작은 나라는 큰 나라에 낮추어야만 큰 나라의 좋은 다양한 문물들을 얻어 누릴 수 있겠지요. 말하자면 서로서로 섬길 줄 알아야만 대화가 이루어지고, 대화가 이루어지면 서로 간의 오해가 풀리게 되며 오해가 풀리게 되면 화해가 이루어지게 되고, 두 나라가 모두 서로에게 서로가 도움이 될 수 있는 것들을 나눌 수 있게 되며 그렇게 되면 전쟁이나 분쟁이 아닌 참 평화를 두 나라 백성들은 누릴 수 있지 않을까 싶습니다.

이러한 노자의 담론은 시간과 공간을 뛰어넘어서 오늘날 우리 시대에도 여전히 유효한 논리라고 생각합니다. 시공뿐 아니라 대상을 뛰어넘어 보면 나라 사이의 관계만이 아니라 인간과 인간 사이의 관계 역시 이와 다르지 않고 마찬가지의 결과를 가져올 수 있게 될 것입니다.

그렇기 때문에 예수께서도 제자들에게 말씀하시기를 "너희도 알다시피 이방인들의 통치자로 자처하는 사람들은 백성을 강제로 지배하고 또 높은 사람들은 백성을 권력으로 내리누른다. 그러나 너희는 그래서는 안 된다.

너희 사이에서 누구든지 높은 사람이 되고자 하는 사람은 남을 섬기는 사람이 되어야 하고 으뜸이 되고자 하는 사람은 모든 사람의 종이 되어야 한다. 사람의 아들도 섬김을 받으러 온 것이 아니라 섬기러 왔고, 또 많은 사람들을 위하여 목숨을 바쳐 몸값을 치르러 온 것이다."(마르10,42-45)라고 하셨지요.

그렇기 때문에 어떤 때는 낮추어서 차지하게 되고(故或下以取)

어떤 때는 낮추어서 얻게 되지(或下而取).

큰 나라는 아울러 남을 기르고자 할 따름이고(大國不過欲兼畜人)

작은 나라는 들어가서 남을 섬기고자 할 뿐이라네(小國不過欲入事人).

무릇 두 나라는 각기 바라는 바대로 얻게 되지(夫兩者各得其所欲).

위대한 자는 마땅히 낮추어야만 한다네(大者宜爲下).

　　수녀님, 오늘날에는 '자신을 낮추는 삶', '겸손한 삶'을 제대로 살아 가고 있느냐 아니냐가 모든 인간이 풀어 나가야 할 '화두(話頭)'가 아닐까 생각해 봅니다.

　　나라는 나라대로 어지럽고, 사람은 사람대로 복잡하게 얽혀져 있기 때문에 노자가 꿈꾼 '자기 비하의 삶'과 예수께서 소망하신 '섬김의 삶'과는 점점 거리가 멀어져 가고 있지요. 차라리 한밤에 울어대는 맹꽁이들이나 밤새 소리가 오히려 사람들보다 더 자신을 비우고 열심히 하느님께서 마련하신 참된 삶에 맞갖게 살아가는 것을 생각해 봅니다. 어쩌면 노자가 담론한 '무위이무불위(無爲而無不爲)'가 곧 욕심을 내어 하지 않으면서도 하지 않음이 없는 삶, 곧 겸손의 삶, 자기 비움의 삶, 섬김의 삶이 아닐까 싶습니다.

　　이런 사람이야말로 공동체를 공동체답게 건강하게 만드는 삶의 자세이겠지요. 이 찌는 듯한 삼복더위에 참다운 공동체적인 삶이 무엇인지를 조용히 눈 감고 생각해 보는 시간입니다. 아울러 소머리산 아래에서 있는 듯 없는 듯 공동체로 살아가시는 수녀님들의 정겨운 삶의 모습도 그려 봅니다.

늘 주님 안에서 건강하시고요.

『도덕경』제62장에서 기쁜 마음으로 뵙겠습니다.

2017년 7월 22일 성녀 마리아 막달레나 축일이자 중복 날에

양지꽃(뱀딸기)

천자를 세우고 삼공을 두는 데에 비록 큰 옥을
사두마차보다 먼저 받들어 올린다 해도 꿇어 앉아
이 도를 바치는 것보다 못하지.
옛적부터 이 도를 귀히 여긴 까닭은 무엇이겠는가?
이를테면 찾아서 얻어낼 수 있고, 죄가 있어도 면해질 수 있기 때문이 아니겠는가.
그래서 하늘 아래서 귀하게 된다네.

|62장 |

"도"라는 것은?

수녀님, 칠월이 가고 입추와 말복이 지나갔는데도 더위는 여전합니다. 잘 계시지요? 그래도 자연, 곧 천지만물은 하느님의 안배하심에 따르고, 따르는 삼라만상은 다시 그분의 품 안에서 나고 자라고 익어서 또다시 그분에게로 되돌아가겠지요? 왜냐하면 우리를 내신 그분께서는 우리를 자라게 하시고 키워 주시며 온갖 위험으로부터 감싸 주시고 품어 주시는 분이시기 때문이지요. 칠월에는 푸성귀가 무성하더니 그렇듯이 무더움 속에서도 팔월이 되니 여전히 덥지만 가을 냄새가 조금씩 나기 시작합니다.

무더위 속에서 가을 이야기를 하자니 너무 성급한 것이 아니냐고 말씀하실지 몰라도 제가 사는 동네에는 벌써 가을빛이 감도는 것이 고추잠자리가 온통 하늘을 수놓고 있답니다.

이처럼 하느님께서는 당신의 곳간에서 좋은 것도 주시고 힘든 것을 이겨 내는 비결과 그 용기도 덤으로 주시지요. 하느님께서는 만물을 발생하게 하는 근원이시며 종주(宗主)이시고, 만물의 발생과 동시에 존재하게 하시는 근거이시며 솔직하게 말씀드리자면 노자가 말하는 '도(道)'를 내시고, 도 안에서 도를 도답게 하시는 분이십니다. 따라서 일찍이 우리가 이미 보았던 25장 가운데 '도법자연(道法自然)'이라는 말이 있었지요. 이 말뜻은 곧 "도는 스스로 그러하신 분을 본받는다."라는 의미랍니다. '스스로 그러하신 분'은 곧 하느님밖에 없으시지요. 하느님을 제외하고는 스스로 그러하신 분이 어느 곳에서도 또 아무도 없으시기 때문이랍니다. 그러니 어쩌면 노자가 노래하는 '도'는 곧 그분의 말씀이라는 생각이 듭니다. '말씀이신 분'은 '말씀을 보내신 분'을 언제나 따르고 본받으시지요.

흔히들 일반적으로 노자의 『도덕경』을 〈도경〉과 〈덕경〉으로 나누는데, 1~37장까지를 〈도경〉이라 하고, 38장 이하를 〈덕경〉이라고 부릅니다. 그것은 주된 내용으로 '도'을 다루고 있느냐 혹은 '덕'을 다루고 있느냐의 문제이기 때문이지요. 그렇지만 노자는 다시금 여기에서 '도'를 언급하는 것은 결국 '도의 덕성'을 담론하고 있다고 보는 편이 좋을 듯합니다. 따라서 노자가 노래하는 도의 덕성이란 '만물에게는 아랫목', '선한 사람에게는 보배', '선하지 못한 사람도 지켜내고 간직해야만 하는 그것'이며, 그래서 절대로 '포기해 버릴 수 없는 것', 바로 그것을 일컫고 있다고 보아야 합니다. 여기에서 '아리따운 말(美言)'이라는 글자 그대로 아름답고 쓸모 있으며 신뢰가 가는 말이 아니라, 별로 신뢰도 가지 않으면서 쓸모도 없고, 듣기에만 좋은 말이지요. 그렇기 때문에 이런 말은 해악만 끼치는 것이고, 시장 바닥에서 장사치들이 자주 내뱉는 말에 해당한답니다.

도라는 것은(道者),

만물에게는 아랫목(萬物之奧),

선한 사람에게는 보배(善人之寶)

선하지 못한 사람도 지켜 내야만 하는 것(不善人之所保).

아리따운 말은 시장에 내다팔 수 있고(美言可以市),

고상한 행위는 사람들에게 보태 줄 수도 있지(尊行可以加人).

사람에게 좋지 못한 것이라고 하여(人之不善)

어찌 그것을 포기해 버릴 수 있겠는가(何棄之有)?

지금 세상에는 번지르르한 말이 난무하고 있지요. 공동체 안에서도 쓸모도 없으면서 그저 듣기에만 그럴듯하게 내뱉는 말이 있다면 바로 그것이 '미언'에 해당하고, 만일 그런 사람이 공동체 구성원 안에 있다면 그 말은 곧 경계해야 할 것이기 때문에, 따라서 그런 말을 하는 사람도 마땅히 경계해야 할 대상에 해당한다고 보아야겠지요. 또한 '존행(尊行)'은 권위나 권력에 취해 있거나 그것으로 가득차 있는 고상한 행실입니다. 내적으로 덕성을 갖춘 권위가 아니라 외적인 제도나 학력이나 지식 따위로 타인을 내리누르는 경우를 두고 이르는 말입니다.

예수께서도 "하늘과 땅의 주인이신 아버지, 안다는 사람들과 똑똑하다는 사람들에게는 이 모든 것을 감추시고 오히려 철부지 어린아이들에게 나타내 보이시니 감사합니다."(마태11.25)라고 기도하셨지 않습니까?

그래서 천자를 세우고 삼공을 두는 데에(故立天子, 置三公)
비록 큰 옥을 사두마차보다 먼저 받들어 올린다 해도(雖有拱璧以先駟馬)
꿇어앉아 이 도를 바치는 것보다 못하지(不如坐進此道).
옛적부터 이 도를 귀히 여긴 까닭은 무엇이겠는가(古之所以貴此道者何)?
이를테면 찾아서 얻어 낼 수 있고(不曰以求得)
죄가 있어도 면해질 수 있기 때문이 아니겠는가(有罪以免邪)?
그래서 하늘 아래서 귀하게 된다네(故爲天下貴).

노자시대에 사람들은 천자나 삼공들에게 금은보화 대신에 '도'를 바쳐야 한다고 생각했던 모양입니다. 이 도를 통해서만이 구하는 것을 구하고, 얻을 수 있는 것을 얻게 된다고 생각했지요. 여기에서 '삼공'은 곧 영의정, 좌의정, 우의정 등을 가리킨답니다.

요즘 같으면 대통령, 국무총리, 국회의장 등이겠지요? '도'를 가지고 있어야만 언제나 보편타당하고 근본적인 해결책을 세상 사람들에게 펼쳐 낼 수 있기 때문이랍니다. '도'를 구하지 않고 '도' 안에 머무르지 못하면 결국 독재자 혹은 폭군이 되고, 그의 죄는 만대에까지 미치게 될지도 모릅니다. 이는 신앙공동체 안에서도 마찬가지가 아닐까 싶습니다.

'하느님의 도' 곧 '하느님의 말씀' 안에 머무르면서 그 말씀을 실천할 때만이 자기 자신은 물론이거니와 다른 사람들에게도 '따스한 아랫목', '소중한 보배'의 역할을 충실히 정성스럽게 다하는 것이 아니겠습니까?

수녀님, 후텁지근하고 지루했던 여름의 끝이 보이기 시작하는 모양입니다. 아침저녁으로 제법 가을 분위기가 풍기는 것이 마음마저 상쾌하기까지 하답니다. '하느님의 도'는 이렇듯이 한 치의 어긋남도 없이 정확하게 운행합니다.

이는 곧 끝이 없으신 하느님의 '무한하신 덕성'이 빚어낸 결과이겠지요? 그렇지만 여전히 이상기온을 보이고 또 내리는 비도 장맛비처럼 오락가락합니다. 이럴 때일수록 수도원의 모든 식구들께서도 건강잘 챙기시기를 바랍니다. 언제나 하느님 안에서 몸도 마음도 강건하시기를 기도합니다. 그럼, 안녕히 계십시오.

다음 『도덕경』 제63장에서 뵙겠습니다.

2017년 8월 19일 토요일 오전에

255

무위를 행하고, 일거리를 없애는 것으로 일삼으며, 아무 맛도 없는 것을 맛으로 삼고,
작은 것을 크게 여기고 적은 것을 많게 여기며, 원한을 덕으로 갚지.
어려운 것은 그 쉬운 것부터 하고, 큰 일은 그 작은 일부터 하지.
하늘 아래 어려운 일은 반드시 쉬운 일에서부터 일어나고
하늘 아래 큰 일은 반드시 작은 일에서부터 일어나지
이래서 거룩한 사람은 끝내 크게 벌리지 않지
그래서 큰 것을 이룰 수 있게 되지.

| 63장 |

무위를 행하고

수녀님, 구월이 또 우리와 함께 나란히 걷고 있네요. 잘 계시지요? 지난 팔월은 무척 더웠고, 덥기 때문에 또한 모든 천지만물이, 오곡백과가 잘 자랄 수 있었겠지요. 하지만 어떤 지방에서는 그렇게 농부들이 애써 땀을 흘려 일을 했는데도 일한 보람도 없이 이상기온으로 인해 농사가 제대로 되지 않았고, 또 열매의 숫자나 영근 정도가 시원찮아서 울상을 짓고 있다는 보도가 언론 매체를 타고 메아리쳐 들려옵니다. 그럴 때마다 제 가슴이 다 먹먹해지고 속상해지는지 잘 모르겠습니다. 갈수록 우리가 이미 읽은 적이 있는 『도덕경』 제25장의 내용이 생각나는 것은 어인 까닭인지 모르겠습니다. 그 가운데서도 노자는 "人法地, 地法天, 天法道, 道法自然." 이라고 아주 명료하면서도 상당히 지혜로운 담론을 우리들에게 구사하였지요. 뜻은 이미 우리가 알고 있지요. "사람은 땅을 본받고 땅은 하늘을 본받으며, 하늘은 스스로 그러하신 분을 본받는다."

결국 사람은 '스스로 그러하신 분'을 본받아야 한다는 것을 노자는 역설적으로 노래한 것이 아닌가 싶습니다. '무위를 행하다.'라는 것은 아무것도 하지 않는 그야말로 '무위도식(無爲徒食)'하는 것을 말하는 것이 아니라 무엇을 인위적으로 조장한다든지 남의 것을 빼앗는다든지 혹은 특정한 목적이나 의지 혹은 체계를 만들어서 자유스러운 것이 아닌 올가미 같은 일거리를 자꾸 만들어 내는 것은 옳지 못하다는 뜻이겠지요. 사람들은 자꾸만 쓸데없는, 자신의 안위만을 위하는 혹은 타인에게 얼굴을 자랑스럽게 드러내는 일을 벌여 놓고, 자신은 손끝 하나 까딱하지 않으려 하지요. 만일 그런 인간이 있다면 그는 결국 '무위'를 사는 것도 아니고 '스스로 그러하신 분'을 본받는 것은 더욱 아니며 '무위도식'하는 좀생이에 불과하지 않을까 생각합니다. 그래서 노자가 자신의 담론 전체에서 말하고자 하는 대상은 결국 현실 안에서 이른바 '공동체 지도자'이며 곧 노자는 그들이 저잣거리나 광장에서 거들먹거리며 어렵고 힘들게 살아가는 사람들을 향해 외친 준엄한 꾸짖음의 함성을 여기에다 적어 놓았다고 볼 수 있겠지요?

무위를 행하고(爲無爲),

일거리를 없애는 것으로 일삼으며(事無事),

아무 맛도 없는 것을 맛으로 삼고(味無味),

작은 것을 크게 여기고 적은 것을 많게 여기며(大小多少),

원한을 덕으로 갚지(報怨以德).

어려운 것은 그 쉬운 것부터 하고(圖難於其易),

큰일은 그 작은 일부터 하지(爲大於其細).

하늘 아래 어려운 일은 반드시 쉬운 일에서부터 일어나고(天下難事, 必作於易),

하늘 아래 큰일은 반드시 작은 일에서부터 일어나지(天下大事, 必作於細).

이래서 거룩한 사람은 끝내 크게 벌이지 않지(是以聖人終不爲大).

그래서 큰 것을 이룰 수 있게 되지(故能成其大).

　거룩한 사람, 성인은 누가 뭐라고 해도 끝까지 자신이 인위적으로 조작하거나 조장하거나 해서 일을 크게 벌여 놓지 않는 사람들을 가리키겠지요. 바꾸어 이야기하면 성인은 오히려 '무위를 행하는 사람'이지요. '무위'를 행한다고 해서 아무것도 하지 않고 가만히 있다거나 모든 구속이나 속박을 거부하며 자기 멋대로 하거나 살자는 뜻이 아닙니다. 무엇을 하되 유위적(有爲的) 방식이 아닌 무위적(無爲的) 방식으로 일을 하는 것이지요. 유위적 방식은 자신만이 최고이고, 자신만이 제일 잘 낫기 때문에 어떤 방식으로든지 자신의 주장을 관철시키려고 하는 방식이며, 무의적 방식은 공동체의 모든 구성원들의 목소리를 듣고, 그 목소리에 담긴 뜻을 가슴에 새기며 '공동의 선익'을 위해 자신의 몸을 내려 놓고 바치는 행위를 의미한답니다. 따라서 무위적 행위, 무위적 삶을 산다는 것은 자기 비움, 자기 포기, 자기 비하, 자기 십자가를 짐, 곧 '겸손'하지 않으면 결코 이룩할 수 없는 행위, 삶이 아닐까 싶습니다.

　그래서 노자는 공동체 지도자의 덕목을 아래 몇 가지로 나열하고 있습니다. 어떤 일에서든지 대답이나 승낙을 너무 가볍게 여기지 말라는 것입니다. 대답이나 승낙을 가볍게 여기는 사람은 마치 자기가 최고 결정권자임을 자임하고, 공동체의 모든 구성원들의 입장을 무시하는 권위적인 모습의 지도자상을 그리고 있기 때문입니다.

　그렇다면 그런 지도자는 결국 언젠가는 자기 한계를 드러낼 것이고, 자기 한계를 드러내면 곧 여태까지 한 일에 대해서 공동체 구성원들로부터 신임을 받지 못하게 되며 한번 신임을 잃어 버리면 앞으로 그가 하고자 하는 일들이 모두 미덥지 못하게 되겠지요. 그리고 어떤 일이든지 '심사숙고(深思熟考)'하는 자세를 가져야 하는데, 너무 쉽게 모든 일을 해결하려 들면 끝에 가서는 마무리 짓지 못하고 모든 것이 어려움으로 다가와서 자신의 목을 옥죄이고 말지 않을까 싶습니다. 하지만 거룩한 사람은 어떠한 일이든지 특별히 자기가 수행해야 될 사명에 대해서 언제나 심사숙고하기 때문에, 가볍게 여기지 않고 무겁게 여기기 때문에 어려움을 만나도 그 어려움에 잘 대처하여 끝내는 극복해 나가고야 말겠지요. 그가 기대고 의지하는 곳은 곧 '스스로 그러하신 분(自然)'이고, 스스로 그러하신 분을 닮아 자신도 그분을 따르면서 그분이 하시고자 하는 뜻에 적극적으로 동참하기 때문에 사람들은 그를 '거룩한 사람'이라고 부르는 것이 아닐까 생각해 봅니다.

무릇 승낙을 가볍게 하면 반드시 미더움이 모자라고(夫輕諾必寡信),

너무 쉬우면 반드시 어려움이 많아지지(多易必多難).

이래서 거룩한 사람은 오히려 어렵게 대하기 때문에(是以聖人猶難之)..

그래서 끝내 어려움을 없애고 만다네.

    수녀님, 지난번 편지(63장)에 가을 냄새, 가을 분위기가 난다고 적었는데, 오늘이 '추분(秋分)'인 것을 보니 벌써 가을의 한복판에 들어서서 가을과 함께 뒹굴고 있다는 느낌을 받습니다. 소머리산 아래 그곳 수도원에도 가을이 찾아왔겠지요? 덩달아 가을에 한껏 젖은 수녀님들의 맑은 웃음소리가 여기까지 들리는 듯합니다. 저는 여전히 교구 설정 50년사 원고 작업에 몰두하고 있습니다.

    가끔씩 이런 작업이 그분께는 어떤 의미가 있을까? 무슨 도움이 될 수 있을까 하는 푸념도 해 보지만, 결국 이런 모든 것들이 그분을 위해서라기보다는 그분께서 우리들에게 베풀어 주신 은총의 발자취를 더듬어 보고, 미래 사람들에게 조금이라도 그분의 따스한 은총의 숨결을 느끼게 해 주는 것이 저의 사명이 아닐까 생각하면서 다시 옷깃을 여미고 기운을 내 봅니다. 이제 곧 구월도 떠나려고 하네요. 아니 어쩌면 구월을 벗어 버리고 싶은 것이 우리네 인간의 심보가 아닐까도 생각합니다.

구월이 떠나가면 시월이 우리 곁으로 오겠지요?

'가을'이라는 단어가 그래서 더욱 애잔한 낱말이 아닐까 싶습니다. 안동의 거리, 어느 가게에서는 가을의 노래가 잔잔하게 흘러나옵니다. 하늘 높고 물 맑고 산천이 아름다운 가을이라지만 기온의 차이가 아침 저녁으로 심하게 납니다.

이런 환절기(換節期)에는 무엇보다도 건강을 잘 챙기시는 게 중요합니다. 언제나 건강하시기를 기도합니다.

그럼 『도덕경』 제64장에서 뵙겠습니다.

2017년 9월 23일 토요일 오상의 비오 신부님 축일에

미역취

편안하게 되면 붙잡아두기 쉽고,
아직 조짐이 보이지 않으면 도모하기가 쉽지.
여리면 나눠지기 쉽고, 자질구레해지면 흩어지기가 쉽지.
아직 있기 전에 해내고, 아직 어지러워지기 전에 돌보아야 하네.

이래서 거룩한 사람은 함을 없애기 때문에 부서짐도 없고
움켜잡음도 없기 때문에 잃어버림도 없지.
일반사람들이 일을 좇아가는 것을 보면
언제나 거의 이루다가도 그르치고 만다네.
끝맺음을 시작처럼 신중하게 하면 그르치고 말 일이 없지.

64장

편안하면 붙잡아 두기 쉽고

수녀님, 확실히 시월은 눈만 열어도, 그리고 귀만 열어 놓아도 우리를 상쾌하고 유쾌하게 해 주네요. 잘 계시지요? 계절은 그저 하느님의 뜻(天命)에 따라서 온전히 자기 자신을 내맡기면서도 자신과 더불어 살아가는 온갖 것들을 풍성하고 풍요롭게 도와주는 것 같습니다.

누가 계절에게 도와 달라고 부탁하지 않았는데도 계절이 우리의 처지를 잘 알고서 저렇듯이 먼저 달려와 잘 되도록 어루만져 주는 것 같습니다. 따지고 보면 계절도 자연의 일부이겠지요? 자연의 일부이면서도 또 다른 자연의 일부인 뭇 생명들을 어쩌면 이렇게도 알뜰하고 살뜰하게 매만져 줄 수 있는지요? 생각해 보면 그저 고마울 따름인데, 하물며 자연을 내고 계절을 운행하시는 하느님의 무한하신 은혜야말로 그 어느 누구와 견줄 수 있겠습니까?

돌이켜 생각해 보면, 사람들은 저마다 자기 자신만이 삼라만상의 모든 것을 시작하고 끝맺을 수 있다고 생각하면서 사는지 모르겠습니다. 그렇기 때문에 우리는 저마다 자기 자신이 '모든 것의 출발점이자 귀결점'이라고 생각하고 있는지도 모르겠습니다. 그래서 '종결자' 혹은 '끝판왕'이라는 신조어가 이즈음의 세간에 등장하였는지도 모를 일이고요. 하지만 어림없고 터무니없는 소리겠지요? 눈에 보이는 세상에서 이렇게 혹은 저렇게 살아가는 사람이, 사사물물(事事物物)이 어떻게 종결자 혹은 끝판왕이 될 수 있다는 말입니까? 이렇게 보면, 불교의 《화엄경(華嚴經)》에서 핵심 사상을 이루고 있다는 '일체유심조(一切唯心造)'라는 말도 어쩌면 어울리지 않는 명제가 아닐까 싶습니다. 사실 이미 성경의 〈묵시록〉에서 저자는 하느님의 존재 이유에 대해서 다음과 같이 천사의 말을 빌려 우리들에게 전해 주고 있습니다.

"보라, 내가 곧 간다.
나의 상도 가져 가서 각 사람에게 자기의 행실대로 갚아 주리라.
나는 알파이며 오메가이고 처음이며 마지막이고 시작이며 마침이다."(묵시22,13)

이 장에 노자가 우리들에게 전해 주고 싶어하는 내용도 따지고 보면, 곧 '시작이요 마침인 도(道)의 작용'에 대한 것이 아닐까 생각합니다. 도의 작용이 뭇 생명들에게 미치게 되는 것을 우리는 통상적으로 '덕(德)'이라고 불러도 무방할 것입니다.
진리도, 사랑도, 정의도, 시간도, 공간도 그리고 인간들뿐 아니라 뭇 중생들의 생명도 모두 그분으로부터 시작되고, 그분으로부터 마쳐지며 그분의 것이라는 것을 깨닫는다면 그분 앞에서 아무것도 아닌 것들이 감히 '종결자' 혹은 '끝판왕'이라고 바로 내뱉을 수 없지 않을까 싶습니다. 오히려 겸손한 태도로 서로 도와주고 서로 배려해 주면서 살아가는 것이 훨씬 인간적이고 또 하느님의 백성다운 삶이 아닐까 생각하는 시간입니다.

편안하게 되면 붙잡아 두기 쉽고(其安易持),

아직 조짐이 보이지 않으면 도모하기가 쉽지(其未兆易謀).

여리면 나눠지기 쉽고((其脆易泮),

자질구레해지면 흩어지기가 쉽지(其微易散).

아직 있기 전에 해 내고(爲之於未有),

아직 어지러워지기 전에 돌보아야 하네(治之於未亂).

아름드리나무는 털끝만 한 싹에서부터 생겨나고(合抱之木 生於毫末),

구층의 누대도 한 삼태기 흙에서부터 일어나며(九層之臺, 起於累土),

천리를 가는 데도 발 아래에서부터 시작되고(千里之行, 始於足下),

하려는 자는 실패하고 거머쥐려는 자는 잃어 버리게 되지(爲者敗之, 執者失之).

'안(安)'이라는 글자는 '편안하다' 혹은 '안정되다.' 라는 뜻을 가지고 있습니다. 편안해지거나 또는 안정되어지면 무슨 일이든지 유지되기 쉽지요. '조(兆)'는 '조짐(兆朕)'인데 대체로 좋은 일이든 나쁜 일이든 나중에 일이 벌어지는 양상을 추측할 수 있게 하는 그 이전 단계의 움직임이나 변화 등을 가리킵니다. 아직 시도되지 않았거나 결정되지 않은 상태를 말하지요. 시도되거나 결정하지 않았으면 다시 면밀하게 살펴보고 바꾸거나 수정할 수 있지 않겠습니까? 이미 결정되고 시도하기 시작했다면 바꾸기가 어려운 법이지요. 또 '취(脆)'는 여리다, 무르다, 약하다는 뜻을 가지고 있습니다.

여리거나 약하면 부러지고 나누어지기 쉽지요. '미(微)'라는 글자도 '취'하고 거의 비슷합니다. 자질구레하다 혹은 미약하다는 뜻을 가지고 있는데, 그렇게 되면 흩어지기 십상이지요. 공동체를 구성해서 앞으로 나아가는 데는 '취'나 '미'가 있으면 걸림돌이 될 수 있답니다.

무엇이든지 시작은 미미하지만 끝은 언제나 크게 드러나는 법이랍니다. 노자는 "아름드리나무도 털끝만 한 싹에서부터 시작되고, 구층의 커다란 누각도 한 삼태기 흙에서부터 비롯된다."고 합니다. 성경에도 이와 비슷한 말씀이 있지요.

"자네가 하느님을 찾고
　전능하신 분께 자비를 구한다면,
　자네가 결백하고 옳다면
　이제 그분께서는 자네를 위해 일어나시어

자네 소유를 정당하게 되돌려 주실 것이네.

자네의 시작은 보잘것 없지만

자네의 앞날은 크게 번창할 것이네."(욥 8,5-7)

"천 리 길도 한 걸음부터"라는 속담도 따지고 보면 노자의 이 장에서 나온 것이 아닐까 생각해 봅니다. 사람들은 언제나 무슨 일을 할 때 성급하게 하거나 혹은 일의 성과부터 따내려고 애를 쓰지요.『맹자(孟子)』에도 이와 비슷한 말이 나옵니다.

'알묘조장(揠苗助長)'《맹자(孟子)》,〈공손추(公孫丑)〉, 상(上)이 바로 그것이지요. 빨리 자라라고 모를 뽑는다는 뜻으로 빠른 성과(成果)를 보려고 무리하게 다른 힘을 더하여 도리어 그것을 해(害)치게 됨을 이르는 말입니다.

이 이야기의 전말은 이렇습니다. 옛날 중국 송(宋)나라에 한 농부가 있었지요. 이 농부는 자기 밭에 심어 놓은 모종이 빨리 자라게 하려고 커 가는 모를 손으로 잡아당겨 자라게 도와 주면 빨리 자라지 않겠느냐 라는 기특한 생각을 하였답니다. 그리하여 온종일 그 모종의 목을 잡아서 위로 뽑아 올렸는데, 다음날 모종이 많이 컸으리라 생각하고 밭으로 달려가서 보았더니 묘목이 모조리 말라 버려 못쓰게 되었다는 것입니다.

이러한 고사에 연유한 '알묘조장'은 후대에 가서는 지도자의 조급증이 도리어 공동체의 혼란만 가중하게 된다는 뜻으로 사용되었답니다. 어떠한 조직이나 공동체에서 지도자는 결국 자신뿐 아니라 모든 구성원들의 조급증을 경계해야 하고 또 스스로 조급증을 드러내서는 안 된다는 것입니다.

성급하게 일들을 처리하여 잘못되게 되면, 결국 피어나 보지도 못하고 뿌리나 잎을 상하게 하여 아무 짝에도 쓸모없게 되기 때문이지요. 말하자면 스스로 튼튼하게 뿌리를 내어 자라도록 해야지 그렇지 않으면 뿌리를 상하게 되고, 뿌리가 상하게 되면 가지와 잎에 상해를 입히게 되고, 그렇게 되면 열매를 맺지 못하는 근본적인 어려움이 닥쳐오게 되겠지요. 사실 유가에서 추숭(追崇)하는 맹자는 아시다시피 중국의 전국시대에 살았던 인물이며 진나라 시황(秦始皇)이 천하를 통일하기 전의 사람이지요.

노자는 춘추시대 사람이니 맹자보다는 선배라고 할 수 있지만, 생각하는 것은 비슷한 측면이 있어 보이기도 합니다.

이래서 거룩한 사람은(是以聖人)

함을 없애기 때문에 부서짐도 없고(無爲故無敗)

움켜잡음도 없기 때문에 잃어 버림도 없지(無執故無失).

일반 사람들이 일을 좇아가는 것을 보면(民之從事),

언제나 거의 이루다가도 그르치고 만다네(常於幾成而敗之).

끝맺음을 시작처럼 신중하게 하면(愼終如始),

그르치고 말 일이 없지(則無敗事).

이래서 거룩한 사람은 욕망하지 않으려 하고(是以聖人欲不欲),

어렵게 얻은 재화를 귀히 여기지 않으며(不貴難得之貨),

배우지 않는 것을 배워서(學不學),

뭇 사람들이 지나쳐 버린 곳으로 돌아간다네(復衆人之所過).

이로써 만물의 자연스러움을 도와주면서(以輔萬物之自然)

함부로 하지 않는다네(而不敢爲).

　여기에서 노자는 '거룩한 사람(聖人)'에 대해서 다시 한 번 거론해 봅니다. 노자는 『도덕경』에서 이미 여러 차례 성인에 대해서 담론한 적이 있습니다. 노자가 말하는 성인은 곧 '도의 뜻에 자신을 내맡긴 사람'이겠지요. 가톨릭교회 안에서의 성인은 곧 '하늘에 계신 하느님의 뜻을 실행하는 이'(마태7,21)가 아니겠습니까?

　수녀님, 또 시월이 우리 곁을 떠나려 하고 있습니다. 언론 보도에 따르면, 설악산 근처에는 하마 '만산홍엽(滿山紅葉)'이라 할 정도의 단풍으로 온 산이 물들어가고 있다고 합니다.

　수녀님들이 모여 사는 소머리산에도 단풍이 곱게 물들기 시작했겠지요? 돌이켜보면, 자연이랄지 우리를 둘러싸고 있는 주변의 환경들은 모두 우리들을 도와주려고 존재하고 있는 듯합니다.

우리를 내신 분이 그렇게 만들어서 우리들에게 은총으로 주셨다는 것을 뼈저리게 느끼는 요즈음입니다. 이제 곧 찬 서리 내리고 눈발 흩날리는 겨울이 또 우리를 찾아오겠지요? 삼라만상은 이렇듯이 너무도 자연스럽게 그분의 뜻에 어긋남이 없이 살아가는데, 삼라만상의 만물이라고 하는 우리네 인간들의 소행은 참으로 부끄럽기 짝이 없는 행태를 보이니 그저 한탄스러울 뿐이랍니다.

수녀님, 아침저녁 기온 차이가 많이 납니다. 수녀원의 모든 수녀님들께도 하느님 안에서 강건하시라고 전해 주십시오.

그럼 『도덕경』 제65장에서 뵙겠습니다.

2017년 10월 18일 성 루카복음사가 축일에

배풍등꽃

옛적에 도를 잘 실행하는 자는
백성을 똑똑하도록 하지 않고 우매하도록 하였지.
백성들을 돌보아 주기 어렵게 된 것은
그들의 앎이 많아졌기 때문이라네.

그래서 앎으로 나라를 돌보게 되면
나라에 도적이 들끓게 되고.
앎으로 나라를 다스리지 않으면
나라에 복이 굴러 들어오지.

65장

옛날에 도를 잘 실행한 자는

　수녀님, 삶과 죽음을 생각하게 하는 십일월입니다. 수도원의 수녀님들 모두 다 잘 계시지요? 제가 살고 있는 이곳도 완연히 가을빛에 물들고, 물들었다가 이제는 저기 산 능선부터 차츰차츰 화려함을 내려놓기 시작하고 있지요. 아침에는 무서리를 넘어서 된서리가 내린 지 오래입니다. 하기야 절기로 입동(立冬)이 지나갔으니, 바야흐로 겨울이 문고리를 잡고 우리에게 슬며시 열어 보이며 우리에게 어서 들어오라고 손짓하는 듯합니다. 이렇듯이 모든 삼라만상은 모두 저마다 각기 주어진 여건에 따라 자연의 순리, 하느님의 섭리에 맞추어 순응하는 것이 이 계절에 눈에 보이는 듯합니다.

　이러한 순응을 노자의 논리에 비추어 보면, '도에 순응하는 것'이 무엇을 의미하는지 알게 되지요. 이미 제가 여러 번 편지를 통해 밝힌 바 있듯이, 예수께서도 "하늘에 계신 내 아버지의 뜻을 실행하는 사람이 내 형제요 누이요 어머니다."(마태12,50)라고 말씀하신 것처럼, 노자도 또한 '도에 순응하는 자'가 곧 '성인'임을 제시해 주고 있습니다.

옛적에 도를 잘 실행하는 자는(古之善爲道者),

백성을 똑똑하도록 하지 않고(非以明民),

우매하도록 하였지(將以愚之).

백성들을 돌보아 주기 어렵게 된 것은(民之難治)

그들의 앎이 많아졌기 때문이라네(以其智多).

그래서 앎으로 나라를 돌보게 되면(故以智治國),

나라에 도적이 들끓게 되고(國之賊),

앎으로 나라를 다스리지 않으면(不以智治國),

나라에 복이 굴러들어 오지(國之福).

　　노자가 말하는 '명민(明民)'과 '우민(愚民)'(20장)은 배치되는 것처럼 보이면서도 동시에 노자가 어떻게 맡겨진 백성을 '어리석은 이' 혹은 '못난이'로 만들어야 한다고 주장하는가? 백성들을 똑똑하도록 잘 가르쳐야 하지 않는가? 라고 반문을 할 수밖에 없을지도 모르겠습니다. 하지만 노자 『도덕경』의 전체를 살펴보면, '명(明)'과 '우(愚)'는 도의 삶을 사는데 절대적인 관념이 아님을 알 수가 있습니다. '백성을 명민하도록 하지 않고 우직하도록 한다.'는 것은 결국 '명민'은 사회 안에서 도에 순응하기보다는 자신의 재바르고 기교가 넘치며 어떤 문제에 대해서 순발력 있게 반응하기 때문에, 그것을 마치 자신의 재주와 능력

276

을 발휘하는 것으로 착각합니다. 그런 사람들은 결국 자신의 꾀에 자신이 넘어가서 자신뿐 아니라 다른 사람들까지도 피곤하게 만들고 맙니다. 반대로 '우민'은 우직스럽고 변화무쌍한 사회에 부적격한 사람처럼 보이지만, 사회 물정에 어둑하고 어눌한 우민이 결과적으로는 '도'를 끝까지 고집스럽게 견지할 수 있다는 것입니다. 결국 못난이라고 놀림 받던 사람들이 도에 순응하고, 자연의 섭리에 따라 살아가는 '참 사람', 곧 '성인'이라고 불릴 만합니다.

우리들의 신앙생활에 있어서도 이러한 노자의 '명민'과 '우민'의 관념은 어느 정도 부합하지 않을까 생각합니다. 예수께서도 "아버지, 하늘과 땅의 주님! 지혜롭다는 자들과 슬기롭다는 자들에게는 이것을 감추시고 철부지들에게는 드러내 보이시니 감사드립니다. 그렇습니다. 아버지! 아버지의 선하신 뜻이 이렇게 이루어졌습니다."(마태11,25-26)

사실 『도덕경』 전체에 흐르는 일관된 '도의 사용자'는 '통치권자'입니다. 통치권자가 백성들을 어떻게 통치하느냐에 관해서는 통치자가 하기 나름이겠지요? 통치자가 어떻게 처신하느냐에 따라서 그에 딸린 백성들의 모습이 결정될 것이기 때문입니다. 이러한 도의 사용자의 처신은 세기가 바뀐 오늘날에도 여전히 유효한 사안입니다. 국가의 경영부터 시작해서 시, 도, 지방과 작은 단체와 마을 그리고 심지어는 가정 안에서도 역시 통용되는 것이지요. 심지어는 교회 안에서, 수도원 안에서도 마찬가지가 아닐까 생각해 봅니다.

여기에서 노장의 주장 가운데 좀 꺼림칙한 부분이 있습니다. 그것은 백성들이 똑똑해져서 지혜를 많이 가졌기 때문에 통치하기가 어렵다는 부분입니다. 하지만 그것은 문장 그대로 이해할 것이 아니라 강한 '역설법(逆說法)'이 작용하고 있다고 보아야 할 것입니다. 이 역설은 성서 안에서 예수님의 언행 가운데서도 흔히 찾아볼 수 있는 대목이지요. 사실 백성들이 똑똑해져서 통치하기가 어렵다는 것은 곧 통치의 주도권이 통치자에게 있는 것이 아니라 백성에게 있다는 말로도 충분히 해석될 여지가 있지요. 하지만 여기에서 노자는 그러한 상황을 미리 상정하여 말하는 것이 아니라, 통치자가 부정적이고 잘못된 통치 행위를 자행하는 가운데 백성들은 그러한 통치 행위로부터 자신을 보호하거나 다치지 않기 위해서 또 다른 간계와 술수 등을 사용하여 위기나 위험으로부터 벗어나려는 지혜를 가리킵니다. 우리가 흔히 말하는 '적당히' 통치자의 눈에 거슬리지도 않고, 동시에 자신의 안위에도 흠이 되질 않는 범위에서 살아가는 지혜를 말하는 것이 아닐까 생각합니다. 그렇게 된다면, 나라나 어떠한 단체나 가정의 미래는 더이상 없게 되고 말지 않을까 싶습니다. 그러한 측면에서 노자는 '명민'이 아니라 '우민'을 들고 나온 것이지요.

백성들이 '우민'이 되기 위해서는 먼저 자신부터 '우인(愚人)'이 되어 다른 많은 우인 또는 우민들과 함께 하나되어 살아가는 모습을 보여야 할 것입니다. 공동체의 지도자가 정말로 어리석은 사람, 우인이어서가 아니라 아둔한 이들과 함께 할 수 있는 자질, 지혜를 갖추어야 한다는 것입니다. 그렇게 되려면 먼저 자신을 낮추고, 비워내고, 내려놓으면서 구성원들의 눈높이, 키 높이를 나란히 하는 데서부터 출발하지 않으면 참된 통치자, 지도자라고 말하기 어렵지 않을까 생각합니다.

이 두 가지를 아는 것이 곧 보편적 기준이라네(知此兩者亦稽式).

언제나 기준을 알게 되는 것을(常知稽式),

이것을 '그윽한 덕(玄德)'이라 하지(是謂玄德).

그윽한 덕은 깊고 아득하며(玄德深矣遠矣),

만물과 더불어 돌아간다네(與物反矣).

그런 뒤에는 곧 위대한 순응의 경지에 이른다네(然後乃至大順).

'두 가지를 아는 것'에서 두 가지는 "지(智)로써 나라를 다스리는 것은 나라에 해가 되고, 지(智)로써 나라를 다스리지 않은 것이 나라에 복이 된다."는 것입니다. 이때 '지(智)'는 '지(知)'와 그 의미가 동일하다고 볼 수 있습니다. 사실 우리가 "무엇을 안다."라고 할 때, 그 '앎'이란 얼마나 속 좁고, 편협한 것인지를 안다면, 차라리 '아무것도 모른 것'이 약(藥)인지도 모르겠습니다. 현대 사회는 어린이로부터 시작하여 나이 든 사람들까지 얼마나 똑똑한 체하는지 모르겠습니다. 똑똑하기 때문에 많이 알게 되고, 많이 알기 때문에 오히려 하느님의 뜻, 자연의 이치를 역행하는 행태를 보이며, 이 행태가 결국 인간의 생명까지 위협하고 있다는 사실을 우리는 순간순간 느껴 가고 있지요. 지금 우리 시대는 지(智)와 지(知)를 구분하여 사용하는 듯하지만, 사실은 동일한 것으로 사용하지요. 이 장에서 노자도 두 가지를 동일한 의미로 사용하지만, 그러나 현대 사회와 노자시대의 사용법은 다릅니다. 현대 사회는 순전히 세속적인 측면에서만 이야기 한 것이고, 노자는 도나 자연의 이치와 대척점에 놓여 있는 상태를 이야기한 것이라고 보면 좋을 것 같습니다. 얼핏 보면 같은 듯하지만 다른 두 가지 의미라고 보아야 할 것입니다.

수녀님, 날씨가 추워져가고 있네요. 옛사람들은 계절이 바뀌어 가고 있는 상태를 가지고 "한래서왕(寒來暑往) 추수동장(秋收冬藏)"《천자문》이라는 말을 쓰고 있지요. 그 말은 곧 "추위가 오면 더위는 물러가고, 가을에는 거두어들이고 겨울에는 갈무리한다."라는 뜻이지요. 이는 사람이라면 반드시 하늘의 운행과 자연의 이치를 깨달아서 사람이 살아가는 데 필요한 양식으로 삼아야 한다는 것입니다. 하늘의 천체를 운행하고, 자연을 섭리대로 이끄시는 분이 누구입니까? 바로 한분 하느님이시지요. 그렇다면 '천명(天命)'은 곧 하느님의 뜻, 명령입니다. 자연의 흐름에 온전히 내어 맡기는 행위는 곧 하느님의 뜻에 자신을 온전히 귀의하여 내어 맡기는 삶이 아니겠습니까? 그것을 노자는 『도덕경』 8장에서 '상선약수(上善若水)'라고 노래했는지도 모를 일입니다.

이제 바야흐로 모든 살아 있는 것들이 '추수동장'하는 계절이 성큼 코앞으로 다가왔습니다. 쓰르라미며 귀뚜라미 소리도 귓전에서 사라지고, 낙엽들도 포도(鋪道)에 누워서 기나긴 겨울을 맞을 채비를 차리고 있는 듯합니다. 들판에 농부들도 곡식을 거들어들이느라 분주하고, 그렇게 모두들 '추수동장'하느라 바쁘게 손놀림을 합니다. 지금쯤 수녀원의 수녀님들도 바쁘시겠지요? 그렇지만 또 이 십일월 위령성월에 홀연히 앞서 하느님 나라로 가신 카리타스 수녀님과 데레사 수녀님의 청아한 미소가 그리워지네요. 이는 저만의 생각만은 아니겠지요? 다가오는 평신도 주일이 지나면 연중주일의 마지막인 그리스도왕 대축일입니다. 만물, 아니 온 우주의 왕이시며 주님이신 그리스도의 나라에 들어갈 때 "저를 꼭 기억해 주십시오."(루카23,42)라고 청원하던 죄수의 애절한 모습이 몹시도 부러운 오늘입니다.

아무튼 수녀원의 모든 수녀님들의 몸도 마음도 강건하시기를 주님께 청하면서 이만 줄입니다.

『도덕경』 제66장에서 뵙겠습니다.

2017년 11월 17일 금요일, 교회사 연구소에서

강과 바다가 온갖 골짜기의 왕이 될 수 있는 까닭은?
낮추기를 잘하기 때문이니라.
그래서 모든 골짜기의 왕 노릇을 할 수 있지.
백성들 위에 서고자 하면, 반드시 자기를 낮추어야 한다네.

66장

강과 바다가 온갖 골짜기의
왕이 될 수 있는 까닭은

수녀님, 지난번에 '추수동장(秋收冬藏)'이라는 말씀을 드렸는데, 이제는 '추수(秋收)'는 빼고 '동장(冬藏)'이라는 말만 사용할 때가 왔나 봅니다. 식구들 다 잘 계시지요? 저도 수녀님들의 염려 덕택으로 잘 있습니다.

정신없이 지내다가 어느 날 문득 달력을 보니 십이월에 제가 들어서 있네요. '동장'은 겨울에는 잘 갈무리해야 한다는 뜻이지요. 무엇을 갈무리해야 할까요? 노자에 따르면 '도(道)'를 잘 간직해야 하지요. 그리고 유가 전통에서는 하늘이 내려준 본래의 마음(本心), 천심(天心)을 잘 간직해야 한다는 말입니다. 이것들이 곧 천도(天道)요 천성(天性)이며 천명(天命)이지요.

천도나 천성이나 천명을 잘 간직한다는 말은 곧 자기 자신을 끊임없이 비워 내고, 낮추고, 심지어는 포기하기까지 해야 하는데, 이러한 행위를 우리는 '겸손(謙遜)'이라고 표현합니다. 이런 의미에서 우리나라

가 다른 어느 나라에서도 보기 힘든 사계절이 뚜렷하다는 건 하느님
께서 배려해 주신 더없는 축복이 아닐 수 없지요. 노자는 일찍부터 자
연과 천체의 운행을 '도의 작용'으로 보았고, 도의 작용에 따라 인간도
순응하면서 살아야 하기를 주장했지요. 그렇기 때문에 '겸손', '자기 낮
춤(비하)' 혹은 '자기 포기' 등은 노자가 주장하는 특징 가운데에서도
특징이라 말할 수 있답니다. 이는 사람이 되어 사람들 가운데로 주저
하시지도 않고 들어와서 사람들 속에 사람으로 사신 예수님의 언행과
도 통한다고 볼 수 있습니다.

"너희도 알다시피
다른 민족들의 통치자라는 자들은
백성 위에 군림하고,
고관들은 백성에게 세도를 부린다.
그러나 너희는 그래서는 안 된다.
너희 가운데 높은 사람이 되려는 이는
너희를 섬기는 사람이 되어야 한다.
또한 너희 가운데에서 첫째가 되려는 이는
모든 이의 종이 되어야 한다.
사실 사람의 아들은 섬김을 받으러 온 것이 아니라
섬기러 왔고,

또 많은 이들의 몸값으로 자기 목숨을 바치러 왔다.”

(마르10, 42-45)

노자 역시 자신이 불렀던 다음의 노래에서 이러한 예수님의 말씀과 흡사한 이야기를 하였다는 사실을 알 수가 있답니다.

강과 바다가 온갖 골짜기의 왕 노릇을 할 수 있는 까닭은(江海所以能爲百谷王者),

낮추기를 잘하기 때문이니(以其善下之),

그래서 모든 골짜기의 왕 노릇을 할 수 있었지(故能爲百谷王).

이래서 백성들 위에 서고자 하면(是以欲上民),

반드시 자기를 낮추어야 하는 말을 해야 한다네(必以言下之).

백성들 앞에 서고자 하면(欲先民),

반드시 자신을 뒤로해야 하고(必以身後之),

이로써 거룩한 사람은 위에 서 있어도(是以聖人處上而民不重),

백성들은 버겁다 하지 않고(而民不重),

앞에 서 있어도 백성들은 해롭다 여기지 않네(處前而民不害).

'곡(谷)'은 골짜기를 뜻하는데 골짜기는 계곡에 흐르는 물길을 가리 킵니다. 계곡물은 산 깊은 곳에서부터 흘러서 낮은 곳으로 흘러내리기 때문에 강이나 바다보다도 훨씬 높은 곳에 위치합니다. 높은 곳에 자리하면서도 훨씬 낮은 강이나 바다로 자신의 모든 것을 흘러내리게 합니다. 노자는 '곡'에 대해서 여러 곳에서 노래하고 있는데, 특별히 제2장 '곡신불사(谷神不死)'가 눈에 들어옵니다. '계곡의 신(谷神)'은 도의 모습을 형상화한 관념이지요. 골짜기는 기본적으로 텅 비어 있는 곳이고, 계곡을 풍요롭게 만드는 계곡의 물을 끊임없이 낮은 곳으로 내려보내기 때문에, 노자의 눈에는 높은 자리에 있는 골짜기가 낮게 자신을 처신하는 것이라고 생각했던 모양입니다. 그래서 골짜기는 실질적으로 왕의 자리에서 '낮추기를 잘하기' 때문에 실질적으로 왕의 노릇을 잘한다고 여겼습니다. 이는 예수님의 말씀과도 잘 어울리는 구절이기도 합니다.

그래서 노자는 어떤 이가 백성들 위에 서서 왕 노릇을 하고자 하면 반드시 자기를 "낮출 줄을 알아야"한다는 것입니다. 어쩌면 대림시기(待臨時機)는 하느님께서 당신 자신을 낮추셔서 당신의 작품인 사람이 되신 것처럼, 이제는 우리가 하느님 앞에 우리 자신을 한껏 낮추어서 그분을 닮아 가려는 시기가 아닐까 생각해 봅니다.

이래서 세상은 기꺼이 밀어 주면서도 싫어하지 않는데(是以天下樂推而不厭),
그는 누구와도 다투지 않기 때문이니(以其不爭),
그러므로 천하가 그와 다툴 수는 없다네(故天下莫能與之爭).

여기에서 노자는 어느 한쪽으로도 치우치지 않는 '도'의 작용과 태도, 모습을 그려 주려고 애를 쓰고 있답니다. 어느 한쪽으로 기울어지지 않는 것을 유가 전통에서는 '중용(中庸)'이라고 부릅니다. '중용'이란 과하거나 부족함이 없이 떳떳하며 한쪽으로 치우침이 없는 상태나 정도를 가리킵니다. 동시에 '중용'은 또 어디에도 치우침이 없기 때문에 다른 이들과 다투지 않고 다투려고도 하지 않습니다.

오히려 "기꺼이 잘되도록 밀어 주면서도 그러한 자신의 태도를 싫어하지도 않습니다(樂推而不厭)." 물론 노자의 의견대로 세상도 기꺼이 그를 잘 되도록 밀어 주면서도 결코 싫어하지 않게 되지요. 공자는 이것을 '화이부동(和而不同)'이라고 말합니다. 《논어(論語), 자로(子路)》편에 따르면, 공자가 말하기를 : "군자는 화합하지만 부화뇌동하지 않고, 소인은 부화뇌동하지만 화합하지 않는다.(子曰, 君子和而不同, 小人同而不和.)"라고 기술하고 있지요. '화이부동'은 '중화(中和)'의 의미가 짙습니다. 하지만 노자의 '다투지 않음'과 공자의 '화이부동'은 결국 가톨릭에서 말하는 '사랑'이요, 불교적 표현으로는 '자비심(慈悲心)'의 발로라고 하지 않을 수 없다는 생각을 해 봅니다.

사랑이나 자비심은 결국 자기 자신을 비우고, 낮추고, 겸손한 마음을 갖지 않으면, 곧 '이타심(利他心)'이 없으면 불가능한 일일 겁니다.

이제 가을은 겨울에게 자기 자리를 온전히 내어주고, 자신은 흔적도 없이 사라져 버린 것 같습니다. 본격적으로 계절은 겨울이 차지한 셈이지요. 많은 사람들이 온갖 미사여구(美辭麗句)로 훌륭한 말들을 쏟아내지만, 삶의 행위로는 그러한 미사여구를 제대로 실행하는 사람들이 얼마나 될까요? 하지만 제자리에서 단 한 발자국도 떠남이 없이, 떠나더라도 단 한마디 말도 하지 않는데도 자연은 언제나 하느님의 말씀에 따라 묵묵히 자신의 삶을 온전히 내어 맡기면서 일생을 살아가니 이 또한 얼마나 아름다운 삶인지요.

수녀님, 이번 66장은 빨리 보내 드립니다. 성탄맞이 판공성사를 도와 주어야 하기 때문이랍니다. 이제 구세주(救世主)로 오실 분을 기다리는 대림절이 시작되었습니다. 대림절을 시작하면서 어쩌면 우리는 또 미처 그분을 맞이할 준비도 없이 성탄절(聖誕節)을 맞이하게 될 테지요. 그렇지만 수녀님들이라도 이번 대림절에 오실 그분을 맞이할 준비를 잘 하셨다가 다가오는 성탄절을 기쁘고, 복되게 맞이하시기를 미리 인사드립니다. 기뻐하십시오. 거룩하신 하느님의 아드님께서 차갑고 어두운 이 땅에 우리를 위하여 탄생하셨습니다.

이제 2018년 무술년(戊戌年)에 『도덕경』 제67장에서 뵙겠습니다.

기쁘고도 고마운 성탄을 미리 축하드립니다.

메리 크리스마스!!

2017년 12월 8일 한국 교회의 수호자 원죄 없이 잉태되신

복되신 동정마리아 대축일에

세상은 모두 나의 도가 위대하다고 말하지.
닮은 듯하지만 그렇지를 못하지.
무릇 오직 크기 때문에 닮아있지 않은 듯 보이지.
만일 닮아있었다면 가늘어진지가 오래 되었겠지.

사랑하기 때문에 용기를 낼 수 있고,
아끼기 때문에 넓어질 수 있으며,
함부로 천하를 위해 앞장서지 않기 때문에
만물의 으뜸으로 될 수 있었지.

67장

세상은 모두 나의 도가 위대하다고 말하지

수녀님, 말도 많고 탈도 많았던 정유년(丁酉年)이 나는 듯 가 버리고, 무술년(戊戌年) 새해가 밝아왔습니다. 그동안 잘 계셨는지요? 새로 맞은 올 한 해도 수녀님과 수도원의 모든 식구들이 하느님 안에서 그분의 축복 속에 행복하시기를 기도해 봅니다.

새해 들어 연일 맹추위가 위세를 떨치더니 지금은 마치 봄비 닮은 겨울비가 메마른 대지를 촉촉이 적시네요. 사라졌다고 언론에서 유난을 떨던 '삼한사온(三寒四溫)'의 날씨가 다시 제자리를 찾은 듯한 느낌도 들고요. 이렇듯이 하느님께서 배려해 주신 자연의 운행은 참으로 오묘하고 신비스럽다는 생각을 언제나 하게 됩니다.

새해가 밝아 왔는데도 우리가 사는 세상은 여전히 시끄럽고 복잡하고, 저마다 바라는 욕심은 다 달라서 갈망하고 요구하는 것들이 한도 끝도 없네요. 평화를 원하면서도 전쟁을 부추기고, 나라와 공동의 선익을 추구하면서도 개인의 안위만을 걱정하고, 국민의 행복을 이야기하면서 개인의 행복만을 추구하는 등등의 사언행위(思言行爲)들은 여전히 지난해와 조금도 달라지지 않았다는 생각을 해 봅니다. 특히 백성의 지도자들이 지도자들답지 않게 겸손하지도 않고, 온유하지도 않고, 섬기려는 자세도 되어 있지 않고, 자신들의 주장만을 고집하니 참으로 안타깝기가 그지없습니다. 일찍이 하느님께서는 이사야 예언자를 통하여 다음과 같이 말씀하셨지요?

"주님께서 재판하러 일어서신다.
백성들을 심판하러 일어서신다.
주님께서 당신 백성의 원로들과
고관들에 대한 재판을 여신다.
'바로 너희가 포도밭을 망쳐 놓았다.'
너희의 집은 가난한 이에게서 빼앗은 것으로 가득하다.
어찌하여 너희는 내 백성을 짓밟고
가난한 이들의 얼굴을 짓뭉개느냐?"(이사3,13-15)

옛 속담에 "윗물이 맑아야 아랫물이 맑다."는 이야기가 있지요. 예나 지금이나 지도자나 공동체를 이끄는 일꾼들이 하나도 달라지지 않았으니 오늘날 이 땅은 여전히 이 모양인지도 모르겠습니다. 다행히도 지난해 후반부터 시작된 국민들의 촛불행진은 추운 세상을 조금이라도 따스하게 녹여 주는 역할을 하고, 또 추워도 촛불이 모이면 따스하게 할 수 있겠다는 희망과 용기, 그리고 그러한 동력을 제공해 준 것 같아서 약간은 마음 놓입니다.

이번 장에서 노자는 사람이 살아가는 데 없어서는 안 될 세 가지 보물을 소개해 주고 있습니다. 그 세 가지 보물이란 곧 '사랑(慈)'이고, 또 하나는 '아낌(儉)'이며 마지막으로는 '함부로 하지 않음(不敢)'입니다. '사랑'이란 자기 자신이나 자기와 가까운 이를 사랑하는 것은 물론이거니와 다른 이들, 곧 자기와 거리가 먼 이들까지도 사랑하는 것이고, '아낌'이란 내 것은 물론이고, 타인의 것, 나와 아무런 관계가 없는 자연의 동식물까지도 아껴 주는 것이랍니다. 사랑과 아낌은 곧 예수께서 말씀하신 황금률과도 비슷한 점이 있지요. 예수께서는 "그러므로 남이 너희에게 해 주기를 바라는 그대로 너희도 남에게 해 주어라."(마태 7,12)라고 말씀하셨지요. 그리고 '함부로 하지 않음'이라는 관념도 위의 두 가지 보물과 별반 차이가 없습니다. 감히 함부로 하지 않는다는 것은 타인을 의식하고, 타인의 생각과 말과 행위를 존중하는 데서부터 출발합니다. 그렇지 않다면 자기 멋대로, 자기 생각대로, 자기가 말한 대로 되지 않으면 직성이 풀리지 않게 되겠지요? 다음은 노자가 노래한 대목입니다.

세상은 모두 나의 도가 위대하다고 말하지(天下皆謂我道大).
닮은 듯하지만 그렇지를 못하지(似不肖).

무릇 오직 크기 때문에 닮아 있지 않은 듯 보이지(夫唯大, 故似不肖).

만일 닮아 있다면 가늘어진 지가 오래 되었겠지(若肖, 久矣其細也夫).

나에게는 세 가지 보물이 있는데(我有三寶),

그것을 지키고 보존한다네(持而保之).

하나는 사랑이라 하고(一曰慈),

둘은 아낌이라 하며(二曰儉),

셋은 함부로 천하를 위해 앞장서지 않음이라 하지(三曰不敢爲天下先).

확실히 노자는 도를 체현(體現)한 사람처럼 보입니다. 그가 체현한 도의 작용을 아래에서는 다른 사람들을 위해서 풀어 주고 있는 듯 보입니다. 도를 체현한 사람은 자연을 본받는 자이고, 자연을 본받는 사람은 곧 하늘의 뜻에 순응하는 사람이 아니겠습니까? 하늘의 뜻에 순응하는 사람이 곧 하느님께 순응하고, 하느님께 순응하는 사람이 곧 하느님의 일꾼이요 성인이 아니겠는지요?

사랑하기 때문에 용기를 낼 수 있고(慈故能勇),

아끼기 때문에 넓어질 수 있으며(儉故能廣),

함부로 천하를 위해 앞장서지 않기 때문에(不敢爲天下先)

만물의 으뜸으로 될 수 있었지(故能成器長).

이제 사랑을 저버리면서까지 용감해지고(今舍慈且勇),

아낌을 포기하면서까지 넓히려 하거나(舍儉且廣),

뒤로 물러남을 버리면서까지 앞으로 나서겠다면(舍後且先),

죽음일 뿐이겠지(死矣).

무릇 사랑으로 싸우면 이기고(夫慈以戰則勝),

그것으로 지키면 견고해질 것이네(以守則固).

하늘이 그를 구하려 한다면(天將救之),

사랑으로 그를 지켜 줄 것이네(以慈衛之).

　　노자는 "사랑하기 때문에 용기를 낼 수 있고, 아끼기 때문에 넓어질 수 있으며 함부로 천하를 위해 앞장서지 않기 때문에 만물의 으뜸이 될 수 있었다."고 고백합니다. 사랑한다는 것은 굉장한 용기가 필요하고, 아낀다는 것은 자기를 낮추어서 누구든지 포용할 수 있게 되고, 함부로 자기 주장을 내뱉지 않는 사람은 타인의 견해를 존중해 줄 수 있다는 것이지요. 결국 노자가 여기에서 강조하는 삶의 철학은 겸손과 온유와 사랑 등등입니다. 수천 년 전에 불렀던 이 노자의 노래가 오늘날에도 여전히 유효한 것으로 보아 참으로 대단한 탁견(卓見)이 아닐 수 없다는 생각을 해 봅니다. 21세기를 살아 가고 있는 오늘날의 우리 사회를 바라보면, 노자의 견해가 얼마나 탁견인지를 알 수 있지요.

　　구약성서에서 하바쿡 예언자가 일찍이 우리 시대를 위해서 다섯 가지 불행을 선언한 적이 있습니다. 여기에서는 그 가운데 한 대목을 인용할 것입니다.

> "불행하여라, 남의 것을 긁어모으고
> 담보로 잡은 것을 쌓아 두는 자!
> 언제까지 그러할 셈인가?
> 갑자기 너의 빚쟁이들이 일어나고
> 너를 떨게 하는 자들이 깨어나지 않겠느냐?
> 그러면 너는 그들의 약탈물이 되리라.
> 네가 수많은 민족을 강탈하였으니,
> 살아남은 모든 백성이 너를 강탈하리라.
> 네가 사람의 피를 흘리고
> 세상과 성읍과 그 주민들에게 폭력을 휘두른 탓이다."
>
> (하바2,6-8)

하바쿡 예언자가 이렇게 노래한 이유는 곧 노자 시대와 비슷한 점이 당시 세상에 만연해 있었던 것이 아닐까 생각합니다. 서로가 서로를 사랑해 줄 줄 모르니 배려할 줄도 모르고, 배려할 줄도 모르니 받고 빼앗는 것만 알고, 받고 빼앗는 것만 아니 남을 존중해 주거나 아껴 줄 줄도 모르고 그렇게 되니 정의(正義)는 사라지고, 평화와는 거리가 멀어지고, 마침내 하느님께서 주신 행복은 심각하게 왜곡되어 결국에 행복한 줄도 모르고 왜곡된 사회현상이 행복을 가져다 주는 것으로 착각하며 살아가고 있지는 않나 생각해 봅니다.

수녀님, 이제 수도원에도 약간의 변화가 생기겠네요? 지금까지 수고해 주신 부(扶) 신부님께서 원로사제로 은퇴하시고, 새롭게 비교적 젊은 신부님이 부 신부님으로 가시게 되었으니 말입니다. 그리고 내일 모레면 교구에도 4명의 새 사제가 탄생하게 됩니다. 경사가 아닐 수 없습니다만, 그 젊은 사제들의 앞날을 위해서도 기도해 주시기를 바랍니다.

그들이 곧 우리 교구의 앞날이기 때문입니다. 요 며칠 동안은 그야말로 봄 날씨라고 해도 과언은 아닐 듯싶습니다. 한 차례 눈 대신 비가 내리더니 미세먼지가 희뿌옇게 하늘을 덮고 있어도 날씨만큼은 포근합니다. 지상에 살아가는 모든 사람들도 이렇게 포근한 날씨처럼 포근하게, 아니 푸근하게 서로가 서로를 배려하면서 아끼면서 살아가기를 간절한 마음으로 기도하고 소망해 봅니다.

수녀님들도 서로 사랑하고 아끼고 앞세우지도 않고 항상 밀어 주고 끌어 주면서 하느님 안에서 기쁘고 행복하게 나날을 보내시기를 기도합니다. 늘 건강하시고요.

그럼 『도덕경』 제68장에서 뵙겠습니다.

2018년 1월 18일 연중 제2주간 목요일에

무사 노릇을 잘 하는 자는 무공을 뽐내지 않고,
전쟁을 잘 치루는 자는 분노를 드러내지 않으며, 적을 잘 이겨내는 자는 맞서 싸우지 않고,
사람을 잘 쓰는 자는 그들을 위하여 자신을 낮추지.
이것을 '다투지 않는 덕'이라 하고, 이것을 '사람을 부리는 힘'이라 하며,
이것을 '하늘과 짝하는 예로부터의 지극함'이라 한다네.

68장

장수 노릇을 잘하는 자는

　수녀님, 새로 시작한 올 한 해 일월도 훌쩍 지나가 버리고 이월도 나는 듯이 가고 있네요. 잘 계시지요? 추위가 맹위를 떨치지만 벌써 입춘(立春)도 지나가고, 또 사순절의 시작인 재의 수요일도 지나고, 이 제 내일이면 한국 최대의 명절 중의 하나인 '설날'이네요. 그러고 나면 서서히 절기가 우수(雨水)로 향할 것이고, 저는 하마 봄이 머지않아 우리 곁에 바싹 다가온 듯 느껴지는 요즈음입니다.

　절기(節氣)라는 말은 동아시아의 전통문화 속에서만 있는 시간관념이지요. 한 해를 스물넷으로 나눈 계절의 표준이 되는 것이라는 뜻인데 비슷한 말로는 '시령(時令)' 혹은 '절후(節候)'라고도 합니다.

　이십사절기 가운데 양력 매월 상순에 드는 것이 입춘(立春), 경칩(驚蟄), 청명(淸明) 등인데, 사실을 말하자면 자연의 섭리를 농사 짓기에 용이하도록 인간이 한 해를 스물네 마디로 나누어 놓은 것이며 이때 사용하는 달력은 주로 '음력(陰曆)'이랍니다. 이 음력을 중국에서는 '농력(農曆)'이라고 부르기도 하지요.

어찌 되었든, 옛사람들은 농사 짓는 일을 '천하지대본야(天下之大本也)'라고 생각했는데, 이는 다투거나 빼앗거나 움켜잡거나 하는 따위의 싸움에 인간의 승패가 달려 있는 것이 아니라, 오로지 '천명(天命)'곧 '도(道)'에 인간이 어떻게 순응하는지 혹은 역행하는지에 달려 있다는 것을 일찍부터 깨달은 소산(所産)이 아닐까 싶습니다. 바람도 적당히 불고, 눈비도 적당히 내려주고, 햇빛도 적당하게 내리쬐어 주어야만 천지만물이 풍성하게 자라고, 그에 따라 인간의 삶도 풍족해져서 행복하게 살 수 있게 되고, 모두가 '더불어 살 수 있게' 된다는 평범한 진리를 옛 사람들은 일찍부터 깨달은 것이지요.

시간이 가면 갈수록, 세월이 흐르면 흐를수록 인간은 점점 간악(奸惡)하고 사악(肆惡)해져서 21세기에 접어든 지금은 '각자도생(各自圖生)'의 시대가 되고 말았지요. 입으로는 공동체, 평화, 행복, 자비 등등을 거론하지만, 실제 삶은 모두가 지독한 개인주의에 빠져서 "다른 이는 어찌 되었든 나만 괜찮으면 돼"하는 시대가 되고 보니 정의와 평화라는 아름다운 말이 이제 누군가에게는 귀에 거슬리는 말이 되고 말았습니다.

태초에 하느님께서 정해 주신 법칙은 그만두고서라도, 태어날 때부터 타고난 본성에 입각한 삶만이라도 타인과의 관계 안에서 실천하면서 살아간다면, 세상은 지금보다는 한층 더 따스해져 있지 않았을까 싶습니다. 지금 한창 '평창 동계올림픽'이 진행되고 있는데, 그동안 문을 모두 닫아 걸고 서로가 서로를 향해 갖은 욕설을 다 퍼부어 대던 남한과 북한이 극적으로 만나고, 만나서 이야기를 나누고, 후일에 다시 만나자고 약속하고 하는 이러한 일련의 행위는 '함께' 혹은 '더불어'라는 관념을 얼마나 절실하게 하는 말인지 모르겠습니다. 이런 관념들이 실천으로 나아갈 때, 비로소 우리는 '통일(統一)'이라는 대의(大義) 혹은 큰 강, 큰 바다에 도달하지 않을까 기대해 봅니다.

노자는 중국 춘추(春秋)시대 사람이지요. 흔히들 춘추전국시대(春秋戰國時代)라고 일컫는 바로 그 시대의 '사상가'이지요. 그렇기 때문에 백성을 다스리는 지도자들이 백성들을 돌보지 않고 사분오열로 갈라져 서로 싸우고 쟁취하는 한복판에 노자가 살았다고 보아야 할 것입니다.

그 가운데 생각하는 사람, 곧 철학자로서의 노자의 눈에 보이는 것은 정의와 평화가 아니라 전쟁과 착취와 권모술수밖에 보이지 않았을 겁니다. 아마도 그러한 세상의 형국을 보고, 그 앞에서 일갈(一喝)한 것이 곧 우리가 보고 있는 5천자로 되어 있는 『도덕경』이지요.

그 가운데서도 노자는 지도자의 덕목 가운데 절제(節制) 또는 '절도(節度)'에 대한 것과 사람과 사람 사이의 관계를 어떻게 풀어 가야 하는 것에 대하여 이야기해 주고 있습니다. 이러한 노자의 노래는 모두 자신이 몸소 터득한 최고의 지혜인 '도(道)'에 근거하여 일갈한 것이라고 보아야 할 것입니다. 마치 예수님께서 거룩하신 아버지(聖父)로부터 파견되시어 성부이신 하느님의 말씀에 근거하여 사시고, 말씀하신 것과 닮아 있다고 보아도 과언은 아닐 것이라 여깁니다. 노자는 아래에서 다음과 같이 노래합니다.

무사 노릇을 잘하는 자는 무공을 뽐내지 않고(善爲士者不武),

전쟁을 잘 치르는 자는 분노를 드러내지 않으며(善戰者不怒),

적을 잘 이겨 내는 자는 맞서 싸우지 않고(善勝敵者不與),

사람을 잘 쓰는 자는 그들을 위하여 자신을 낮추지(善用人者爲之下).

이것을 '다투지 않는 덕'이라 하고(是謂不爭之德),

이것을 '사람을 부리는 힘'이라 하며(是謂用人之力),

이것을 '하늘과 짝하는 예로부터의 지극함'이라 한다네(是謂配天古之極).

사실 우리도 그리스도이신 예수님으로부터 부르심을 받고, 당신의 사도적 직분을 수행하라고 파견된 사람들이지요. 노자는 도를 깨달은 그래서 도로부터 파견 받은 사람답게 몇 가지 자신의 삶의 태도, 삶의 방향을 우리들에게 이야기해 주고 있습니다.

예컨대 "자기 장점(무공)을 뽐내지 않는다.", "적과 맞서 싸우지 않는다.", "사람들과의 관계 속에서 자신을 낮춘다." 등등이지요. 이것을 노자는 '다투지 않는 덕', '사람을 부리는 덕'이라고 표현하고, 나아가서 '하늘과 짝할 수 있는 지극함(준칙)'이라고 생각했습니다. 지금부터 2천 년 전에 노자는 어쩜 이렇게도 기특한 생각을 다할 수 있었는지,

다만 이런 사람을 보내 주신 하느님께 감사를 드릴 뿐입니다.

수녀님, 오늘부터 명절 연휴의 시작입니다. 연구소에 앉아 있으면 밖에서 들려오는 바깥 풍경이 시끌벅적합니다. 모두들 명절 준비에 한창일 것이겠지요. 이번 명절에 누구에게는 평화와 행복이 기다리고 있을 것이고, 또 누구에게는 고독과 고달픔이 기다리고 있지 않을까 싶습니다.

날씨는 화창하여 마치 하마 봄이 다가온 듯한 착각에 빠져들게 하는 아침나절입니다. 수녀님들의 일상에 대해서 모두 잘 알 수는 없지만, 지금쯤 소머리산 아래 수도원에서도 명절을 앞두고 웃음소리가 담장을 굼실 넘어가고 있지 않을까 상상해 봅니다.

설날에 저는 고향 공소에서 어르신들과 함께 설날미사를 드리기로 되어 있습니다. 사순절 시작이긴 하지만 사순절이 곧 은혜로운 때이기 때문에 수녀님들도 하느님의 은총에 흠뻑 취하는 명절이 되시기를 기도해 봅니다.

그럼 수녀님, 언제나 주님 안에서 행복한 시간이 되시기를 기도해 보면서, 『도덕경』 제69장에서 뵙도록 하겠습니다.

2018년 2월 15일 재의 수요일 다음 목요일에.

용병은 말하고 있지. '나는 함부로 주인노릇 하지 않고 손님노릇만 하며,
함부로 한 치를 나아가기 보다는 한 자 뒤로 물러서지.'
이것이 '행군하되 행군을 없애고 소매를 걷어붙이되 부딪칠 팔뚝을 없애며
대적하려하나 적으로 삼을만한 적이 없고 움켜잡지만 들고나갈 병장기를 없애버린다.'는 말이지.
앙화는 적을 가볍게 여기는 것보다 더 큰 것은 없다네.
적을 가볍게 여기면 거의 나의 보배를 잃어버리게 되지.
그래서 군대를 일으켜 서로 엇비슷하게 맞부딪힐 때는 애달파 하는 자가 이기게 되지.

69장

용병은 말하고 있지

수녀님, 꽃피고 새가 지천으로 울어댄다는 삼월이 돌아왔습니다. 잘 계시지요? 겨우내 땅속에 숨죽여 지내던 벌레들이 봄 냄새를 맡고 비로소 꿈틀거리기 시작한다는 '경칩(驚蟄)'이 지났는데도 아직 겨울은 쉽사리 봄에게 자리를 내어주기 싫은가 봅니다.

바람이 차고 가끔씩 눈발도 날리고요. 하지만 제 아무리 고집이 센 겨울이라도 어쩔 수 없이 오는 봄에게 자리를 곧 내어주지 않을까 기다려 봅니다.

사실 계절은 자기 욕심을 챙기려고 다른 계절에게 자리를 내어주지 않는 것이 아니라 때를, 곧 '천시(天時)'를 기다리고 있을지도 모르겠습니다. 하늘이 내려준 그때가 되면, 계절은 모든 것을 내려놓고 또 다른 계절에게 자리를 기꺼이 내어줄 줄 알 뿐 아니라 하늘의 명령(天命)에 정성껏 순응하지요.

우리는 그것을 '겸손(謙遜)'이라고 말한답니다. 겸손은 '덕(德)스러움'의 가장 기초가 되기 때문에 '겸덕(謙德)'이라고 부르기도 하지요. 덕스러우면 곧 '도(道)' 에 나아갈 준비가 되어 있다는 뜻이 아니겠는지요? 그러고 보면 '덕'은 '도'의 또 다른 측면이랍니다.

'도'에 가까이 나아가는 사람은 '덕'을 삶 속에서 조금씩 보여 줄 수 있으니까요.

오늘은 보슬비가 송송 내립니다. 며칠 전에는 눈이 엄청나게 많이도 내렸었는데, 사람들은 그것을 보고 '봄을 재촉하는 비'라고 하기도 하고 또 내리는 눈을 보고 '서설(瑞雪)'이라고도 하더군요. 그럴 수도 있겠지만, 어쩌면 겨울이 봄에게 망설임 없이 자리를 내어주기 위한 기쁨의 눈물이 아닐까 생각해 봅니다. 가지고 있던 것, 움켜잡은 것을 내려놓기란 쉽지 않은 일이지만, 내려놓을 때 기쁘게 내려놓는 것도 결코 쉬운 일은 아닐 것이지요. 해서 겨울이 봄에게 자리를 기쁘게 내어주면서 흘리는 눈물은 '낮아지는 삶'이 무엇인지를 아는 이만이 누릴 수 있는 축복이요 행복이지요.

노자가 『도덕경』을 통하여 주로 이야기해 주고 싶은 것이 있다면, 그것은 곧 '겸덕'이 아닐까 싶습니다. 누구든지 자기를 낮출 줄 아는 사람이, 자기를 없이 할 줄 아는 사람만이 '도의 경지'에 오르기 쉽고, '성인이 되기' 쉬우며 '하느님과 하나'가 되기에 쉽지 않을까 싶습니다. 세례자 요한도 감옥에 갇혀 있으면서 "그분은 커지셔야 하고, 나는 작아져야 한다."(요한3,30)고 말하였지요. 뿐만 아니라 사도 바오로도 필리피 공동체에 편지를 적어 보내면서 '일치와 겸손'에 대해 이야기하는 가운데 '그리스도 예수님께서 지니셨던 바로 그 마음'을 간직할 것을 권고합니다.

> "그분께서는 하느님의 모습을 지니셨지만
> 하느님과 같음을 당연한 것으로 여기지 않으시고
> 오히려 당신 자신을 비우시어
> 종의 모습을 취하시고
> 사람들과 같이 되셨습니다.
> 이렇게 여느 사람처럼 나타나
> 당신 자신을 낮추시어
> 죽음에 이르기까지,
> 십자가 죽음에 이르기까지 순종하셨습니다."(필리2,6-8)

노자도 또한 '용병'이 된 자, '일꾼'이 된 자의 태도가 어찌되어야 하는지를 비교적 자세하게 이야기해 주고 있습니다.

용병은 말하고 있지(用兵有言).
"나는 함부로 주인 노릇 하지 않고 손님 노릇만 하며(吾不敢爲主而爲客),
함부로 한 치를 나아가기보다는 한 자 뒤로 물러서지(不敢進寸而退尺).
이것이

'행군하되 행군을 없애고

소매를 걷어붙이되 부딪칠 팔뚝을 없애며

대적하려 하나 적으로 삼을 만한 적이 없고

움켜잡지만 들고 나갈 병장기를 없애 버린다.'

는 말이지(是謂行無行, 攘無臂, 扔無敵, 執無兵).

앙화는 적을 가볍게 여기는 것보다 더 큰 것은 없다네(禍莫大於輕敵).

적을 가볍게 여기면 거의 나의 보배를 잃어 버리게 되지(輕敵幾喪吾寶).

그래서 군대를 일으켜 서로 엇비슷하게 맞부딪힐 때는(故抗兵相加)

애달파하는 자가 이기게 되지(哀者勝矣).

　　사실 노자에게 있어서 '도'는 지극한 연민을 가진 인격자로 표현해 주고 있으며 인격자이기 때문에 '도'는 겸손하고, 자신을 없이할 줄도 압니다. 자신을 없이할 줄을 알기 때문에 모든 이에게 애틋한 '연민의 정'을 가지고 있다고도 볼 수 있습니다. 노자가 말하는 '용병(用兵)'은 '용병술' 곧 병사를 운용하는 기술로도 볼 수 있지만 여기에서는 그저 '일꾼' 혹은 군대에 동원된 '병사'라고도 볼 수 있습니다. '용병'이나 '일꾼'은 그저 지휘관이나 주인이 맡기는 대로 전쟁터에 나가거나 일을 열심히 수행할 따름이지 결코 지휘관 노릇을 한다든지 주인 노릇을 해서는 안 되겠지요? 만일 지휘관 노릇이나 주인 노릇을 하려고 든다면 그는 군법에 회부되거나 파면 당하고 말지 않을까 싶습니다.

그가 교만하거나 오만하여 지휘관이나 주인 앞에서 주인 행세를 하게 된다면 결국 그는 자기의 본분을 잊어 버리게 되고, 본분을 잊어 버리게 되면 그는 내쫓기는 신세가 되고 말 것입니다. 그러므로 노자는 과감한 주체(主體)가 되기보다는 겸손한 객체(客體)가 되며 "나는 함부로 주인 노릇 하지 않고 손님 노릇만 하며(吾不敢爲主而爲客), 함부로 한 치를 나아가기보다는 한 자 뒤로 물러서지(不敢進寸而退尺)."라고 이야기하지 않았을까 싶습니다.

　전쟁에 관한 것까지 포함해서 노자가 세상의 모든 문제에 대처하는 방식은 겸손한 도의 형식을 닮아 가려는 것이고, 자신을 낮추어 드러내지 않으며 자신만의 강한 의지로 모든 상황을 선도하거나 주도하지 않는 '객체', 곧 '손님' 혹은 '일꾼'의 자세를 견지해야 한다는 것을 주장하고 있지요.

　'주인 행세'를 하지 않는다는 것은 이미 34장에서 다루었고, 도를 체득한 성인이 손님처럼 조심스럽고 신중한 태도로 세상사에 임하는 것은 15장에서 살펴본 적이 있습니다.

　지금의 세상은 모두들 일꾼으로 살 생각, 저마다 맡은 역할에 충실하려는 생각은 가지지 않고 오로지 '주인 행세'를 하면서 거들먹거리려고 애를 쓰고 있지요. 그렇기 때문에 지금의 세상이 어쩌면 이 모양 요 꼴이 아닌가 생각해 봅니다. '애달파하는 자가 이기게 되는 세상'이 언제나 오려는지요? 제67장에서 이미 우리가 보아왔듯이 노자는 "애

달파하는 마음을 연민이라고 표현하고, 연민은 안타까워하는 마음이
지요. 안타까워하는 마음은 사랑이 없으면 결코 가질 수 없는 참 신앙
이 아니겠는지요?"

노자는 67장에서 말한 적이 있습니다.

"사랑하기 때문에 용기를 낼 수 있고(慈故能勇),

아끼기 때문에 넓어질 수 있으며(儉故能廣),

함부로 천하를 위해 앞장서지 않기 때문에(不敢爲天下先)

만물의 으뜸으로 될 수 있었지(故能成器長).

이제 사랑을 저버리면서까지 용감해지고(今舍慈且勇),

아낌을 포기하면서까지 넓히려 하거나(舍儉且廣),

뒤로 물러남을 버리면서까지 앞으로 나서겠다면(舍後且先),

죽음일 뿐이겠지(死矣).

무릇 사랑으로 싸우면 이기고(夫慈以戰則勝),

그것으로 지키면 견고해질 것이네(以守則固).

하늘이 그를 구하려 한다면(天將救之),

사랑으로 그를 지켜줄 것이네(以慈衛之)."

수녀님, 이 장에 대한 저의 생각을 적어 나가면서 '사순절의 의미'를
되새겨 봅니다. 피땀을 흘리시면서 사람들을 위하여 죽음에로 묵묵히

걸어가시는 예수님의 마음이 곧 인간을 사랑하시고, 안타까워하시고, 연민으로 가득 차신 마음이고, 노자가 노래한 바로 그 삶이 아니었을까 생각해 봅니다.

제가 이번 달에 이렇게 빨리 적어서 수녀님들께 보내는 이유는 이제 사순절도 중반에 들어섰고, 또 이맘때면 부활맞이 합동 판공성사가 시작되기 때문이지요. 신자들에게 고해성사를 집전하다 보면 어느새 저의 몸도 마음도 정화되어 가는 느낌을 받습니다. 새로 부임하시게 될 부(扶) 신부님이 미처 부임하지도 못하고 병원에 입원해 계시다는 소식을 들었습니다. 빨리 완쾌되시어 수녀님들과 함께하는 날이 오기를 기도합니다. 아울러 수도원의 식구들에게도 미리 우리 주님이신 예수님의 죽으시고 묻히시고 부활하심을 미리 함께 기뻐하고 축하를 드립니다.

그럼 『도덕경』 제70장에서 뵙겠습니다.

2018년 3월 9일 금요일에

내가 하는 말은 알기도 매우 쉽고, 행하기도 아주 쉬운데,
천하는 알려고 하지 않으니, 행할 수도 없지.
하는 말에는 종지가 있고, 일삼음에도 머리가 있지만,
무릇 오직 지혜가 없으니, 이 때문에 나를 알지 못하네.
나를 아는 자가 드물다면, 나를 본받는 자도 귀하지.

70장

내가 하는 말은 알기도 매우 쉽고

수녀님, 또 비가 내리네요. 예수님의 부활시기를 보내고 있는 이때에 비가 내린다는 건 한없이 상서로운 일이 아닐까 싶습니다. 이맘때 내리는 비는 온 누리를 풍요롭게 만드시는 그분께서 뿌려 주시는 은총의 단비이기 때문이지요. 흔히들 사월은 '잔인한 달'이라고 말하지만 잔인한 것은 황폐해진 인간의 마음일 뿐이고, 실상은 하늘에서 단비가 내리고 땅에서는 온갖 푸른 움이 돋아나는 풍요로움의 계절이지요. 하지만 사람들은 그런 것에 대해서는 알려고도 하지 않고, 오로지 현재 자신에게 주어진, 혹은 주변에 널려 있는 것들이 자신의 생존 전략과 무슨 관계에 놓여 있는지에 대해서만 관심을 기울이는 것처럼 보이니 그것이 슬플 따름이랍니다. 오늘 바라다보는 노자의 노래에서도 그러한 상황을 한탄하는 노자의 비탄조의 읊조림을 엿볼 수 있답니다. 말하자면 노자는 '도를 알아보는 지혜'를 세상 사람들이 가졌으면 하는 또 다른 희망에 대해서 담론하고 있다고 보아야 하지 않을까 싶습니다. 마치 요한복음 사가가 복음서 벽두에서 세상을 바라보며 한탄했던

읊조림을 연상케 하는 대목이 아닐까 싶기도 하고요. 요한복음 사가의
이 말씀은 제가 벌써 앞에서 몇 번이고 인용한 적이 있지만 인용하면
할수록 그 맛이 새로워서 또 여기에서 인용하게 됩니다.

"한처음에 말씀이 계셨다.
 말씀은 하느님과 함께 계셨는데
 말씀은 하느님이셨다.
 모든 것이 그분을 통하여 생겨났고
 그분 없이 생겨난 것은 하나도 없다.
 그분 안에 생명이 있었으니,
 그 생명은 사람들의 빛이었다.
 그 빛이 어둠 속에서 비치고 있지만
 어둠은 그를 깨닫지 못하였다.
 ....(중략)................
 모든 사람을 비추는
 참 빛이 세상에 왔다.
 그분께서 세상에 계셨고
 세상이 그분을 통하여 생겨났지만,
 세상은 그분을 알아보지 못하였다.
 그분께서 당신 땅에 오셨지만

그분의 백성은 그분을 맞아들이지 않았다."(요한1,1-10 참조)

요한복음 사가는 "그분께서 당신 땅에 오셨지만 그분의 백성은 그분을 맞아들이지 않았다."고 일갈합니다. 또 집회서의 저자도 이에 대하여 말합니다.

"인간은 무엇인가?

그의 선함은 무엇이고 악함은 무엇인가?

인간의 수명은 기껏 백 년이지만

영면의 시간은 누구도 헤아릴 수 없다.(집회18,8-9)"

사실 사람들은 알아듣기 쉬운 말을 좋아하고 행하기 쉬운 것들을 행하려는 습성이 있지요, 하지만 알아듣기 쉬워도 행하기 어려우면 귀를 닫고 눈을 닫고 마음마저 닫아버리기가 일쑤이지요. 예컨대 "사랑합니다."라는 말은 얼마나 듣기에 아름답고 쉬운 말입니까? 하지만 '사랑'을 행동으로 드러내 보이기란 또 얼마나 어려운 일이겠는지요? 그래서 사람들은 '사랑'이라는 말은 수도 없이 뱉어 내지만, 정작 사랑을 행동으로 나타내 보이지를 못하고 주저하거나 머뭇거리거나 얼버무리고 말지요. 예수님도 그 '사랑'이 얼마나 지고지순(至高至純)한지를 우리들에게 말씀하신 적이 있지요.

"네 마음을 다하고

네 목숨을 다하고

네 정신을 다하여

주 너의 하느님을 사랑해야 한다.

·····································

네 이웃을 너 자신처럼 사랑해야 한다."(마태22, 34-40)

아래의『도덕경』본문의 내용은 노자가 다른 사람들이 '도'에 관하여 자신의 설법을 이해하지 못하고 있는 것에 대해 대단히 서운해 하는 감정을 노골적으로 드러낸 것이라고 말할 수 있습니다.

다른 사람들이 이해하지 못한다는 것은 단순히 알아듣지 못한다는 의미도 포함되어 있지만, 무엇보다도 공동체의 지도자들이 노자 자신의 이론을 통치 이데올로기로 채택하지 않는, 곧 '도를 알아보는 지혜'를 살지 않는 것에 대한 섭섭함이라고 볼 수 있지요. 아마 예수님께서도 마음속으로 '노자의 섭섭함'과 같은 서운함을 가지고 계셨지 않았을까 생각해 봅니다.

이러한 '섭섭함'이나 '서운함'은 곧 21세기를 살아가는 현대의 지도자들이나 심지어 교회 공동체 안에서 발생하는 다양한 모습들 안에서도 제기해 봄 직한 '화두'가 아닐까 싶기도 합니다.

내가 하는 말은 알기도 매우 쉽고(吾言甚易知),

행하기도 아주 쉬운데(甚易行),

천하는 알려고 하지 않으니(天下莫能知),

행할 수도 없지(莫能行).

하는 말에는 종지가 있고(言有宗),

일삼음에도 머리가 있지만(事有君),

무릇 오직 지혜가 없으니(夫唯無知),

이 때문에 나를 알지 못하네(是以不我知).

나를 아는 자가 드물다면(知我者希),

나를 본받는 자도 귀하지(則我者貴).

　　프란치스코 교황은 지난 2014년 8월 중순에 한국을 방문하는 동안 "한국 교회는 돈이 너무나 많다."고 하였다고 합니다. 이때 '너무나'는 '지나치게'라는 뜻이고, 그렇게 돈이 많으면서 한국 교회는 가난한 이웃들과 나누지도 않고, 가난하게 살려고도 노력하지 않고 있다는 것을 방증해 주는 말씀이 아닐까 싶기도 합니다. 교황의 이 말씀은 결국 한국 교회가 이른바 '돈의 노예'가 되어 가고 있다는 뜻이고, '돈'을 숭배하고 있으니 결국 '우상 숭배'의 나락으로 빠져들어 가고 있다는 말씀이 아니겠는지요?

노자도 또한 자신이 처해져 있던 당시의 세상이 점점 '도'와 거리가 먼 쪽으로 흘러가고 있음을 한탄했으리라 여겨집니다.

하지만 사람들은 모두 자신에게 익숙해진 삶을 살아가고 있고, 조그마한 불편에도 역정을 내며 더욱이 자신의 자존심을 건드리는 이에 대해서는 인정사정 볼 것 없이 보복하려 드니 어찌 보면 인간은 창세기부터 지금까지 하느님의 뜻이나 '도'에 걸맞는 삶과는 점점 거리를 두고, 오히려 자신의 명예, 입신영달, 안위 등등에만 관심을 기울여 가고 있기 때문에 지금의 괴물 같은 세상이 만들어져 있지 않을까 싶습니다. 그래서 노자는 거룩한 사람, 성인의 모습을 다음과 같이 그려 이야기해 주고 있습니다.

이래서 거룩한 사람은 거친 갈포를 걸쳤으면서도
옥구슬을 품고 있다네(是以聖人被褐懷玉).

'거친 갈포'를 입은 사람들은 우리 시대의 노숙자나 걸인의 행색입니다. 하지만 노숙자나 걸인이라고 다 지탄 받을 대상이 아니라는 것이 노자의 생각이지요. 왜냐하면 비록 그들의 겉은 손가락질 받을 만하지만, 그들의 마음은 '옥구슬'을 품고 있기 때문에 고귀하다는 것입니다. 이와 같이 거룩한 사람, 성인도 비록 행색은 누더기를 걸치고 있어서 초라해 보여도, 그의 마음 씀씀이와 행동거지는 하느님을 닮아

가고 있고, 도를 따르는 사람일 수 있기 때문이지요.

수녀님, 비가 조금 전보다 더 세차게 내립니다. 이 비가 그치면 저도 와룡의 사제관에 조그만 텃밭을 일구어 본격적으로 고추랑 가지 그리고 각종 채소를 심을 준비를 해 두어야 할 것이라고 생각하고 있습니다. 지금쯤 소머리산 아래 수도원과 그 주변들도 온통 푸르른 녹음의 싹들이 한가득 움터 올 것이라 상상해 봅니다. 그런 가운데 2019년, 내년이면 안동교구 설정 50주년 행사의 일환으로 작업하고 있는 것들을 교우들에게 내놓아야 할 터인데 하는 생각에 마음만 자꾸 무거워지는 요즈음입니다. 예수님의 부활시기를 가능하다면 기쁘고 즐겁게 보내려고 노력하지만 마음만큼 잘 안 되는 것이 우리 인간들의 한계인지도 모르겠습니다.

수녀님들은 언제나 주님 안에서 기쁘고 떳떳하게 이 좋은 주님의 기쁜 부활시기를 보내시기를 기도합니다. 그럼 다음 『도덕경』 제71장에서 뵙겠습니다.

2018년 4월 14일 부활 제2주간 토요일에

배움을 끊어버리면 근심이 없어지지.
'예'와 '응'은 서로 거리가 얼마나 될까?
'선함'과 '악함'은 서로 또 거리가 얼마나 될까?
사람들이 두려워하는 바는 두려워하지 않을 수 없구나.
아득하기도 하여라! 그 끝은 다함이 없구나.

71장

알면서도 모른다고 하면

수녀님, 계절의 여왕이라고 하는 오월의 첫 주가 시작되었습니다. 오월의 비가 하염없이 내리고 있습니다.

이 비가 그치면 꽃 피고 새 우는 사월이 지나가고 푸르른 녹음이 짙어가는 오월이 본격적으로 오게 되겠지요? 한낮엔 뻐꾸기가 지천에서 울어대고, 한밤엔 두견새가 처량하게 울어대는 오월은 확실히 사람으로 하여금 생기가 돌게 하는 계절이 아닌가 싶습니다. 잘 계시지요? 예수님의 부활을 기념하는 시기도 어느덧 종반으로 향하면서 곧 성령강림 대축일로 내달리고 있네요.

어느덧 『도덕경』 70장이 넘어가니까 저도 모르게 마음이 바빠지고 걸음이 급해집니다. 아무래도 수녀님들께 『도덕경』에 관한 강의를 약속했기 때문에 '편지'라는 형태에 가탁(假託)하여 이 글을 쓰기 시작한 것이 무척 오래되었고, 따라서 빨리 『도덕경』을 끝내 드려야 한다는 조급함이 빚어낸 탓인지 종종걸음을 걷고 있는 나를 발견할 때, 참 어이없는 저의 모습에 스스로 부끄러워 보이는 시간입니다.

텔레비전을 보시고 짐작하셨을 테지만, 확실히 2018년 4월 27일 (금)은 오랫동안 겨울 한복판에 살았던 우리 민족에게 해빙(解氷)의 봄날을 앞당겨 맞이하게 하는 듯 희망을 보여 준 찬란한 날이 아니었던가 싶습니다. 오늘 이 장에서 노자는 '앎'에 대해서 자신의 생각을 말해 주고 있습니다. 앎, 안다는 것에 대해서 노자의 생각은 분명합니다. 그것은 세상에서 '병이 생겨나는 원인'이라는 것이지요. 우리 속담에도 "아는 것이 병이고, 모르는 것이 약이다."라는 말이 곧 노자의 견해와 궤를 같이한다고 보아도 무방할 듯합니다. 이러한 노자의 견해와 속담은 곧 예수께서 말씀하신 복음의 내용과 일맥상통한다고 보고 싶습니다.

예수께서는 "아버지, 하늘과 땅의 주님! 지혜롭다는 자들과 슬기롭다는 자들에게는 이것을 감추시고, 철부지들에게는 드러내 보이시니 아버지께 감사드립니다."(마태11,25)라고 하셨지요. 노자가 아래에서 자신의 견해를 노래한 것도 이와 엇비슷하게 닮아 있습니다.

알면서도 모른다고 하면 으뜸이 되고(知, 不知, 上),

모르면서 안다고 하면 병이지(不知, 知, 病).

대체로 오직 병을 병으로 여기기 때문에(夫唯病病),

병이 나지 않는다네(是以不病).

어떤 경우에 있어서, 어른들은 아이들에게 알면서도 "잘 모르겠다(不知)."고 대답을 하곤 하지요. 노자는 역설적이게도 "알면서도 모른다고 하면 으뜸이 된다"고 말합니다. 아는 사람이 잘 모르겠다고 할 때의 '부지(不知)'는 단순히 모른 척한다거나 무지한 상태를 말하는 것이 아니라, 구분의 기능을 지적 체계 안에 담지 않는다는 것을 의미하지요. 말하자면 자신이 아는 내용을 다른 이들에게 고집스럽게 적용하려 든다거나 강제로 아는 것을 주입시키려 들면서 자신의 생각을 이데올로기화 하려 하지 않는다는 뜻이랍니다. 이것에 대해서 우리는 이미 『도덕경』 20장에서 노자의 견해를 들은 바가 있지요. 노자는 20장에서 다음과 같이 노래하였습니다.

"배움을 끊어 버리면 근심이 없어지지(絕學無憂).
'예'와 '응'은 서로 거리가 얼마나 될까(唯之與阿 相去幾何)?
'선함'과 '악함'은 서로 또 거리가 얼마나 될까(善之與惡 相去若何)?
사람들이 두려워하는 바는 두려워하지 않을 수 없구나(人之所畏 不可不畏).
아득하기도 하여라! 그 끝은 다함이 없구나(荒兮其未央哉).
〈도덕경 제20장〉

'절학무우'는 곧 "배움을 끊어버리면 근심도 사라진다."는 뜻이니 속담에 "아는 것이 병이다."라는 말이겠지요? 예수께서 말씀하신 '안다는 사람들과 똑똑하다는 사람들'은 의심이 많고 생각이 많아서 언제나 근심과 걱정으로 뭉쳐져 있고, 그 때문에 '믿음(信)'으로 나아가지 못하고 퇴보하거나 선으로 향하지 못하고 오히려 악으로 흐를 경향이 짙다는 이야기입니다. 곧 '거룩한 사람'은 성인이 되는 데 장애가 있을 수 있다는 뜻이지요.

또 안다는 사람과 똑똑하다는 사람들은 세상을 볼 때, 모든 것을 '이분법'으로 보려고 하기 때문에 '내편'과 '네편'을 나누고, '옳고 그름'으로 나누며 '오른쪽과 왼쪽'으로 편 가르기를 시도하려 하기 때문에 '있는 그대로'를 잘 보려 하지 않거나 인정하려 들지 않습니다. 따라서 결국 '안다는 것'은 '병의 원인'으로 흐르기 십상이지요.

거룩한 사람은 병이 나지 않는데(聖人不病),

병을 병으로 여기기 때문이지(以其病病).

이래서 병이 나지 않는다네(是以不病).

노자는 '거룩한 사람'은 '시비(是非)'나 '피차(彼此)' 그리고 '지부지(知不知)'를 따지거나 논하지 않기 때문에 병으로 흐를 가능성이 없다는 것입니다. 오히려 거룩한 사람은 '병을 병으로 여기기 때문에' 병을 내 몸을 방문한 친구쯤으로 여긴다는 것입니다. 그래서 병이 나질 않는다는 것이지요. 수녀님들도 무엇을 결정할 때 골치 아프거나 혹은 실제

몸에 병이 왔을 때 그것을 친구로 한 번 여겨 보십시오. 그러면 한결 마음이 편안해질지도 모르겠습니다.

마음이 편안해지면 몸도 편안해지고, 몸이 편안해지면 남들과 다툴 일도 없어지며 다툴 일이 없어지면 서로 간에 이해할 일만 남게 되고, 서로 이해되면 여유로워지고, 여유로워지면 용서할 수 있게 되고, 용서할 수 있으면 나눌 수 있게 되고, 나눌 수 있게 되면 사랑으로 이어질 수 있지 않을까 싶습니다. 그렇게 되면 노자가 말하는 '거룩한 사람'으로 살 줄 알게 되겠지요.

수녀님, 앞에서도 말씀드렸지만, 『도덕경』에 관한 저의 생각을 수녀님들과 나누기 시작한 것이 너무나 오래되어서 자꾸만 성급하고 조급해지는 마음을 억누를 길이 없습니다. 하지만 성급하고 조급해지려는 마음을 억누르는 것도 어찌 보면 옛 성현들에게서 배워야 하지 않을까 생각해 봅니다.

지금 이렇게 비가 내리고 있으니 이 비 그치면 일구어 놓은 텃밭에 고추를 심어 보려고 합니다. 심을 고추 모종이야 몇 포기 되지 않지만, 내손으로 가꾼 고추가 열매를 맺어 밥상에 오른다면 그것보다 더 좋은 보약이 없다는 생각에 벌써 마음은 조그만 텃밭에 가 있습니다. 지금쯤 수도원 그 작은 텃밭에도 수녀님들의 부지런한 손길이 닿아 있겠지요? 그리고 밭을 공동으로 일구면서 떠들썩하고 맑은 수녀님들의 웃음소리가 하마 제 귀에까지 들리는 듯합니다.

'농자천하지대본야(農者天下之大本也)'라는 말이 무엇을 의미하는지 반추(反芻)해 보는 시간입니다. 수녀님, 녹음이 가득해지는 이 오월, 성모의 성월이요 제일 좋은 시절인 이 계절에 하느님의 은총 듬뿍 받으시기를 기도합니다.

어제 저녁에는 교구청에서 성모의 밤 미사에 참여하였는데 그곳에서 김재형 신부를 만났습니다. 생각보다 얼굴이 좋아 보여서 좋았습니다. 언제나 하느님 안에서 행복한 시간이 되시기를 기도합니다.

『도덕경』제72장에서 뵙겠습니다.

2018년 5월 2일(수) 성 아타나시오 주교 축일에

제비꽃

백성들이 권위를 두려워하지 않게 되면, 큰 권위는 지극해지지.
그들의 삶의 터전을 내리누르지 말고,
그들의 삶을 귀찮게 굴지 마시게나.
무릇 오로지 귀찮게 굴지 않는다면, 싫어하지 않지.

이래서 거룩한 사람은
스스로를 알면서도 스스로 드러내지 않고,
스스로를 아끼면서도 스스로 귀히 여기지 않지.
그러므로 저것을 버리고 이것을 취한다네.

72장

백성들이 권위를 두려워하지 않게 되면

수녀님, 하느님을 믿는 이들의 대부분은 이 오월을 '성모의 성월이요 제일 좋은 시절'이라고 노래를 부르는데, 그런 오월도 중반을 넘어서서 종반으로 치닫고 있습니다. 수도원의 식구들도 모두가 다 잘 계시지요? 지난번 편지에서도 『도덕경』 편지를 너무 오랫동안 적어 보내드리면서 저의 마음도 덩달아 무척 조급해졌다는 말씀을 전해 드렸습니다.

그래요 수녀님, 하여 내친김에 가능하면 올해 안으로 『도덕경』 편지를 마치려고 합니다. 그러자면 아마도 어떤 달에는 두 번씩 보내기도 할 텐데, 그래도 수녀님들은 저처럼 너무 조급해하거나 짜증내지는 말아 주셨으면 합니다. 오히려 그런 저를 위해 기도해주시고 격려해주시면 고맙겠습니다.

뻐꾸기가 지천으로 울어대고 논밭이며 주변의 산천에는 푸르름이 가득한데 여전히 아침저녁으로는 춥습니다. 어떤 이들은 이 날씨가 정상적인 것이 아니라고 합니다.

텃밭에 심은 고추 모종도 성장을 멈춘 듯, 낮은 키 그대로 서서 지금 내리고 있는 저 비를 흠뻑 맞고 있으니 그저 애처로워 보일 따름입니다.

그래도 이 비 그치면 날씨가 예전처럼 돌아온다니 다행이라 생각하면서 키 작은 고추들이 쑥쑥 자라나는 과정을 지켜볼 것입니다.

오늘 노자는 '참된 권위'에 대해서 노래하고 있지요. 노자에 따르면, '권위'는 역설적이게도 백성들이 두려워하지 말아야 참된 권위라고 합니다. 일반적으로 권위를 가진 사람들은 그 권위를 가지고 다른 사람들을 내리누르려고 합니다.

이 권위는 권한(權限)과 연결되어 있지요. 그렇기 때문에 자신에게 주어진 권한으로 권위를 내세우거나 그 반대편에 서 있는 사람들은 그 권위에 굴복하지 않으려 하거나 혹은 권위에 압도되어 비굴한 모습을 보이기도 하는 것이 지금의 세상사이지요. 예수께서도 십자가에 못 박히기 전에 빌라도 총독에게 심문을 받을 때, 빌라도가 "나에게 말을 하지 않을 작정이오? 나는 당신을 풀어 줄 권한도 있고 당신을 십자가에 못 박을 권한도 있다는 것을 모르시오?" 하자, 이에 예수께서는 "네가 위로부터 받지 않았으면 나에 대한 아무런 권한도 없을 것이다."(요한 19,8절 이하)라고 하셨지요.

요즘 지방자치 단체장과 의회 의원을 뽑는 선거철이 시작되었지요. 지방자치 단체장이나 의회 의원들을 뽑아 세우는 것은 전적으로 그 지방의 백성들에게 달려 있지요. 말하자면 그 지방의 백성들에 의해서 뽑힌 단체장이나 의원들에게 그 지방을 잘 이끌어 나갈 권한이 주어지고, 그 권한으로 자신의 권위를 한껏 내세워서 그 지방의 사람들의 삶이 평화스럽고 행복할 수 있도록 온 정성을 다 기울여야 하는데, 사실 현실을 보면 그렇지 못하다는 것을 뽑힌 이나 국민들 모두 다 잘 알고 있는 사실이 아닐까 생각합니다.

이러한 사실을 예수의 말씀에서 곧 "위로부터 받는다."라는 표현에서 찾아볼 수 있을 것이라고 생각합니다.

백성들이 권위를 두려워하지 않게 되면(民不畏威),

큰 권위는 지극해지지(則大威至).

그들의 삶의 터전을 내리누르지 말고(無押其所居),

그들의 삶을 귀찮게 굴지 마시게나(無厭其所生).

무릇 오로지 귀찮게 굴지 않는다면(夫唯不厭),

싫어하지 않지(是以不厭).

"위로부터 받는다."라는 예수님의 말씀은 곧 권위나 권한은 하느님의 것이고, 하느님께서는 그것을 사람들에게 잠시 위임하셨다는 뜻이됩니다.

사실 지방자치제에서 자치단체장으로 뽑힌 이들 역시 그 권위나 권한은 모두 백성들에게서 나오고, 백성들은 하느님의 백성들이지요. 그렇다면 모든 이 땅의 '통치(統治)'행위는 백성들로부터 나오고, 백성들은 그것을 하느님으로부터 받은 것이 분명합니다. 이러한 담론은 교회 안에서 혹은 각종 신앙 공동체 안에서도 상통하는 논리이지요.

노자는 백성들이 통치자의 위엄이나 억압 등을 전혀 의식하지 못하고, 다만 통치자의 존재만 희미하게 느끼게 된다면, 백성들의 일상은 평화스럽게 된다는 것입니다. 만일 통치자가 자신의 존재를 드러내고, 존재 의미를 백성들에게 강요하게 된다면, 백성들의 일상의 삶은 피곤하고 고단해질 것이고, 그렇게 되면 백성들은 통치자의 통치행위를 귀찮게 여기게 될 것입니다. 따라서 그러한 통치자의 통치행위, 곧 권한이나 권위는 엄밀한 의미에서 '참된 것'이라고 말할 수 없을지도 모르겠습니다.

설령 그것이 '참되다'고 할지라도 권한이나 권위가 사유화 되고, 자기에게 맡겨진 백성들을 억압하는 수단으로 사용되기 시작했다면, 그것은 더이상 참된 것이라고 말할 수 없을 뿐더러 오히려 폭군, 못된 군주라는 막말을 어른에서 아이들에게 이르기까지 들을지도 모르겠습니다.

동아시아 문화권에서는 특정한 공동체의 장이 백성들과 잘 어울리거나 혹은 있는 듯 없는 듯 자기 존재를 드러내지 않으면, 백성들은 어김없이 그를 '성군(聖君)' 혹은 '군자(君子)'나 '거룩한 사람(聖人)'이라고 칭했지요. 한국 사회에서는 물론이고 한국 교회 안에서도 이와 같은 성군이나 군자와 같은 공동체장이 나왔으면 좋겠다는 생각을 해 봅니다. 수녀님들의 수도회에서는 어떤지 모르겠습니다.

이래서 거룩한 사람은(是以聖人)
스스로를 알면서도 스스로 드러내지 않고(自知不自見),
스스로를 아끼면서도 스스로 귀히 여기지 않지(自愛不自貴).
그러므로 저것을 버리고 이것을 취한다네(故去彼取此).

백성들이 그 통치에 염증을 느끼게 되는 가장 큰 이유는 무엇이겠습니까? 곧 통치자들이 자신을 낮추거나 물러서서 백성들의 마음을 자신의 마음으로 삼는 방식으로 통치를 하는 것이 아니라, 자신의 관점과 의지를 드러내고, 자신의 그런 관점과 의지대로 백성들을 인도하는 방식으로 통치하기 때문이 아닐까요?(최진석, 《노자의 목소리로 듣는 도덕경》, 소나무, 2001) 이러한 통치 방식이 만연되어 있는 사회는 불행한 사회가 되고 말 것이고, 그런 사회에 속해 있는 서민들의 삶은 날마다 고달픈 생활이 연속되겠지요? 그러한 삶 속에서 나날을 보내신 예수께서도 당신의 제자들에게 다음과 같이 일갈하십니다.

"민족들을 지배하는 임금들은 백성 위에 군림하고, 민족들에게 권세를 부리는 자들은 자신을 은인이라고 부르게 한다. 그러나 너희는 그렇게 해서는 안 된다. 너희 가운데 가장 높은 사람은 가장 어린 사람처럼 되어야 하고, 지도자는 섬기는 사람처럼 되어야 한다."(루카 22,25-27)

결국 노자도 예수께서 말씀하신 것과 유사한 언사를 합니다. "이래서 거룩한 사람은 스스로를 알면서도 스스로 드러내지 않고, 스스로를 아끼면서도 스스로 귀히 여기지 않지."라고 말입니다. 한 공동체의 통치자나 지도자는 자신을 물처럼 낮은 곳으로 흐르도록 하는 것이 아니라(上善若水), 자기에게 맡겨진 사람들 위로 우뚝 세워 자신을 고귀한 위치로 올려 놓으려고 합니다.

'섬기려는 사람'이 되려고 하는 것이 아니라 '섬김을 받는 사람'이 되려고 온갖 권모술수(權謀術數)를 다 부리지요.

그렇기 때문에, 노자가 꿈꾸는 삶은 어쩌면 예수께서 꿈꾸는 삶과 무척 닮아 있지 않을까 싶습니다. 국가가 존재하는 것도, 교회가 존재하는 것도 따지고 보면, 하느님의 뜻을 이 땅에 실현하기 위하여 나눌 것은 나누고, 섬기며 모두가 행복하고 평화스럽게 살 수 있는 땅을 이룩하기 위한 것이 아닐까요? 그래서 노자는 "그러므로 저것을 버리고 이것을 취한다네."라고 노래하였는지도 모를 일입니다. '저것'은 누군가에게 평가 받으려고 애를 쓰면서도 자신의 욕망에 따라 사는 것을 가리키고, '이것'은 자신의 존재 자체나 목적이 어디에 있는가를 분명하게 의식하고, 자기 자신을 다른 사람들이 귀하게 되도록 일꾼의 역할, 섬기는 사람이 되도록 노력하는 삶을 뜻하지요.

수녀님 오늘은 때마침 '스승의 날'이네요. 스승은 제자들을 섬기고, 제자들은 그러한 스승을 존경하는 세상이 언제쯤 올 수 있을까요? 참으로 진정한 스승은 오직 '우리 주 예수 그리스도' 그분 밖에 없으시겠지요? 그분을 닮아가려는 사람으로 살 것을 노력하고 다짐해 보는 시간입니다.

오늘의 오전을 보내고 있는 지금은 간간이 창 밖으로 자동차들이 내 달리는 소리만 들릴 뿐 무척 조용합니다. 가능하면 『도덕경』은 한 달에 두어 편씩 적어 보내겠습니다. 그리하여 올해가 다 가기 전에 마쳐 볼까 하는데 잘될 수 있을지 모르겠습니다.

그럼 수녀님, 『도덕경』 제73장에서 뵙겠습니다.

2018년 5월 15일 스승의 날에

분꽃나무

하늘의 도는,
다투지 않으면서도 잘 이겨내고, 말하지 않아도 잘 받아들이며,
부르지 않아도 저절로 오고, 느긋하면서도 잘 도모하지.
하늘의 그물은 넓고도 넓어서 엉성하면서도 빠뜨리지 않는다네.

| 73장 |

함부로 용기를 내면 죽게 되고 :
하늘이 싫어하는 것

　수녀님, 성모의 성월이자 제일 좋은 시절로 한껏 찬사를 받던 오월도 또 그렇게 속절없이 우리를 떠나가고, 이제 희디흰 찔레 넝쿨이 밭두렁 너머로 빼꼼이 넘겨다보면서 오가는 길손들에게 넌지시 손짓하는 유월이 우리 안으로 들어왔네요. 잘 계시지요? 본격적으로 더위가 기승을 부리기 시작하네요. 이럴 때는 시원한 나무 그늘이나 냉수 한 잔이 고맙고 그립기도 하지요.

　6월 4일(월), 내일부터 안동교구 사제단이 연피정을 떠납니다. 1년에 한 번 사제단 공동체가 함께 연피정을 떠난다는 것은 언제나 제겐 매년 기다려지는 하느님의 은총이 아닐 수 없답니다. 함께 기도하고, 공동으로 미사 드리고, 모두 한 식탁에 모여서 한 솥밥을 먹기 때문이지요. 더불어서 함께 산책하고, 함께 휴식을 취하는 것도 기다려지고요. 그래서 어쩌면 예수께서도 "너희는 따로 외딴곳으로 가서 좀 쉬어라."(마르6,31)고 하시거나 혹은 "따로 외딴곳으로 물러가시거나"

(마태6,13) 하셨지요. '한적한 곳에서 조용하게 좀 쉰다는 것'은 '안식 (安息)'을 의미하지요. 하지만 안식은 곧 영원히 쉰다는 것을 뜻하는 것이 아니라 다가올 다음의 일을 행하기 위한 '힘의 충전'이 아닐까 생각합니다.

원래 '피정(避靜)'은 피정을 원하는 사람들끼리 모여서 양팔을 벌려서 밤새 기도하고 고난을 체험하기 위한 것이 아니라, 바쁜 일상생활에서 잠시 벗어나 하느님을 만나고 하느님으로부터 새로운 기운을 부여 받기 위한 수행 과정의 하나이지요. 그래서 세속의 번잡한 일을 피하고 고요함 속으로 들어간다는 뜻으로 '피속입정(避俗入靜)'이라는 말을 하며 거기에서 '피정'이라는 말이 왔다고 하는 이들도 있습니다. 저도 전적으로 그 말에 동감합니다.

구약성경에서 엘리야 예언자는 어떤 사건에 연루되어 동굴로 피하게 되었는데 거기에서 하느님을 만나게 됩니다. 엘리야는 강한 바람이나 지진이나 타는 불 속에서가 아니라 고요해진 상황 속에서 '조용하고 부드러운 소리'(1열왕 19, 9-19 참조) 곧 하느님의 음성을 듣게 되고, 그분의 말씀을 들은 엘리야가 다시 길을 떠나게 되는 장면이 나오지요. 피정이란 곧 그런 것이 아닐까 생각해 봅니다.

노자는 '함부로 용기'를 내거나 '과감하게 내는 용기'는 사람을 죽게할 것이라고 말합니다. '과감한 것'은 자신의 의지와 관점 곧 주장을 분명하게 드러내고, 드러낸 주장을 고귀하게 만들며 만든 것을 가지고 천하에 군림하거나 앞장서려고 하기 때문에 언제나 위태롭지요. 자연의 운행, 하늘과 땅의 도(원칙)와 정면으로 배치하는 것이기 때문에 생명의 길로 나아가는 것이 아니라 죽음의 길로 들어서게 될 것이라는 게 노자의 생각입니다.(최진석《노자의 목소리로 듣는 도덕경》, 506쪽) 그래서 노자는 사람이 살아가는 데 있어서 '과감한 태도'나 '용감한 생각'으로 세상 속에서 군림하려 들면 안 된다는 것이지요.

함부로 용기를 내면 죽이게 되고(勇於敢則殺),

과감하게 내지 않는 용기는 살리게 되지(勇於不敢則活).

이 두 가지는 이롭기도 하고 해롭기도 하다네(此兩者或利或害).

하늘이 싫어하는 바는(天之所惡),

누가 그 까닭을 알겠는가(孰知其故)?

이래서 거룩한 사람은 오히려 어렵게 여기지(是以聖人猶難之).

억지로 혹은 함부로 또는 과감하게 하는 생각이나 행동이나 말, 곧 인간살이에서 타인의 주장을 묵살하고 자신의 의견을 끝까지 관철시키려는 '사언행위(思言行爲)'는 언제나 위험하지요. 겸손하지 못하고 타인을 배려하지 않으며 진실하고 사랑하는 태도가 그의 인격 속에는 결여되어 있기 때문이 아닌가 싶습니다. 그렇게 되면, 노자에 따르면, '하늘이 싫어하는 바'가 되고 말겠지요? 하늘이 싫어하는 것은 막무가 내로 밀어붙이게 되면 '하늘을 닮은 사람' 곧 '거룩한 사람'이 되기란 하늘의 별을 따는 것과 같지 않을까 싶습니다.

하늘의 도는(天之道),

다투지 않으면서도 잘 이겨 내고(不爭而善勝),

말하지 않아도 잘 받아들이며(不言而善應),

부르지 않아도 저절로 오고(不召而自來),

느긋하면서도 잘 도모하지(繟然而善謀).

하늘의 그물은 넓고도 넓어서(天網恢恢)

엉성하면서도 빠뜨리지 않는다네(疏而不失).

노자가 말하는 '하늘의 도(天之道)'는 "다투지 않으면서도 잘 이겨 내고, 말하지 않아도 잘 받아들이며 부르지 않아도 저절로 오고, 느긋하면서도 잘 도모하며 엉성하면서도 빠뜨리지 않는" 것입니다.

말하자면 행동에 있어서 치밀하지 못하고 엉성해도, 말에 있어서 논리적이지 않고 어눌해도 하지 않는 일이나 빠뜨리는 일이 없으며 해야 할 말을 다해 버리는 '순박함' 그 자체가 아닐까 싶습니다.

마치 사도 바오로가 코린토 공동체에 보낸 첫 번째 편지에서 언급한 '사랑의 송가'(1코린13장 참조)의 내용과 매우 닮아 있지요. 요즈음은 한창 선거철이지요. 이번 선거는 각 지방의 단체장들을 선출하는 선거입니다.

정치인들을 말해보면, "그 정치가 어눌하면 그 백성들은 순박해지고, 그 정치가 빈틈이 없으면 그 백성들은 교활해지기 마련"이지요. 무엇보다도 70여 년 동안 갈라져서 서로 불목(不睦)하던 남과 북이 서로 평화롭게 지내자고 한 것은 이즈음의 최고의 기쁜 소식이 아닐 수 없습니다. 평화를 원하지 않거나 화목을 원하지 않는 정치인이나 지도자들은 '삯꾼이나 이리'(요한10, 1-21 참조)에 지나지 않겠지요?

공동체의 지도자나 일꾼이 되려는 자는 한 번쯤 성경은 그렇다손 치더라도 노자의 『도덕경』을 한 번쯤 읽어본다면 생각이나 행동이나 말이 달라지지 않을까 생각해 봅니다.

수녀님, 내일부터 안동교구 사제단이 연피정에 들어갑니다. 끝까지 하느님께서 보시기에 좋게 마칠 수 있도록 기도 부탁드립니다.

저도 수녀님과 수도원 식구들을 기도 중에 기억하면서 피정을 잘 마치고 돌아오겠습니다.

그럼 『도덕경』 제74장에서 뵙겠습니다.

2018년 6월 4일 그리스도의 성체성혈 대축일에

백성들이 죽기를 두려워하지 않는데,
어찌 죽임으로 두려워 떨도록 할 수 있겠는가?
만약 백성들에게 언제나 죽음을 두렵게 만들어버리면,
이상한 짓을 하는 자
그를 내가 잡아서 죽여 버린 들
누가 함부로 하겠는가?

74장

백성들이 죽기를 두려워하지 않는데

수녀님, 잘 계시지요? 덕분에 피정을 잘 다녀왔습니다. 마산교구 배기현 주교님께서 '사제의 삶'에 대해서 강의를 하셨는데 주로 당신의 사제직에 대한 체험담을 말씀해 주셨기 때문에 무척 유익했답니다.

오늘 노자가 노래한 노랫말과 유사한 점이 있어서 무척 흥미롭다는 생각을 해 봅니다. '죽음을 전문적으로 관장하는 사람'과 '함부로 죽이는 일을 일삼는 자'의 삶의 행태는 근본적으로 다르다는 것을 이야기합니다.

1945년 일본 압제에서 해방된 이후, 거의 1997년 '국민의 정부'가 들어서기 전까지 이 땅은 겉은 민주주의 체제를 말하지만 안으로는 여전히 권문세가들의 독가점식 체제가 판을 치고 있었지요. 그동안 숱한 세월 속에 이 땅의 백성들은 '죽기를 두려워하지 않는' 심정으로 거리로 뛰쳐나와 '인간 권리의 존엄성 되찾기 운동'을 벌여왔고, 마침내 2017년 이 오월에 인간의 권리가 무엇이며 어디에서 나오는지를 똑똑히 체험하였고, 그로부터 1년 뒤인 2018년 이 유월에 다시금 이 땅의 사람들은 뜨겁게 산다는 것이 어떤 것인지, 뜨거움으로 차가움을 극복하는 것이 어떤 의미인지 알기 시작하는 것 같아서 이 땅의 사람들 사이에서 희망의 싹을 조금씩 느껴 보기 시작했답니다. 희망의 싹을 틔우고 길러 주는 분은 물론 하느님이시지요.

백성들이 죽기를 두려워하지 않는데(民不畏死),

어찌 죽임으로 두려워 떨도록 할 수 있겠는가(奈何以死懼之)?

만약 백성들에게 언제나 죽음을 두렵게 만들어 버리면(若使民常畏死),

이상한 짓을 하는 자(而爲奇者)

그를 내가 잡아서 죽여 버린들(吾得執而殺之)

누가 함부로 하겠는가(孰敢)?

사실 누구든지 죽음을 두려워하지 않는 것은 어쩌면 살아 있는 것이 죽는 것만 못하다고 생각하고 있는 것인지도 모를 일입니다. 그런 상황 속에 놓이면, 사람들은 누군가가 죽인다고 으름장을 놓아도 그는 이미 죽음을 두려워하지 않기 때문에 눈 하나 깜짝하지 않습니다(최진석, 《노자의 목소리로 듣는 도덕경》, 512쪽). 하지만 죽음이라는 것을 두려운 어떤 것이 될 수 있도록 하기 위해서는 삶이 죽음보다 훨씬 낫다고 생각할 수 있도록 상황을 개선시키면 '죽인다.'고 하는 그 말은 심각한 위협이 될 수 있겠지요? 따라서 통치자 또는 지도자가 자기에게 맡겨진 사람들에게 언제나 죽음을 두렵게 만들어 버린다는 것은 곧 삶을 행복하게 만들고 있다는 것이 되고, 그러한 상황은 곧 통치자나 지도자가 자신을 희생하거나 헌신함을 통하여 맡겨진 사람들을 위하여 낮은 자세로 봉사하는 일꾼으로서의 역할을 철저하게 수행하고 있다는 뜻일 것입니다.

언제나 죽이는 일을 맡은 자가 죽이는데(常有司殺者殺),
무릇 죽이는 일을 맡은 자를 대신하여 죽이는 것은(夫代司殺者殺),
'목수를 대신해서 나무를 깎는 것'과 같은 말이네(是謂代大匠斲).
대체로 목수를 대신하여 나무를 깎는 자는(夫代大匠斲者),
그 손을 다치게 하지 않음이 적지 않다네(希有不傷其手矣).

노자는 '언제나 죽이는 일을 맡은 자'가 죽임을 관장한다고 이야기합니다. 사실 죽음 앞에서는 누구나 두렵고 떨리는 마음을 가지게 마련이 아닐까 싶습니다. 그 죽음을 관장하는 자, 죽이는 일을 맡은 자가 누구이겠습니까? 노자의 『도덕경』 전체를 관통하는 여러 가지 관념 가운데 죽이는 일을 맡은 자는 곧 '자연(自然)'입니다. 우리가 이미 살펴본 『도덕경』 5장은 '천지불인(天地不仁)'으로 시작합니다.

여기에서 '천지'는 곧 자연이고, '불인'은 너그럽지 못하다, 사정을 봐 주지 않는다는 뜻이랍니다. 그렇다고 '불인'을 단순히 '너그럽지 못하다.' 혹은 '자비롭지 못하다.' 혹은 '인정사정 돌보지 않는다.'라고만 생각하면 큰 오산이랍니다. 왜냐하면 자연의 운행 원칙은 죽일 것은 죽이고, 살릴 것은 살리는 데 전혀 어그러짐 없이 작용하기 때문입니다. 따라서 나무의 특성과 수명을 훤히 알고 있는 목수는 나무의 조건에 따라서 작업을 하기 때문에 손을 다치는 등의 무리한 행위를 발생시키지 않는답니다. 오히려 그런 수준에 도달하지 못한 사람이 자신의 입맛대로 나무를 마구잡이로 다루다가 그러한 나무의 특질을 모르기에 잘못하여 언제나 손을 다칠 수가 있지요. '적자생존(適者生存)'이라는 말이 어느 정도 어울릴 수 있을지도 모르겠습니다.

　원래 적자생존(Survival of the fittest)은 1864년 영국의 철학자인 허버트 스펜서가 《Principles of Biology》에서 처음으로 사용한 인간들의 사회적 생존경쟁의 원리를 함축시킨 사회–철학 용어로 사용되었다고 합니다. 이 용어는 찰스 다윈에 의해 생물체나 집단체의 다양한 환경 적응력이 높을수록 오래 살아 남는다는 의미를 가진 진화론 영역의 과학 용어로써 더 확고한 뜻으로 발전되었습니다. 또한 그것은 그의 저서인 《종의 기원》에서 잘 나타났으며 자연선택 이론에도 큰 영향을 미쳤지요. 적자생존 그 자체는 생존에 의한 적자 결정인 과학적 용어로 사용되었기 때문에 실질적으로는 과학 분야에 속한답니다. 그 뜻은 '생물의 생존 경쟁의 결과에 따라서 환경에 적응하는 것만 살아남고 그렇지 못한 것은 도태되는 현상의 총체'를 의미한답니다.

예수께서도 일찍이 말씀하시기를 "목숨을 부지하려고 무엇을 먹을까, 또 몸을 보호하려고 무엇을 입을까 걱정하지 마라. 목숨이 음식보다 소중하고 몸이 옷보다 소중하지 않느냐? 하늘의 새들을 눈여겨보아라……(중략)……너희 가운데 누가 걱정한다고 해서 자기 수명을 조금이라도 늘릴 수 있느냐? 그리고 너희는 왜 옷 걱정을 하느냐? 들에 핀 나리꽃들이 어떻게 자라는지 지켜보아라………(중략)……무엇을 먹을까? 무엇을 마실까? 무엇을 차려 입을까? 하며 걱정하지 마라………(중략)……너희는 먼저 하느님의 나라와 그분의 의로움을 찾아라."(마태6,25-34) 라고 하셨지요.

여기에서 예수님과 노자는 약간의 차이가 드러납니다. 노자는 자연의 원리는 잔인하다기보다는 너그럽지 못하기 때문에 철저하게 '적자생존'의 법칙을 따르는 것처럼 보이지만, 예수께서는 오히려 그 자연을 주관하시는 분은 '하느님'이기 때문에 "하느님의 말씀을 듣고 실행한다면(마태12,46절 이하), 하느님께서도 그를 당신의 자녀로 받아들이시고 지켜주신다"고 말씀하십니다.

자연은 철저하게 죽일 것은 죽이고 살릴 것은 살리지만 그 자연마저 주관하시는 하느님께서는 생명 있는 것들을 죽도록 내버려 두시지 않으시고 당신의 생명을 불어넣어 주시며 꺼져 가는 불씨도 다시 살리시고 원래대로 회복시켜 주신다는 것입니다.

그렇다고 해서 노자가 이 대목에서 노래한 내용들이 결코 부당하고 부적절하다는 것은 아닙니다. 오늘날의 세상에 있어서 강직하고 포악한 공동체 지도자나 통치자들은 인간의 생존 법칙에서 최소한 토대인 자연의 원칙마저 저버리고, 자기 자신의 이념 체계에 더 매달려 다른 사람들, 곧 자신에게 맡겨진 사람들을 가벼이 대하는 것을 비판하고 있는 것이랍니다.

노자에게는 세계 안에서 관계와 변화 속에 있는 세계의 존재 형식을 통찰하느냐 하지 못하느냐 실천하느냐 하지 못하느냐 하는 것이 선악을 결정하는 관건이 된다는 것입니다.

국민의 지도자가 되겠다. 머슴이 되겠다. 일꾼이 되겠다고 하는 사람들이 저마다 서로서로가 서로를 향해 막말을 일삼고, 그래서 말도 탈도 많았던, 그리하여 온 나라를 시끄럽게 만들었던 6.13 지방선거가 끝났습니다.

저마다 국민만 바라보고 열심히 걸어가겠다는 다짐을 하지만, 역사를 돌이켜보면 그들의 말은 거의 지켜지지 않는 '빈말(空言)'에 불과하다는 것을 국민들은 알고 있지요. 알면서도 국민은 자기 손으로 공동체 일꾼, 지도자들을 뽑아야 한다는 권리와 의무가 동시에 주어져 있기 때문에 뽑을 때는 제대로 된 일꾼을 뽑아야 한다는 것을 잘 알고 있습니다. 하지만 문제는 뽑힌 이들의 삶의 태도입니다.

그 태도가 어떠냐에 따라서 진실한 일꾼인지 아닌지, 좋은 지도자인지 아닌지가 드러나고, 백성들의 삶이 고달픈지 아닌지가 판가름 나지 않을까 싶습니다.

그래서 이번 유월은 벽두부터 북한과 미국의 만남, 지방의 일꾼들을 뽑는 선거 등등에 의해서 참으로 뜨거운 달입니다. 그 뜨거움만큼이나 이 땅에도 뜨거운 변화가 시작되었으면 하는 바램을 가져 봅니다. 사실 변화는 뜨겁고 요란한 데서부터 시작되는 것이 아니라 부드럽고 조용한 가운데서부터 시작된다는 걸 우리는 알고 있지요. 하지만일단 변화가 일어나면 거기에 불 같은 뜨거움이 되었으면 합니다.

예수께서 말씀하신 바처럼 "나는 세상에 불을 지르러 왔다. 그 불이이미 타올랐으면 얼마나 좋으랴."(루카12,49) 말입니다. 그러려면 이 땅에 살고 있는 모든 구성원들이 해야 할 일이 있어야 합니다.

예수께서도 "내가 받아야 하는 세례가 있다. 이 일이 다 이루어질 때까지 내가 얼마나 짓눌릴 것인가?"(루카12,50) 하신 말씀에 따라 우리가 우리 앞에 놓여진 세상을 어떤 모습으로 걸어가야 하는가? 그것은 전적으로 우리 자신에게 달려 있는 것이 아닐까 싶습니다.

사람들이 느끼는 사회적 체감의 열기는 뜨겁습니다만 날씨는 오히려 아침저녁으로 쌀쌀합니다.

언제나 감기 조심하시고 건강 조심하시기를 기도합니다.

수녀님, 그럼 『도덕경』 제75장에서 뵙도록 하겠습니다.

2018년 6월 15일 금요일에

백성들이 굶주리는 것은, 그들 위에서 세금을 많이 받아먹었기 때문이지.
이래서 굶주리는 것이라네.
백성들을 돌보기가 어려운 것은, 그들 위에서 행세하는 짓이 있기 때문이지.
이래서 돌보기가 어렵다네.
백성들이 죽음을 가볍게 여기는 것은, 그들 위에서 풍요로운 삶만을 찾기 때문이지
이래서 죽음을 가볍게 여기지. 무릇 오직 살려고만 하는 짓거리를 없애버리는 자만이,
삶을 귀히 여기는 자보다 현명하다네.

75장

백성들이 굶주리는 것은

수녀님, 칠월이 되었습니다. 식구들 다 잘 계시지요? 한동안 비가 없고 무덥더니만 칠월의 벽두부터 태풍과 함께 많은 비가 내리네요. 이번 태풍은 그 이름도 '쁘라삐룬'이라는 태국의 말이랍니다. 그 의미는 '비를 관장하는 신'이라고 합니다.

원래는 인도의 신화에서 물을 관장하는 신 '바루나'에서 유래하는데, 이것이 태국으로 건너와서 '쁘라삐룬'이 되었고, 그 의미도 비를 관장하는 신으로 변형되었다고 하는군요. 예나 지금이나 농경사회나 과학만능 사회나 물이 필요하고 비가 하늘에서 내려와야만 모든 삼라만상이 그 덕택으로 살게 된다는 사실은 변함없는 만고불변의 진리임에 틀림없는 것 같습니다.

이 비가 그치고 태풍이 지나가면 (남해를 거쳐서 동해를 지나 일본으로 간다는) 다시 칠월의 뜨거운 햇발이 작렬하겠지요? 그러면 농민들은 다시 들판으로 나설 것이고, 도시의 가난한 사람들은 더운 일터에서 일용할 양식을 위해 뜨거운 구슬땀을 흘리겠지요.

노자의 걱정은 가난한 백성들이 가난에서 벗어나 행복한 삶, 윤택한 삶을 살았으면 좋겠다는 데 있지요. 사실 일반 서민들의 삶이란 이렇다할 권력도 없고, 넉넉한 재화도 없으며 가진 것이라고는 일용할 양식을 얻기 위해 쉬지 않고 일하고, 일한 것 가운데 일부분은 세금이나 각종 공과금으로 부담해야 하며 나머지를 가지고 가정을 유지하고, 아이들을 길러야 하는 데 써야 하기 때문에 언제나 핍진하고 고단한 삶을 살아야 하는 것이지요. 따라서 통치자가 서민들에게서 세금을 많이 거두어 가는 것은 어찌 보면 백성들의 고혈(膏血)을 짜는 것이기 때문에 백성들의 고단한 삶은 지속적인 곤란으로 이어질 수밖에 없지 않을까 싶습니다.

"잘 돌보아라.", "배려해 주어라." 하는 등등의 말들이 그저 내뱉어 보는 언사에 불과하다면 결국 통치자들이 '무위(無爲)'의 통치를 하는 것이 아니라 '유위(有爲)'의 통치를 하기 때문에 백성들은 굶주릴 수밖에 없게 되겠지요. 일찍이 이사야 예언자는 말합니다.

"너희의 손은 피로 가득하다.
너희 자신을 씻어 깨끗이 하여라.
내 눈 앞에서
너희의 악한 행실들을 치워 버려라.
악행을 멈추고

선행을 배워라.

공정을 추구하고

억압 받는 이를 보살펴라.

고아의 권리를 되찾아 주고

과부를 두둔해 주어라."(이사1,15-17)

사도 바오로도 필리피 공동체에 말합니다.

"뜻을 같이하고 같은 사랑을 지니고 같은 마음 같은 생각을 이루어, 나의 기쁨을 완전하게 해 주십시오. 무슨 일이든 이기심이나 허영심으로 하지 마십시오. 오히려 겸손한 마음으로 서로 남을 자기보다 낮게 여기십시오. 저마다 자기 것만 돌보지 말고 남의 것도 돌보아 주십시오. 그리스도 예수님께서 지니셨던 바로 그 마음을 여러분 안에 간직하십시오."(필리2,1-5)

노자는 백성들이 굶주리는 것은 권력자들이 세금을 많이 받아 먹었기 때문이고, 백성들을 돌보기 어려운 것은 높은 자들이 행세하기 때문이라고 보고 있습니다. 그러하기 때문에 가난하고 고달픈 서민들을 돌보거나 배려해 줄 마음의 여유가 없고, 여유가 없는 대신 언제나 그들은 자신의 안위만 걱정할 따름이 아니겠는가 싶습니다. 그렇게 되면 서민들은 더이상 갈 곳을 찾지 못하고, 희망을 어디에서고 발견하지, 못한 채 극단적인 선택을 할 수밖에 없지요. 그래서 '죽음을 가볍게' 여기거나 혹은 권력자의 빈틈만을 노리게 되지요. 그래서 58장에서 "그 정치가 너무 따져 들면 그 백성은 각박해지지(其政察察, 其民缺缺)."라고 말한 것처럼 되어 버린답니다. 백성들의 삶이 각박해진다면, 백성들은 자기가 살기 위해 교활해지고, 남을 속이려들 것이 뻔합니다. 그들이 그렇게 된 것은 결국 지도자들의 잘못이 더 큽니다.

백성들이 굶주리는 것은(民之饑),

그들 위에서 세금을 많이 받아 먹었기 때문이지(以其上食稅之多).

이래서 굶주리는 것이라네(是以饑).

백성들을 돌보기가 어려운 것은(民之難治),

그들 위에서 행세하는 짓이 있기 때문이지(以其上之有爲).

이래서 돌보기가 어렵다네(是以難治).

백성들이 죽음을 가볍게 여기는 것은(民之輕死),

그들 위에서 풍요로운 삶만을 찾기 때문이지(以其上求生之厚)

이래서 죽음을 가볍게 여기지(是以輕死).

무릇 오직 살려고만 하는 짓거리를 없애 버리는 자만이(夫唯無以生爲者),

삶을 귀히 여기는 자보다 현명하다네(是賢於貴生).

오늘날 우리 사회는, 아니 이 세상은 상층과 하층 사이의 간격이 너무나 심각하게 벌어져 있고 그 깊이도 아득합니다. 오죽하면 "상류층은 배 터져 죽고, 하류층은 배가 고파 굶어 죽는다."는 이야기가 심심찮게 나돌겠습니까? 상류계급층이 고귀하게 살려고 하면 할수록 하류계층은 세금이나 부역으로 그들을 떠받들어야 하기 때문에 자연히 착취 당하고 억압 받을 수밖에 없지요. 그렇게 되면 백성들은 죽음을 두려워하지 않을 뿐 아니라 오히려 가볍게 생각하고, 죽음을 두려워하지 않으면 자포자기한 상태로 세월을 보내는 것이 아니라 죽음도 불사하고 통치자나 지도자에게 덤벼들게 되는 것입니다.

대전교구 정의평화위원장인 김용태 신부는 '가톨릭뉴스 지금 여기'에서 다음과 같은 멋진 말을 합니다.

"박해시대 우리 교회는 세상 속에서 '죽어야 하는 교회'였습니다. 죽어야 하는 교회는 세상 속의 신자들에게 도피처만이 아니라 세상에서 죽음을 각오하는 신앙생활을 해야 하는 신자들에게 위로와 용기, 힘과 격려를 주는 곳이었습니다.

교회와 세상은 분리된 다른 세상이 아니었고, 신자들에게 신앙생활이란 성당을 다니는 것이 아니라 세상에서 죽음을 각오해야 하는 전적인 투신이었습니다."

이어서 또 말하기를 "교회는 노아의 방주 혹은 전쟁 중의 지하 벙커 같은 곳이 되었습니다. 세상을 복음화해 하느님 나라로 만드는 것이 아니라, 어둡고 위험한 세상에서 피신할 수 있는 구원의 방주 혹은 피난처가 되는 것입니다.

그리스도인의 사명 혹은 신앙생활이란, 세상 안에서 빛과 소금이 되어 세상을 비추고 살맛 나게 만들어 가는 것이 아니라, 때 묻지 않고 고고한 모습을 간직하고 살다가 죽어 천당에 가는 것이라고 생각하게 되었습니다." 라고 일갈합니다.

김용태 신부의 강론에 따르면, 결국 지금 우리 사회의 모습이나 한국 교회의 모습이 별반 차이가 없다는 뜻이 아니겠는지요? 곧 삼천 년 전 노자가 살았던 세상이나 현재 우리가 살고 있는 세상이 별반 달라지지 않았다는 것을 방증하는 말이 아닐까 싶습니다. 동시에 사회 지도자나 교회 지도자가 어떻게 살아야 하느님의 뜻에 걸맞는 삶을 살아갈 수 있겠는가에 대해 묻고 있는 것이 아닐까 싶기도 합니다.

수녀님, 어제까지만 해도 굵은 장대비가 내리고, 뉴스에서는 태풍이 몰아쳐 온다고 조심하라는 방송이 귀가 시끄럽도록 들려 왔는데, 오늘은 마치 거짓말처럼 날씨가 청명합니다. 지금은 오전이라서 시원하지만 오후가 되면 더워질 것이고, 그렇게 되면 더위에 대해 걱정해야 할 처지가 아닐까 싶습니다.

이처럼 인간이란 따지고 보면 아무것도 할 수 없는 존재에 불과한데도 서로는 서로를 이기지 못해, 짓밟지 못해서 안달이 난 모습으로 살아가고 있지는 않는가 모르겠습니다. 오늘 제1독서에서 아모스 예언자는 "너희의 시끄러운 노래를 내 앞에서 집어치워라. 너희의 수금 소리도 듣지 못하겠다. 다만 공정을 물처럼 흐르게 하고 정의를 강물처럼 흐르게 하여라."(아모5,23-24)고 우리들에게 맡겨진 예언직을 행사하라고 합니다.

2019년이 안동교구 설정 50주년이라서 제 책상 앞에 놓여진 숙제들이 숨이 턱밑에 차오르는 것처럼 많습니다. 여간 성가시질 않습니다. 걸상에 앉은 자세가 문제가 많아서 그런지는 몰라도 허리 통증까지 찾아와서 괴롭힙니다. 그래도 하느님께서 제게 맡기신 사도직이라 여기고 기쁜 마음으로 하루하루를 보내고 있습니다. 수녀님들도 언제나 기쁜 마음으로 서로가 서로를 위해서 사시기를 기도합니다.

그럼 『도덕경』 제76장에서 뵙겠습니다.

2018년 7월 4일 수요일에

뻐꾹채

사람이 살아있으면 부드럽고 약하지. 그가 죽으면 뻣뻣하고 굳어진다네.
만물과 풀과 나무도 살아 있으면 부드럽고 연하게 되고,
그것들이 죽으면 마르고 시들어 버린다네.
그래서 뻣뻣하고 굳어버린 자는 죽어있는 무리이고,
부드럽고 약한 자는 살아있는 무리라네.
이래서 군대가 굳세면 이기지 못하고, 나무가 강하면 부러지지.
강대한 것은 낮은 곳에 처하고, 부드럽고 연약한 것은 높은 곳에 자리한다네.

76장

사람이 살아 있으면 부드럽고 약하지요

수녀님, 잘 계시지요? 장마가 끝났다는 소식과 함께 찾아온 무더위가 온 세상을 집어삼킬 정도로 맹위를 떨치는 칠월의 중순입니다. 후텁지근하고 살아있는 것들을 모두 태울 만큼이나 뜨겁고 더운 날씨가 언제까지 지속될 것인지에 대해서 기상 당국도 쉽게 속단하여 예보할 수 없다는 것이 작금의 날씨 상황입니다.

벌써부터 풀이나 농작물이 타들어가고, 우리 안에서 살아가는 가축들의 떼죽음과 열사병으로 몇몇 노약자들의 생을 달리했다는 소식들이 심심찮게 들려오는 요즈음입니다. 이런 이상기온은 20년 만에 최고치를 경신했다고 합니다.

아마도 20년 전에도 이같은 현상이 일어났었다는 뜻이겠지요. 하지만 앞으로는 이러한 현상이 일어나는 주기가 점점 더 빨라질 것이라는 전문가들의 진단도 있지요. 하지만 이러한 현상에 대해 인간이 어떻게 살아가야 하는가에 대해서는 전문가들도 제대로 해답을 내놓지 못하고 있는 듯 보입니다.

살아있는 생명 있는 것들의 살고 죽음은 누구를 탓하기 전에 하느님께서 정하신 자연의 이치요 법칙이 아닐까 싶습니다. 이 이치와 법칙을 거스르며 살자는 하느님과 하느님께서 택하신 이들을 제외하고는 천상천하를 막론하고 아무도 없을 것이라고 확신합니다. 그러고 보면, 사람이 태어나서 살다가 속절없이 죽음으로 향해 간다는 것은 무엇을 의미하는 것인지 생각해 볼 일이 아닌가 싶습니다. 구약성경에서 일찍이 욥은 '삶과 죽음의 관계'에 대해서 겉옷을 찢고 머리를 깎고 땅에 엎드려서 울부짖으며 이렇게 외쳤습니다.

"알몸으로 어머니 배에서 나온 이 몸
알몸으로 그리 돌아가리라.
주님께서 주셨다가 주님께서 가져 가시니
주님의 이름은 찬미 받으소서."(욥 1, 21)

하지만 욥은 삶의 어려움을 당하면서도 결코 죄를 짓지 않고 하느님께 부당한 행동을 하지 않았지만, 결코 자신의 삶에 대해서 그저 하느님의 은총으로만 돌리지는 않았지요. 그는 자신의 생일을 맞이하여 그 생일마저 저주하기도 하였답니다.

"차라리 없어져 버려라. 내가 태어난 날,

'사내아이를 배었네.'하고 말하던 밤!

그날은 차라리 암흑이 되어 버려

위에서 하느님께서 찾지 않으시고

빛이 밝혀 주지도 말았으면.

어둠과 암흑이 그날을 차지하여

구름이 그 위로 내려앉고

일식이 그날을 소스라치게 하였으면.

.................(중략).................

그 밤을 저주하여라.

그 밤은 새벽 별들도 어둠으로 남아

빛을 기다려도 부질없고

여명의 햇살을 보지도 말았으면,

그 밤이 내 모태의 문을 닫지 않아

내 눈에서 고통을 감추지 못하였구나.

어찌하여 내가 태중에서 죽지 않았던가?

어찌하여 내가 모태에서 나올 때 숨지지 않았던가?

어째서 무릎은 나를 받아 냈던가?

젖은 왜 있어서 내가 빨았던가?

나 지금 누워 쉬고 있을 텐데.

잠들어 안식을 누리고 있을 터인데."(욥3,1-12 참조)

욥은 자신의 삶의 나날이 온통 고통뿐임을 인식하고, 오히려 자신의 탄생을 저주하면서 하느님을 원망하듯 하는 독백을 주저하지 않고 내뱉습니다. 그는 또 구시렁거리기를 "어찌하여 그분께서는 고생하는 이에게 빛을 주시고, 영혼이 쓰라린 이에게 생명을 주시는가? 그들은 죽음을 기다린건만, 숨겨진 보물보다 더 찾아 헤매건만 오지 않는구나. 그들이 무덤을 얻으면 환호하고 기뻐하며 즐거워하련만, 어찌하여 앞길이 보이지 않는 사내에게 하느님께서 사방을 에워싸 버리시고는 생명을 주시는가?"(욥3, 20-23)

욥은 자신의 삶과 죽음에 대해 끝도 없이 저주하는 독백을 멈추고, 오히려 마지막에 가서는 찬송하는 기도를 드립니다. 이 기도는 마치 토마스 아퀴나스 성인의 '성체찬미가'를 연상케 할 정도로 하느님께 대한 순응, 순종, 귀의 등등이 절절하게 배어 있는 듯합니다.

"저는 알았습니다.

당신께서는 모든 것을 하실 수 있음을,

당신께는 어떠한 계획도 불가능하지 않음을!

당신께서는 '지각 없이 내 뜻을 가리는 이 자는 누구냐?'

하셨습니다.

그렇습니다.

저에게는 너무나 신비스러워 알지 못하는 일들을

당신께서는 '이제 들어라. 내가 말하겠다.

너에게 물을 터이니 대답하여라.' 하셨습니다.

당신에 대하여 귀로만 들어왔던 이 몸,

이제는 제 눈이 당신을 뵈었습니다.

그래서 제 자신을 부끄럽게 여기며

먼지와 잿더미에 앉아 참회합니다."(욥 42, 1-6)

〈욥기〉를 읽어보면 확실히 모든 대화 내용은 욥이 당하는 고통의 이유와 욥이 그 고통에 어떻게 대처하는가를 다루고 있는데, 친구들과의 논쟁에서 욥은 자신의 결백과 자신이 당하는 고통의 부당성을 주장하는 반면 친구들은 욥이 죄가 있으므로 고통을 당한다고 말합니다. 하지만 극적인 긴장은 욥과 하느님의 대화로 풀리지만 이유 없이 고통을 당하는 이유는 풀리지 않는 듯합니다.

그럼에도 욥은 하느님의 말씀을 듣고서 하느님이 인간을 대하는 방법은 불가사의하지만 세상만사에 대해서 목적을 가지고 행동한다는 사실을 알게 되지요. 그래서 〈욥기〉를 지혜문학 범주에 속한다고 하는지도 모르겠습니다.

따라서 욥은 인간이 태어나서 사는 동안 어떻게 하느님과의 관계 안에서 처신해야 하는지를 알았고, 자신을 내시고 사랑해 주시는 하느님과 화해하면서 친구들의 온갖 논리에도 굴하지 않고 하느님과의 관계를 회복하는 삶을 택하게 되지요.

경우는 다르지만 노자도 사람이 어떻게 살아야 제대로 '도와 합치되는 삶'을 살 수 있을 것인지에 대해 부단히 노력하라는 언사를 설파합니다. 인간이 인간답게 살기 위해서는 무엇보다도 '부드럽고 약한 모습(柔弱)', '부드럽고 연한 모습(柔脆)'으로 살아가라고 합니다. '뻣뻣하고 굳어진 모습(堅强)'은 곧 '마르고 시들어버린다(枯槁)'는 것이며, 그것은 '살아 있는 존재'가 아니라 '죽어 있는 존재'에 지나지 않는다는 것입니다. 한때는 잘나가고 똑똑하고 가졌고 지혜로우며 힘세고 남들보다 우월한 것처럼 보였지만, 끝에 가서는 결국 그는 뻣뻣하고 굳어 버리며 깡마르고 시들어 버리고 결국에는 없어져 버리는 존재에 불과하기 때문에 높은 자리를 차지하지 못한다는 것입니다. 그러기 때문에 예수님께서도 "너희는 이 작은 이들 가운데 하나라도 업신여기지 않도록 주의하여라."(마태18, 10)라고 말씀하셨는지도 모릅니다.

사람이 살아있으면 부드럽고 약하지(人之生也柔弱).

그가 죽으면 뻣뻣하고 굳어진다네(其死也堅强).

만물과 풀과 나무도 살아 있으면 부드럽고 연하게 되고(萬物草木之生也柔脆),

그것들이 죽으면 마르고 시들어 버린다네(其死也枯槁).

그래서 뻣뻣하고 굳어 버린 자는 죽어있는 무리이고(故堅强者死之徒),

부드럽고 약한 자는 살아있는 무리라네(柔弱者生之徒).

이래서 군대가 굳세면 이기지 못하고(是以兵强則不勝),

나무가 강하면 부러지지(木强則折).

강대한 것은 낮은 곳에 처하고(强大處下),

부드럽고 연약한 것은 높은 곳에 자리한다네(柔弱處上).

　무더위가 연일 맹위를 떨칩니다. 맹위를 떨치는 무더위 앞에서 우리는 어떻게 해야 이 무더위를 극복할 수 있을까요? 그건 무더위와 맞서 싸우기보다는 자신을 낮추어 조용히 그늘 속으로 들어가 '안거(安倨)'하는 것이 좋겠지요. 물론 무더위와 치열하게 싸우면서 자신에게 맡겨진 가족이나 사람들을 위해 일하는 사람들도 있겠지만, 결국 우리가 무엇을 위해 한 생을 살아야 하는가를 곰곰이 생각해보면, 어떻게 처신해야 하는지에 대해 그 해답을 어느 정도 가늠해 볼 수 있지 않을까 생각해 봅니다.

　인위적이고 억지로 무엇을 행하는 것이 곧 인간이 만들어 낸 문화적 행위이고, 부드럽고 유연한 모습의 행위는 하느님께서 마련하신 운행 방식이지요. 우리의 몸이나 마음도 유년 시절에는 부드럽고 유연했었지만, 나이가 들고 지식이 하나둘씩 늘어날수록 몸도 마음도 점점 뻣뻣해져서 결국 끝에 가서는 사그라지고 말게 되겠지요. 그렇기 때문에 나이가 많이 들면 들수록, 지식이 많으면 많을수록, 가진 것이 넉넉하면 할수록 겸손해져야 하고, 낮은 자리에 처신할 줄 알아야 한다는 것이 노자의 가르침이고 또 참 하느님이시면서도 사람으로 오신 예수님의 말씀이 아닐까 생각합니다.

수녀님, 방송에서는 앞으로 얼마 동안까지는 비가 없고, 계속하여 무더위가 지속된다고 합니다. 이 더위 속에서 짜증내시지 말고 겸손하면서도 모든 배려를 아끼지 말고 넉넉하게 배려하는 수도공동체가 되시기를 기도합니다. 텃밭에 몇 포기 심은 고추와 상추도 무더위를 이겨 내느라 땀을 흘리는 칠월의 오후입니다.

그럼 안녕히 계시고, 『도덕경』 제77장에서 뵙겠습니다.

2017년 7월 20일 교회사 연구소에서

찔레꽃

하늘의 도는 활에 시위를 메우는 것 같구려!
높으면 눌러주고, 낮으면 들어주며, 남으면 덜어내고, 부족하면 보태주지.
하늘의 도는 남는 것을 덜어내서 부족한 것에 보태준다네.
사람의 도는 그러하지를 못하지.
부족한데서 덜어내어 남아도는 데로 바친다네.
누가 남는 것을 가지고 천하를 봉양하겠는가?

오직 도를 지닌 자일뿐이라네.
이래서 거룩한 사람은
실천해놓고도 뽐내지 않고
공덕을 이루고도 자리하지 않는데,
그것은 현명함을 드러내고 싶어 하지 않기 때문이라네.

77장

하늘의 도는 활에 시위를 메우는 것 같구려

수녀님, 시간은 또 흐르고 흘러서 어느덧 팔월이 왔습니다. 지난 칠월부터 맹위를 떨치기 시작한 무더위가 지금 시간에도 여전히 무섭도록 그 기세를 꺾지 않고 있네요. 잘 계시지요? 수도원에 보수공사를 시작했다는데 이 무더위에 공사는 잘 진척이 되어 가고 있는지요? 그러고 보니, 수도원도 상주에 뿌리내린 지가 벌써 이십 주년이 넘어 삼십 년으로 치닫고 있네요. 서쪽으로는 속리산 끝자락, 동으로는 갑장산, 남으로는 백화산과 이어져 있는 고즈넉하고 산기슭 옴팍한 곳에 자리잡은 가르멜 수도원을 생각할 때면, 언제나 하느님께서 마련해 주신 명당자리라는 생각이 든답니다.

비록 여름에는 더위가 맹위를 떨치고 겨울에는 추위가 덮쳐 오더라도 '하느님의 도(天之道)'를 향해 나아가는 수녀님들의 발걸음이야 얼마나 가벼울까요? 일찍이 사도 바오로는 〈이사야서〉의 말씀에서

"얼마나 아름다운가!

산 위에 서서 기쁜 소식을 전하는 이의 저 발

평화를 선포하고 기쁜 소식을 전하며

구원을 선포하는구나."(이사52,7)

라고 하는 구절을 되새기며 "기쁜 소식을 전하는 이들의 발이 얼마나 아름다운가!"(로마10,15)라고 외쳤지요. 과연 이 시대에 하느님께서 마련해 주시는 참 평화와 기쁨을 전하는 이들의 모습을 수녀님들의 삶 속에서 찾아봅니다. 2018년도 벽두부터 이 땅은 '평화니 종전(終戰)이니' 하면서 인간 삶의 궁극적인 목적이 무엇인지를 한껏 생각하게 하는 화두(話頭)를 던져 주었지요? 하지만 그런 화두를 풀어 내기 위해서는 무수한 노력과 무수한 인내와 무수한 시간이 필요하다는 것을 우리 모두는 잘 알고 있지만, 마음이 급하니 모두들 '우물에서 숭늉을 찾듯이' 초조한 마음을 감추지 못하고 조급증에 걸린 환자처럼 '언제쯤.......언제나쯤.......'하면서 살고 있는 듯 보입니다.

무엇을 기다리는 사람은 언제나 그 무엇을 얻고 그 누구를 만나기 위해서 진득하게 기다릴 줄 아는 '덕(德)'을 가질 줄을 알아야 하지 않을까 싶습니다.

오늘 이 편에서 노자도 무척 답답한 심정을 토로하고 있는 듯 보입니다. '하늘의 도(天之道)'와 '인간의 도(人之道)' 사이에서 갈등하면서도 그는 결국 자신의 갈등을 푸는 방법은 '하늘의 도(天之道)'밖에 없음을,

이 세상이 정의와 평화와 행복을 일구고 누리기 위해서는 모든 인간이 자신의 길을 버리고 하느님께서 제시해 주시는 길을 걸어갈 것을 종용하고 있지요. 어쩌면 우리 교회 공동체가 지향해야 될 것, 그리고 모처럼 맞는 한반도의 평화뿐 아니라 이 땅에 발을 디디고 살고 있는 사람은 모두 머리가 하늘을 향해 있듯이 그 가슴도 하늘을 향하게 해서 살아가야 하지 않을까 생각해 봅니다.

하늘의 도는 활에 시위를 메우는 것 같구려(天之道, 其猶張弓與)!

높으면 눌러 주고(高者抑之),

낮으면 들어 주며(下者擧之),

남으면 덜어 내고(有餘者損之),

부족하면 보태 주지(不足者補之).

하늘의 도는(天之道)

남는 것을 덜어 내서 부족한 것에 보태 준다네(損有餘而補不足).

사람의 도는 그러하지를 못하지(人之道則不然).

부족한 데서 덜어 내어 남아도는 데로 바친다네(損不足以奉有餘).

누가 남는 것을 가지고 천하를 봉양하겠는가(孰能有餘以奉天下)?

'높으면 눌러 주고 으면 들어 주며 남으면 덜어 내고 부족하면 보태어 주는' 삶은 노자의 푸념대로 사람의 길에서는 찾지 못하고 하느님의 길에서만 찾아볼 수 있는 이상(理想)일지도 모르겠습니다. 우리와 얼굴 맞대고 살아가는 이 세상 사람들이 모두 이와 같은 마음을 가지고 살아간다면 얼마나 근사해 보이겠습니까? 바오로 사도는 노자의 의중을 이해라도 하고 있는 듯 에페소 공동체에 다음과 같은 내용으로 편지를 보냅니다.

"여러분이 부르심에 합당하게 살아가십시오.
 겸손과 온유를 다하고,
 인내심을 가지고 사랑으로 서로 참아 주며
 성령께서 평화의 끈으로 이루어 주실 일치를
 보존하도록 힘쓰십시오."(에페4,1-3)

물론 노자가 말하는 '하늘의 도'는 '하느님의 도(天主之道)'라고 하기보다는 흔히 '자연의 도(自然之道)'라고 보는 이들이 많지요. 그렇지만 자연의 도 역시 하느님께서 마련해 주시고 배려해 주시지 않으면 그 도는 아무것도 아닌 무용지물(無用之物)이 되고 말 것입니다. 그래서 저는 처음부터 이 편지를 적어 보내는 동안 내내 노자가 말하는 '도'를 '하느님의 도' 혹은 '성지(聖旨)'로 이해하고자 노력해 왔습니다. 이렇듯이 노자가 말하는 도는 그대로 인간 안에 펼쳐지는 하느님의 '덕' 혹은 '자비'이지요. 그렇기 때문에 우리는 가능한 한, 아니 반드시 인간의 마음속에서 꿈틀거리고 있는 욕망(人之道)을 내다버리고 '하느님의 도(天之道)'로 채우도록 애를 쓰고 노력해야 되지 않을까 싶습니다. 노자는 바로 그 도를 지니고 살아가는 사람을 '성인', '거룩한 사람'이라고 단정합니다.

오직 도를 지닌 자일 뿐이라네(唯有道者).

이래서 거룩한 사람은(是以聖人)

실천해 놓고도 뽐내지 않고(爲而不恃)

공덕을 이루고도 자리하지 않는데(功成而不處),

그것은 현명함을 드러내고 싶어 하지 않기 때문이라네(其不欲見賢).

연일 폭염(暴炎)이 우리가 사는 대지를 뜨겁게 달구고 있습니다. 이렇게 무더위가 맹위를 떨치는데도 다 그만한 이유나 곡절이 있지 않을까 생각합니다. 이유나 곡절이 있다면 이것을 견뎌 내고 이겨 내는 힘도 그분께서 반드시 주실 것이라 생각합니다.

제가 사는 곳에 논밭을 바라보노라면 곡식들이 더위에 신음하고 할딱거리는 소리가 제 귀에까지 들리는 듯합니다. 한낮엔 뻐꾸기 소리도 잠잠하고 대신 밤에는 소쩍새와 휘파람새가 이즈음의 우리들의 일상을 대변하는 듯 애절하게 울어댑니다. 우리들의 삶이 어려우면 어려울수록 저의 욕심도 거기에 더 보태어져 무게를 더해 주고 있다는 생각에 가슴이 아려 옵니다.

이쯤해서 사도 바오로의 말씀 몇 구절을 더 들려 드릴까 합니다. "하느님의 뜻은 바로 여러분이 거룩한 사람이 되는 것입니다."(1테살 4,3) 또 "하느님의 사람이여, 그대는 이러한 것들을 피하십시오. 그 대신에 의로움과 신심과 믿음과 사랑과 인내와 온유를 추구하십시오." (1티모6,11)

수녀님, 무더운 날씨이지만 주님 안에서 언제나 건강하시라고 소머리산 아래 모든 식구들에게 안부를 전합니다. '서로 뜻을 같이 하면서'(로마12,15) 이 무더위를 이겨 내시고, 들판에서 일하는 농부들을 위해서도 기도해 주시기를 청합니다.

그럼 『도덕경』 제78장에서 다시 뵙겠습니다.

2018년 8월 4일 성 요한 마리아 비안네 신부 축일에

산박하

하늘 아래에는 물보다 더 부드럽고 연약한 것은 없지.
그래서 굳세고 강한 것을 공격하는 데, 이를 이겨낼 자는 아무도 없다네.
그것들이 이것을 바꾸어놓을 수 없기 때문이지.
연약한 것이 강한 것을 이기고, 부드러운 것이 굳센 것을 이겨내는데,
세상은 알지 못하지도 않으면서, 행할 줄을 못하네.

물은 만물에게 이로움을 주면서 다투지를 않기를 잘하고,
많은 사람들이 싫어하는 곳에 자리한다네.
그래서 도에 가깝지.

78장

하늘 아래에 물보다 더 부드럽고
연약한 것은 없지

　수녀님, 입추(立秋)가 지나가고 처서(處暑)가 왔는데도 여전히 한낮 기온이 열대 지방보다 더 덥다는 이야기를 듣는 요즘입니다. 하지만 아침저녁으로는 제법 가을 냄새가 나는 것이 기온도 가을 분위기를 닮아서 무척 시원해졌다는 생각을 해 봅니다. 팔월 스무사흘, 오늘이 바로 맹위를 떨치던 무더위도 물러간다는 처서인데 때를 맞추어 엄청나게 큰 태풍이 한반도를 향해서 진입하였고, 이미 제주도를 강타한 뒤 천천히 북상해 오고 있다는 소리를 들었습니다.

　더위가 맹위를 떨치고 비 한 방울 내리지 않을 때는 태풍이 무척 기다려졌는데, 이번 제19호 태풍 솔릭은 미크로네시아에서 제출한 이름으로 '전설속의 족장'이란 뜻의 중형급 태풍이라고 합니다. 막상 규모가 크다는 소리에 슬슬 걱정이 됩니다. 왜냐하면 태풍이 들이닥치면 결국엔 형편이 가난한 사람들이 피해를 보기 때문이지요. 잇달아 올라오고 있는 태풍은 제20호 '시마론'인데, 이는 필리핀에서 제출한 이름으로 야생 황소를 의미한다고 합니다. 다행인지는 모르겠지만, 시마론은 일본 열도로 방향을 바꾸었다고 하니 한숨 놓이긴 합니다.

그럼에도 힘없고 약한 사람들은 결국 이래저래 피해를 당하고도 어디에 가서 마땅히 항변할 곳도 마련하지 못하지요. 추위가 닥쳐 와도 더위가 닥쳐 와도 눈보라가 몰아쳐도 비바람이 몰아쳐도 언제나 힘없고 약하고 가난한 이들이 그 피해를 고스란히 짊어지게 되니 참으로 안타깝기가 그지없습니다. 그래도 이 장뿐 아니라 『도덕경』 이곳저곳에서 노자는 '연약한 자'들이 자연의 이치에 순행하고 또 도의 법칙에 유연하게 순응한다는 위안의 이야기를 들려 줍니다. 천지만물 가운데 가장 연약한 존재가 있다면 바로 '물(水)'이지요. 이미 노자는 8장에서 물의 존재를 사사물물(事事物物) 가운데 가장 가치 있는 존재로 여기면서 '상선약수(上善若水)'라는 관념을 만들어 내고, 물이 그렇게 되는 연유에 대해 말하기를

"물은 만물에게 이로움을 주면서 다투지를 않기를 잘하고(水善利萬物而不爭)
많은 사람들이 싫어하는 곳에 자리한다네(處衆人之所惡).
그래서 도에 가깝지(故幾於道)."

어쩌면 노자는 이 장을 8장에서 노래한 이야기를 더욱 심화시키거나 혹은 보다 구체적으로 부연하여 설명한 것이 아닐까 생각해 봅니

다. 따지고 보면 바람이나 물은 한없이 부드럽습니다. 어린 아이의 살결보다도 더 부드럽고 감미롭기까지 하지요. 하지만 바람이나 물은 세상의 어느 존재들보다도 강하답니다. 유연하고 유약하고 겸손하기까지 한 바람이나 물은 결국 모든 것을 이겨 내게 됩니다. 그래서 노자가 '상선약수'라는 말을 서슴없이, 주저 없이, 망설임 없이 만들어서 뭇사람들에게 선포한 것이 아니겠는가 생각해 봅니다.

하늘 아래에는 물보다 더 부드럽고 연약한 것은 없지(天下莫柔弱於水).

그래서 굳세고 강한 것을 공격하는데(而攻堅强者),

이를 이겨낼 자는 아무도 없다네(莫之能勝).

그것들이 이것을 바꾸어 놓을 수 없기 때문이지(以其無以易之).

연약한 것이 강한 것을 이기고(弱之勝强),

부드러운 것이 굳센 것을 이겨내는데(柔之勝剛),

세상은 알지 못하지도 않으면서(天下莫不知),

행할 줄을 못하네(莫能行).

태풍은 언제나 비바람을 동반하지요. 바람은 비를 머금어 있고, 비는 바람을 타고 비상(飛上)하고, 바람은 불고 싶은 데로 불기 때문에 언제나 자유로우며 비는 위에서 아래로 내려오기 때문에 겸손하답니다. 결국 자유로운 자가 겸손하고, 겸손한 자가 자유롭게 행동하는 것은 만고불변(萬古不變)의 진리가 아닐까 싶습니다. 자연의 운행 방법이 이러할진대, 우리네 인간도 자연의 일부이기 때문에 자유롭고 겸손한 삶을 살아야만 할 것 같은데 그러지 못하고 있으니 슬픕니다. 물의 모습을 통해서 "약한 것이 강한 것을 이기고, 부드러운 것이 굳센 것을 이기는"(최진석, 《노자의 목소리로 듣는 도덕경》, 참조) 이치를 이해하는 데는 그리 길지 않는 시간을 할애하면서도 그것을 행동으로 실천하는 데는 꿍장히 오랜 시간을 할애하거나 혹은 아예 실천으로 옮길 생각이나 엄두를 내지 못하는 것이 우리들이 아닐까 싶습니다. 그 때문에 노자도 위에서 "세상은 알지 못하지도 않으면서 행할 줄을 못하네."라고 말했는지도 모를 일입니다.

사실 이렇게 저렇게 세상을 살아가는 필부필부(匹夫匹婦)들은 대개 눈앞에 보이는 이익만 좇아 살아가기 때문에 강하고, 굳세고, 힘 있는 것만을 추구합니다.

약하고 부드럽고 낮은 자세로 살아가는 것은 눈에 잘 들어오지도 않을 뿐만 아니라, 살아가는 데 아무런 보탬이 되지 않는다고 여기기까지 하기 때문에 '상선약수'의 비결을 인정하려 들지 않지요. 실제로 하느님을 믿고, 예수를 구세주로 고백하면서 살아가고, 틈만 나면 이마에 십자성호(十字聖號)를 긋고, 성경 말씀을 필사(筆寫)하거나 머릿속에 수많은 문구들을 암기하면서 살아가는 사람들도 더러는 많은 경우에 있어서 그 숱한 말씀들을 실천하거나 실행하려 들지 않고 오히려 재물욕, 권력욕 등을 앞세워 하느님과 타협하려 드는 그런 사람들을 종종 만나게 되는데, 만나는 그런 사람들에게서 사람을 사랑하시고 구원하시는 그분을 어떻게 느끼고 만날 수 있게 되겠는지요? 입만 열면 순교자 영성이니 순교영성이니 하면서 온갖 영적 본성에 관해 많은 말들을 뱉어 내지만, 실제로 그들의 삶에서 우리는 무엇을 배울 수가 있겠습니까? 차라리 냇가에 흐르는 물이나 거기에 깃들어 사는 물고기며 하늘을 나는 새들에게서 오히려 하느님의 신비와 인간이 살아가야 할 도리를 찾는 것이 훨씬 효과적이지 않을까 생각해 보기도 합니다.

이래서 거룩한 사람이 이르기를(是以聖人云),
나라의 허물을 받아들이는 이를 '사직의 주인'이라 하고(受國之垢 是謂社稷主),
나라의 상서롭지 못한 것을 받아들이는 이를
'천하의 왕'이라 하네(受國不祥, 是謂天下王).
말을 똑바로 하는데도 마치 뒤집어 듣는 듯하구나(正言若反).

위의 구절들을 읽고 곰곰이 생각해보건대, 마치 이사야 예언서의 한 구절을 읽는 듯합니다. '나라의 허물을 받아들이는 이'를 '사직(社稷)의 주인'으로 칭하고, '상서롭지 못한 것을 받아들이는 이'를 천하에서 왕 노릇하게 해준다는 것은 곧 성서 말씀에서 비슷한 구절들을 많이 만날 수 있지요. '주님의 종'의 노래는 말할 것도 없고, 아래에 인용한

'구원의 기쁜 소식'에 관한 한 구절도 또한 마찬가지 의미가 아닐까 싶기도 합니다.

> "그들은 수치를 갑절로 받았고,
> 치욕과 수모가 그들의 몫이었기에
> 자기네 땅에서 재산을 갑절로 차지하고
> 영원한 기쁨이 그들의 것이 되리라.
> 나, 주님은 올바름을 사랑하고,
> 불의한 수탈을 미워한다.
> 나는 그들에게 성실히 보상해 주고
> 그들과 영원한 계약을 맺어 주리라."(이사61, 7-8)

언론에서는 매시간 역대급 태풍이 몰아쳐 온다고, 방송에 귀 기울이면서 철저하게 대비할 것을 주문합니다. 하지만 이곳 안동에서는 마치 '폭풍의 전야'처럼 고요하기만 합니다. 가끔 바람이 나뭇가지를 약하게 흔들어 대기는 하지만 너무나 조용합니다. 가까운 가로수에서 들려오는 팔월 하순의 매미 소리는 한가로운 대자연의 운치를 더해 주는 듯합니다.

불어오는 태풍은 이제 제주도를 벗어나 서해안을 따라서 북서진하고, 늦은 오후에는 서울 지방을 통과하게 될 것이라고 합니다. 그러나 이곳은 여느 여름날처럼 햇살이 뜨겁게 내리비치고, 하늘엔 비를 실은 먹장구름이 아닌 뭉게구름이 둥실 떠 있지요. 이렇듯이 자연은 모두 자연스럽게 혹은 의연하게 닥쳐올 태풍과 큰비에 대해 굳건하게 더러는 너무나 조용하게 서 있는데, 우리네 사람들만 분주하게 더러는 부산하게 요란을 떨고 있다는 것을 볼 때 참으로 까닭을 알 수 없는 웃음이 입가에 스쳐지나가는 것을 감출 수가 없습니다. 그래도 인간은 자연의 사사물물보다 자신들이 아무리 강한 것처럼, 지혜로운 것처럼 보여도 결국엔 약한 존재일 수밖에 없다는 것을 온몸으로 고백하는 것이 아닐까 싶습니다. 만일 약한 존재라고 생각한다면 평소에 물처럼 겸손하게 살 줄을 알아야 하지 않을까요?

수녀님, 그 뜨겁던 여름도 이제 끝자락에 와 있다는 느낌을 아침저녁으로 느끼는 요즘이랍니다. 모르긴 해도 소머리산 아래 수도원의 식구들도 아침저녁으로는 한기(寒氣)마저 느끼면서 살아가고 계시지 않을까 생각합니다. 수도원의 모든 수녀님들께도 안부를 전해 주시기를 바랍니다. 올 여름엔 안동이라는 지독히 더운 곳에서 휴가 갈 엄두도 내지 못하고 그저 사무실에서 딱딱한 책과 씨름을 하면서 보냈네요. 그래도 여름은 어느새 우리 곁을 떠날 채비를 하고 있다는 느낌을 받고, 그때마다 그래도 '정들었는데'라는 생각이 들어서 조금은 섭섭한 감마저 든답니다. 빠른 감이 들긴 하지만 출퇴근하면서 오가는 길에는 벌써 가을 냄새, 가을 분위기가 물씬 풍기고 있음을 봅니다. 환절기가 시작되었으니 언제나 주님 안에서 몸도 마음도 건강하시기를 기도합니다.

그럼『도덕경』제79장에서 뵙겠습니다.

2018년 8월 23일 리마의 동정성녀 로사 축일에

벌씀바귀

큰 원망을 풀어내도 반드시 남겨진 원망을 가지고 있으니,
어찌 제대로 되었다고 할 수 있겠는가?
이래서 거룩한 사람은 계약서를 거머쥐고 있으면서도,
다른 사람에게 책임을 돌리지 않지.

덕이 있으면 계약만을 다루고,
덕이 없으면 챙길 것만 다루지.
하늘의 도는 편애를 없이 하면서,
언제나 선한 사람들과 함께 한다네.

79장

큰 원망을 풀어내도······

　수녀님, 구절초가 핀다는 구월이 돌아왔습니다. 돌아다보면 지난 여름은 얼마나 '여름값'을 하며 맹위를 떨쳤는지요? 그래서 구월이 되었는데도 햇살만 따가우면 후텁지근했던 지난 여름의 몸서리치던 더위가 기억나서 더러는 가슴을 쓸어내리기도 하는 요즘이랍니다. 어젯밤엔 여름의 마지막을 고하는 듯 세차고 요란하게 비를 뿌리더니, 오늘 아침에는 언제 그랬느냐는 듯 뜨겁지도 차지도 않은 참 맑은 햇살이 지상을 향해 내리쬐네요. 좀 늦은 감은 있지만 그래도 올해는 워낙 날씨가 무더웠던 탓에 엊그제 가을배추를 몇 포기 시장에서 사다가 심었는데, 오늘 아침에 보니 제법 자리를 잡은 듯 푸르른 자태를 뽐내네요. 어쩌면 자연의 이치는 있는 그대로의 하느님의 손길이요 은총인데 우리네 인간들이 못나서 자꾸만 자신의 헛된 욕심이나 욕망을 가지고 과욕을 부리는 것이 아닐까 생각해 봅니다.

　오늘 이 장에서 노자는, "도는 사랑이다."라는 중요한 명제를 우리들에게 시사해 주는 듯 보입니다. 흔히들 사랑에는 일정한 규칙이나 규정이 없다고 말하지만, 노자에 따르면 사랑에도 계약이나 규약이 따른다는 것입니다. 거룩한 사람, 성인은 계약서대로 혹은 규정대로 사랑을 실행하고, 뭇사람들은 되는 대로 자신의 의지에 따라 실행한다는 것입니다. 거룩한 사람이 따르는 계약서나 규약은 곧 '도(道)'이지요. 말하자면 하느님의 뜻에 따라 행하기도 하고 행하는 것을 멈추기도 한다는 것입니다.

이런 사람을 노자는 '덕이 있는 자(有德者)'라고 부릅니다. 반대로 자신의 의지에 따라 행동하는 사람은 자신의 친소(親疎) 감정이나 선입견 혹은 기존의 가치관이나 사회적 체면 따위를 고려하여 행동하기 때문에 '편애(偏愛)'를 가질 수밖에 없겠지요? 이런 자를 가리켜 노자는 '덕이 없는 자(無德者)'라고 부릅니다.

예수께서도 "하늘에 계신 내 아버지의 뜻을 실행하는 사람이 내 형제요 누이요 어머니다."(마태12, 50)라고 하시면서 하느님의 뜻을 실행하는 사람을 참된 당신의 가족의 일원으로 받아들이는 태도를 취하시지요. 하느님의 뜻을 실행하는 사람이 곧 "하느님을 사랑하고 이웃을 자기 몸처럼 사랑할 줄 알기(마태22, 34-40 참조) 때문"이 아닐까 싶습니다. 노자는 말합니다.

큰 원망을 풀어내도 반드시 남겨진 원망을 가지고 있으니(和大怨, 必有餘怨),
어찌 제대로 되었다고 할 수 있겠는가(安可以爲善)?

노자는 아무리 다하려고 해도 다 해소할 수 없는 것들이 인생살이에 있는데, 그 가운데 '원망'이라는 것도 한 가지 사례임을 밝힙니다. 원망은 크고 작은 것들이 있을 수 있지만, 그것들 역시 따지고 보면 모두 '원망'의 한 형태에 불과한 것이지요. 어쩌면 '원망'은 '사랑'에 대한 집착에서 비롯된 탓이 아닐까도 생각해 봅니다. 그래서 사람들은 사랑과 원망의 관계를 '애증(愛憎)의 관계'라고 말하고 있는지도 모르겠습니다.

원망과 사랑이 교차되어 갈등을 일으킬 때는 맨 처음으로 돌아가서 다시 곰곰이 "무엇이 문제가 되었느냐?"라는 것을 생각해 보는 것이 좋지 않겠나 싶습니다. 아마도 거기에는 서로 오해를 살 만한 일이나 혹은 기대감의 붕괴나 억울함 그리고 질투를 유발시킬 어떤 관계사적인 일이나 상대방에 대한 과대한 집착, 가볍게 보는 멸시 등등이 자리하고 있지 않을까 싶습니다. 노자는 이런 경우에 다음과 같은 처방책을 슬며시 던져 둡니다.

이래서 거룩한 사람은 계약서를 거머쥐고 있으면서도(是以聖人執左契),

다른 사람에게 책임을 돌리지 않지(而不責於人).

덕이 있으면 계약만을 다루고(有德司契),

덕이 없으면 챙길 것만 다루지(無德司徹).

노자의 처방책이란 다름이 아니라 원리원칙대로 그리고 덕성을 가지라는 것이지요. 원리원칙은 이성(理性)이나 감정적인 자신의 원리원칙이 아니라 '도'의 원칙, 곧 맨 처음으로 되돌아가서 빈 마음으로 자연의 이치를 거스르지 말 것이며 하느님의 뜻에 겸손한 마음으로 순응하고 그 뜻을 다시 실행하는 것이 아니겠는지요? 그렇게만 되어 간다면, 나 하나가 변화됨으로써 점점 복잡하고 어지러워져 가는 이 세상이 한결 부드럽고 평화롭지 않을까 생각해 봅니다.

하늘의 도는 편애를 없이하면서(天之道無親),
언제나 선한 사람들과 함께 한다네(常與善人).

하늘의 도는 한쪽으로 치우치는 사고방식이나 삶의 방식을 없애 나간다는 것이 노자의 믿음입니다. 유가의 사상 체계로 이야기하자면, 곧 하늘의 도는 어디에도 치우치거나 집착하거나 편을 들어주는 것이 아닌 '중용의 도(中庸之道)'를 추구해 나간다는 뜻이 되겠지요. 그럼에도 하늘의 도는 "언제나 선한 사람들과 함께 한다."고 함으로써 『도덕경』 78장에 나오는 '정언약반(正言若反)'의 의미를 보다 구체적으로 드러내려는 듯이 보입니다.

'정언약반'이란 말을 똑바로 하는 옳은 말인데도 마치 뒤집어서 들리는 듯하다는 뜻이지요. 얼핏 들으면 마치 선한 사람이 '무친(無親)'하게 되면 제대로 대접을 받지 못한다는 뜻으로 들릴 수도 있겠지만, 곰곰이 따져보면 결국 선한 사람이 '무친'해야만 참다운 '도'에 순응하는 사람이 되고, 도에 순응하는 사람이야말로 거룩한 사람, 곧 성인 (聖人)의 반열에 오를 수 있다는 뜻이 됩니다.

사실 세상을 살다가 보면, '유정(有情)'과 '무정(有情)', '유친(有親)'과 '무친(無親)'사이에서 갈등이 일어나고, 무엇을 택할 것인가에 대해서 깊은 고뇌가 수반되는 수가 많지요. 노자에 의하면, 하늘의 도는 '무친'하며 그 '무친'을 따라가는 삶이 곧 성인의 길이라고 힘주어 이야기합니다. 그리고 보면, 어쩌면 세상의 모든 부조리(不條理)한 것, 불의(不義)한 것, 불화(不和)를 조장하는 것 등등이 모두 여기에서 기인하는 것이 아닐까 생각합니다.

자기 자신의 뜻이 곧 하느님의 뜻인 양, 자신의 행동이 곧 국민의 뜻인 양 생각하는 지도자들의 목소리를 곱씹어 보면, 거의 모두가 자신의 욕망이나 자신의 편견이나 편애하는 마음에서 비롯되는 경우들이 허다해 보입니다. 여기에는 우리 신앙인들이라고 예외가 없을 겁니다. 대체로 '유-무(有無)'의 걸림돌에서 걸려 넘어지고 마는 것이 우리네 형편없는 인생살이가 아닐까 싶습니다. 친소의 감정이 깊이 개입되면 될수록 선악의 문제도 복잡하게 얽혀 구별하기가 쉽지 않게 되기 때문이지요.

그렇게 맹위를 떨치던 여름의 무더위도 한풀 꺾이고, 이제는 제법 향기로운 가을 바람이 불어오는 것이 계절이 또 한 번 탈바꿈하려는 몸짓을 실감하는 오늘입니다. 오늘따라 가을을 재촉하는 매미(秋蟬)가 부산을 떱니다. 7년 동안 땅속에 살다가 땅으로 올라와 7일 동안 그렇게 하늘의 뜻에 부합하려고, 하느님의 창조사업에 적극적으로 동참하려고 저리도 매미가 부산을 떨고 있는지 모를 일입니다.

수녀님, 이 구월의 첫머리에서 하마 가을을 이야기하는 것은 때도 되었겠지만 지난여름의 무더위가 얼마나 지독하였습니까? 하지만 그것 역시 하느님께서 당신의 사업에 기록하고 계신 목록이 아닐까 생각합니다. 그 목록은 결국 당신의 백성인 우리네 허약한 인간들을 위하여 베푸신 자비로우신 은덕의 다름이 아니실 것이라 생각합니다.

이제 가을의 문턱엔 이미 들어섰지만, 아직 계절은 여름이 더 맹렬하게 머물러 있고 싶어 하는 때가 아닐까 싶습니다. 계절이 교차하는 이때를 맞이하여 언제나 수도원의 모든 식구들의 몸도 마음도 하느님 안에서 평화롭고 행복하게 되시기를 기도합니다.

그럼 『도덕경』 제80장에서 뵙겠습니다.

2018년 9월 4일에 교회사 연구소에서

나라를 작게 하고 백성을 적게 해야 하네.
설령 많은 그릇들이 있더라도 쓰이질 않게 하고,
백성으로 하여금 죽음을 중히 여기기하여 멀리가지 못하게 하며
비록 배와 수레가 있더라도 타고나갈 일이 없게 하고,
비록 갑옷과 군사가 있더라도 펼칠 일이 없게 하며,
백성들에게 새끼줄로 된 문자를 회복하여 쓰게 해야 하네.

그 음식을 달게 여기고, 그 옷을 아름답다 여기며,
그 거처를 편안하게 여기고, 그 풍속에 즐거워하지.
나라를 이웃하여 서로 바라다보게 하며 닭 울고 개 짖는 소리가 서로 들여도
백성들은 늙어 죽을 때까지 서로 가고 올 일이 생기지 않는다네.

80장

나라를 작게 하고 백성을 적게 하라

　수녀님, 지금 우리는 순교자 성월의 한복판에 서 있네요. 게다가 조금 있으면 음력 팔월대보름, 곧 한가위 명절 축제가 시작되고요. 하지만 이즈음의 세계 정세는 전통적 역사의 흐름과 한 치의 어긋남도 없이 '약육강식(弱肉强食)'의 반(反)평화적인 문화양식을 이어가고 있으며 이 흐름은 동아시아, 극동(極東)에 자리한 이 땅도 예외는 아닐 정도로 도도히 일어나 흘러가고 있는 듯해 보입니다.

　열강이 고요한 아침의 나라인 이 한반도를 둘러싸고 펼치는 각종 '평화'에 관한 언설들과 움직임들은 결국 뒤집어 보면, 반평화적인, 평화를 결코 원하지 않는다는 의구심을 떨쳐버릴 수 없는 곳으로 몰고 가는 듯합니다. 오죽했으면 "미국놈 믿지 마라, 소련놈에게 속지마라. 일본놈들 일어선다."라는 민요 아닌 민요가 어른들에서부터 어린이에게까지 회자 되었을까요.

　그럼에도 갈라진 반도의 남과 북에 사는 우리네 민족들만이라도 참된 의미에서 "평화와 정의가 강물처럼 흐르게 할 수만 있다면" 하는 것이 이렇게 저렇게 살아가는 대다수의 소시민들의 여망(餘望)이지만, 1%의 가진 자들이나 배운 자들이나 힘 있는 자들의 희망은 그렇지 못하고 있는 것으로 보아 참으로 답답하기만 한 현실이기도 합니다.

서민들의 희망을 자꾸만 꺾어 놓으려 드는 이른바 지도자들의 행태는 그들의 희망이라기보다도 욕망이나 욕심에 다름 아닐 것입니다.

오늘 이 장에서 노자는 점점 커져가는 '약육강식'의 움직임 앞에서 이럴 거면 차라리 '소국과민(小國寡民)'의 삶을 살아가는 것이 개인에게나 공동체에게나 모두 유익한 것이 아니냐? 라고 외칩니다.

말하자면 노자의 '소국과민'은 그가 바라는 이상적인 나라, 이상적인 세상의 모습이라고 보아도 좋을 것입니다. 사실 노자가 말하는 '소국과민'이란, 원래 노자가 살던 춘추전국시대(春秋戰國時代, BC 770~BC 221) 당시의 상황 속에서의 이상사회를 말하는 것이지요. 아마도 문명의 발달도 없고, 갑옷과 무기도 쓸 데가 없는 작은 나라에 적은 백성들이 스스로의 삶에 만족하며 사는 이상적인 나라를 말하는 것이기 때문에 그 당시의 혼란한 정황을 과감하게 없애버려야만 모두가 행복하게 살 수 있는 이상적 세계가 형성될 것이라는 노자의 소박한 희망이라고 말할 수 있겠지요. 이 노자의 소망은 21세기에도 여전히 유효한 바람 혹은 꿈이라고 여겨집니다.

노자보다 3~4백 년 앞선 구약의 이사야 예언자도 노자의 견해와 비슷한 말씀을 다음과 같이 남기셨지요.

"칼을 쳐서 보습을 만들고

 창을 쳐서 낫을 만들리라.

 한 민족이 다른 민족을 거슬러 칼을 쳐들지도 않고

 다시는 전쟁을 배워 익히지도 않으리라."(이사2, 4)

"늑대와 새끼 양이 함께 풀을 뜯고

 사자가 소처럼 여물을 먹으며

 뱀이 흙을 먹이로 삼으리라."(이사65, 24-25)

　뿐만 아니라 4~5백 년 뒤에 오신 예수께서도 노자의 이상적인 국가, 이상적 공동체의 모습을 뒷받침해 주는 말씀을 하셨지요.

"너희도 알다시피 다른 민족들의 통치자들은 백성 위에 군림하고,

 고관들은 백성에게 세도를 부린다.

 그러나 너희는 그래서는 안 된다.

 너희 가운데에서 높은 사람이 되려는 이는

 너희를 섬기는 사람이 되어야 한다.

 또한 너희 가운데에서

 첫째가 되려는 이는 너희의 종이 되어야 한다.

사람의 아들도 섬김을 받으러 온 것이 아니라 섬기러 왔고,

또 많은 이들의 몸값으로 자기 목숨을 바치러 왔다."

(마태20, 24-28)

나라를 작게 하고 백성을 적게 해야 하네(小國寡民).

설령 많은 그릇들이 있더라도 쓰이질 않게 하고(使有什佰之器而不用),

백성으로 하여금 죽음을 중히 여기게 하여 멀리 가지 못하게 하며

(使民重死而不遠徙)

비록 배와 수레가 있더라도 타고 나갈 일이 없게 하고(雖有舟輿, 無所乘之),

비록 갑옷과 군사가 있더라도 펼칠 일이 없게 하며(雖有甲兵, 無所陳之),

백성들에게 새끼줄로 된 문자를 회복하여 쓰게 해야 하네(使民復結繩而用之).

　　사실상 노자의 시대는 중국 고대의 혼란한 약육강식의 시기였지요.

이른바 영웅호걸들은 저마다의 야심을 가지고 나라와 땅을 차지하려

고 애를 썼고, 이 과정에서 크고 작은 나라들은 통폐합하기 시작하였

으며 마침내 진시황(秦始皇, BC259~210)에 의해 통일되기에 이르렀지

요. 그러다가 중국은 또다시 이합집산(離合集散)의 과정을 거쳐 오늘날

에 이르렀다고 보면 좋을 것입니다.

　　이러한 과정 안에서 서민들은 언제나 고단한 삶을 살았고, 군웅(群

雄)들은 여전히 도처에서 할거(割據)하였는데, 이러한 인간 삶의 방식은

오늘날에도 방식만 달리하면서 여전히 계속되고 있다고 보아야 할 것입니다.

여기에서 '결승문자(結繩文字)'는 '새끼줄로 꼬아서 매듭을 지어 만든 문자'랍니다. 현대 인류가 가지고 있는 문자들 가운데서 가장 원시적인 형태의 문자이지요. 진시황이 천하를 통일하고 난 뒤, 가장 먼저 한 일 가운데 하나가 문자의 통일이랍니다.

이 문자의 통일은 단순히 하나의 언어로 통일하는 것을 넘어서서 곧 사상의 통일과 연결되고, 문자가 가지고 있는 개념을 통일적으로 규정한다는 것을 의미합니다. 그렇지만 이러한 결승문자에 대해서 노자는 통일국가의 모순을 발견하였기 때문에 그것을 비판하고 있는 것으로 여겨집니다.

왜냐하면 통일된 문자가 단순히 언어의 통일뿐 아니라 사상의 통일을 추구하고 있어서, 그것은 곧 통치자들의 통치행위로 간주되었기 때문이지요. 그렇게 되면 노자가 소망하는 작은 국가, 적은 수의 국민으로 이루어진 이상적인 공동체로 나아갈 수 없게 되지요.

어찌 되었든 노자는 자신이 살고 있는 시대를 진단하면서 나라는 작고 백성도 적어서 온갖 이기(利器)가 있어도 이를 쓰지 못하게 하고, 백성들이 죽음을 무겁게 여겨 멀리 옮겨 살지 않도록 하며, 비록 배와 수레가 있어도 타고 갈 곳이 없고, 갑옷과 군대가 있어도 펼칠 일이 없게 해야 한다고 생각했습니다. 백성들이 다시 매듭을 엮어 쓰도록 하고, 자기 지역의 음식을 달게 여기고 옷을 아름답게 여기며 거처를 편안하게 여기고 풍속을 즐겁게 여기게 해야 한다.

그러면 이웃나라가 서로 바라보이고 닭과 개의 소리가 서로 들릴 만큼 가까운 곳에 있어도 백성이 늙어 죽을 때까지 서로 왕래하지 않게 된다고 생각했지요. 왕래하게 되면 다투게 되고, 다투게 되면 백성들의 삶은 고달파지기 때문에 결코 '도(道)'에 걸맞는 이상적인 공동체를 형성하기가 어려워질 것이라고 내다본 것입니다.

그 음식을 달게 여기고(甘其食),

그 옷을 아름답다 여기며(美其服),

그 거처를 편안하게 여기고(安其居),

그 풍속에 즐거워하지(樂其俗).

나라를 이웃하여 서로 바라다보게 하며(隣國相望)

닭 울고 개 짖는 소리가 서로 들려도(鷄犬之聲相聞)

백성들은 늙어 죽을 때까지(民至老死)

서로 가고 올 일이 생기지 않는다네(不相往來).

물론 교통과 통신이 발달한 현대 사회에서는 노자의 이러한 이상사회로서의 '소국과민'은 더이상 이상적인 형태가 될 수는 없을 것입니다. 오히려 나라가 작으면 큰 나라에 언제나 위협을 당하게 될 수 있습니다. 마치 오늘날의 한반도 정세와 같은 국면이 지속될 수 있기 때문입니다. 그럼에도 노자의 '소국과민'의 사상은 글자의 의미대로 작은 나라, 적은 국민으로 이루어진 공동체를 이루기 위해서는 여전히 유효한 정신이라고 여겨집니다.

대형 국가, 대형 교회, 대형 수도회, 대형 단체 등등은 언제나 많은 문제점들을 안고 있기 때문이지요.

'소통(疏通)'을 그 어느 때보다도 중시하는 현대 사회이긴 하지만, 그 소통이 경우에 따라서는 개인의 삶과 공동체의 삶을 심각하게 훼손하며 민심을 교란시키기도 하지요. 산업이 발달하기 이전의 사회를 들여다보면, 비록 오늘날보다 물질적으로 덜 풍부하고 풍요롭지 못해도 마음만은 서로 따뜻하게 품어 줄 수 있었던 아름다운 시절이었다는 것을 많은 사람들이 이야기하곤 합니다. 하지만 지금은 모든 것이 풍요롭고 편리해졌지만 여전히 빈부의 격차가 심하고, 상하 계층의 삶의 형태가 이사야 예언자, 노자,

예수께서도 꿈꾸고 소망했던 "다만 공정을 물처럼 흐르게 하고, 정의를 강물처럼 흐르게 하여라."(아모5,24)라는 이상적 공동체와는 거리가 점점 멀어져 가는 이즈음이 아닌가 싶습니다.

사실 이즈음의 교회를 보고 있노라면 공동체라고 부르기가 민망할 정도로 대형화 되어 있고, 작은 공동체(공소공동체)들은 점점 사목적 관심사에서 멀어져 가고 있고, 더러는 경제 논리에 떠밀려 사라져 버리

기가 일쑤이기도 하는데 이를 보면 가슴이 얼마나 미어지는 듯하는 지요? 이사야 예언자는 말합니다.

"나는 주 너의 하느님,

　너에게 유익하도록 너를 가르치고,

　네가 가야 할 길로 너를 인도하는 것이다.

　이, 네가 내 계명들에 주의를 기울였다면,

　너의 평화가 강물처럼,

　너의 의로움이 바다 물결처럼 넘실거렸을 것을.

　네 후손들이 모래처럼,

　네 몸의 소생들이 모래알처럼 많았을 것을.

　그들의 이름이 내 앞에서

　끊어지지도 않았을 것을."(이사48,17-19)

수녀님, 『도덕경』 80장은 내용에서 "그 음식을 달게 여기고, 그 옷을 아름답다 여기며 그 거처를 편안하게 여기고, 그 풍속에 즐거워하지. 나라를 이웃하여 서로 바라다보게 하며 닭 울고 개 짖는 소리가 서로 들려도 백성들은 늙어 죽을 때까지 서로 가고 올 일이 생기지 않는다네." 라고 노래함으로써, 세상 안에 살아가는 사람들의 다양성을 인정하려는 주장이 담겨져 있다고 볼 수 있습니다.

이러한 차이 혹은 차별성과 다양성을 인정하려는 노자의 노력은 동시에 통일성과 단일성을 강조하는 강자의 지배와 공격, 곧 '약육강식'의 세상을 비판하려는 의도가 짙게 깔려 있다고 말할 수 있지요.

사실상 우리는 살아가면서 무엇이든지 자기 자신의 뜻에 맞추고 통일시키고 단일화시키려는 욕망이나 욕심 또는 그러한 경향을 가지고 있지요. 이러한 경향은 힘센 사람, 가진 사람, 배운 사람일수록 더욱 더 뚜렷함을 볼 수 있습니다. '삼위일체(三位一體)'이신 하느님을 믿고 살아가는 우리 교회 공동체 안에서도 그러한 징표를 얼마든지 찾아볼 수 있을 것입니다. '다양성 안에서의 일치'와 '일치 안에서의 다양성'을 추구하는 공동체는 결코 '약육강식'을 주창하지도 않고, 서로 안위를 걱정해 주고 배려해 주며 어려움이나 여러 가지 사안들에 대해서 기꺼이 들어주고 아픔을 달래주며 섬기고 사랑하고 아껴주지 않을까 생각합니다.

수녀님, 오늘은 '주님의 십자가 현양 축일'이네요. 지금 밖엔 가을비가 추적추적 내리고 있습니다. 모처럼 사무실에 앉아서 이것저것 정리하다가 이렇게 『도덕경』편지를 수녀님들께 또 적어 보내게 되네요. 노자의 『도덕경』은 합해서 81장이니까 이제 다음 장을 가지고 소식을 전하면 도덕경 편지도 끝을 보게 되네요. '끝'이라는 말이 나오면 언제나 서글퍼지는 건 어인 일인지 모르겠습니다.

아무튼 이 비 뿌리는 가을날, 환절기에 수도원의 모든 식구들 감기

조심하시고요. 또 다가오는 한가위 대축제일을 행복하게 보내시기를
바랍니다. 한가위에 기뻐하면서 송편 빚으실 수녀님들의 참 맑은 웃음
소리가 지금 여기까지 들리는 듯합니다. 언제나 하느님의 축복 속에서
기쁘게 살아가시기를 기도합니다.

　　그럼 『도덕경』 81장에서 뵙겠습니다.

2018년 9월 14일 십자가 현양 축일에

붉은주홍초

미더운 말은 아리땁지 못하고, 아리따운 말은 미덥지 못하며,
선한 자는 따져들지 않고, 따져드는 자는 선하지 못하며,
아는 자는 넓어지지 못하고, 넓은 자는 알지 못하지.

노자는 결론적으로 "거룩한 사람"에 관한 자신의 견해를 이렇게 피력하고 있습니다.
"거룩한 사람은 쌓아두지 않고, 다른 사람을 위하지만 자기는 더욱 남아돌고,
다른 사람에게 주었지만 자기는 더욱 많아지고,
하늘의 도는, 이로워서 해롭게 하지 않고,
거룩한 사람의 도는, 행하면서도 다투지 않게 한다네."

81장

미더운 말은 아리땁지 못하고

　수녀님, 순교자들의 성월과 한가위 대축제일이 끼어 있는 구월이 가고, 로사리오의 성월이요 단풍이 붉게 물들기 시작한 시월이 우리 곁으로 왔네요. 잘 계시지요? 꽃은 봄을 데리고 남쪽에서 북쪽으로 올라오고, 단풍은 가을을 데리고 북쪽에서부터 남쪽으로 내려오는 기막힌 자연의 신비를 추선(秋蟬 ; 가을매미)은 알고 있는지 모르고 있는지 여태 늙은 나무에 붙어서 서리와 찬 이슬을 맞으면서까지 울어 대네요. 『도덕경』의 마지막 장을 가을이 막 익어가는 이 환절기의 계절에 수녀님들과 나눌 수 있다는 것을 생각해 보면 세상만사를 주관하시는 그분의 은총이 아닐 수 없다는 고백을 조심스럽게 해 봅니다.

　지난 구월 말에 못난 저를 초대해 주셔서 고마웠습니다. 덕분에 낯익은 그리운 식구들을 만나서 좋았고, 또 새로 들어온 식구들을 소개해 주셔서 수도원의 넉넉해져 있는 분위기를 읽을 기회를 만들어 주셔서 더더욱 은혜로운 시간이었습니다. 문득 시편의 작가가 고백한 한 구절이 생각납니다. "인간이 무엇이기에 이토록 기억해 주십니까? 사람이 무엇이기에 이토록 돌보아 주십니까? 신들보다 조금만 못하게 만드시고 영광과 존귀의 관을 씌워 주셨습니다."(시편8,5-6) 노자도 그의 노래 마지막 장이 여기에서 자기가 그토록 갈망하던 '도에로의 회귀적 삶'이란 어떤 것인지를 잘 말해 주고 있습니다. 노자는 하늘의 도(天道)를 궁극적인 진리, 인간이 최종적으로 돌아갈 영역으로 표현해 주고 있고, 인간의 도(人道)를 궁극적인 진리가 손상된 영역, 곧 천도로 회귀하여 손상된 영역을 회복해야만 할 부분으로 표현해 주고 있지요. 마치 천지창조 때 부여 받은 완전한 인간의 품성이 인류의 첫 조상의 그릇된 삶의 행태로 말미암아 손상되었기 때문에, 그 손상된 부분을 치유해 주시는 예수 그리스도의 사언행위(四言行爲)를 따르는 삶을 살아가야 한다는 신앙적 가르침을 보는 듯합니다.

미더운 말은 아리땁지 못하고(信言不美),
아리따운 말은 미덥지 못하며(美言不信),
선한 자는 따져들지 않고(善者不辯)
따져드는 자는 선하지 못하며(辯者不善),
아는 자는 넓어지지 못하고(知者不博),
넓은 자는 알지 못하지(博者不知).

인류의 첫 조상이 지은 '원죄(原罪)'로 말미암아서 그 후손된 인간들은 현재의 우리들에게 이르기까지 점점 더 모든 자연의 현상을 이분법적(二分法的)으로 보고, 따지고 판단하는 경향이 있어 왔고, 그 경향은 점점 더 새로운 형태로 심화되어 가는 듯한 인상을 지울 수가 없습니다. 이러한 이분법적 현상은 무엇보다도 우선적으로 상호관계에서 오는 차별성 때문이 아닐까 생각합니다. 이 차별성은 '하늘의 도'를 잊고 '인간의 도'만을 우선적 가치로 치부하는 자들의 고약한 말버릇으로부터 비롯되는 것이라고 봅니다. 이 말버릇 때문에 다툼이 생겨나고, 시기와 질투, 교만과 증오가 생겨나며 마침내는 전쟁까지 불사할 정도로 확산되고, 이 확산은 급기야 인류의 생존권까지 위협할 정도로 몹쓸 것이 되어가고 있지요.

〈잠언〉의 작가는 여기에 대해 말씀하시기를 "어리석은 자에게는 빼어난 말이 어울리지 않고, 고귀한 이에게는 거짓된 말이 더욱 어울리지 않는다."(잠언17,7)하고, 〈시편〉의 작가는 "주님, 거짓된 입술에서, 속임수 혀에서 제 목숨을 구하소서. 너 무엇을 얻으랴? 너 무엇을 더 받으랴? 전사의 날카로운 화살들을 싸리나무 숯불과 함께 받으리라."(시편120,1-6)고 노래합니다.

사실 사람들은 번지르르하고 자기를 칭찬하는 말에는 한없이 너그럽고 자비롭습니다. 그 아리땁고 번지르르한 말이 결국 자신의 삶을 망친다는 것을 알지 못하기 때문이지요. 그와는 반대로 자신에 대해 번지르르하고 아리땁지 못하게 하는 말에 대해서는 싫어하고, 심지어는 그 사람에 대해 미워하고 거리를 멀리 두기까지 합니다. 하지만 노자는 "미더운 말은 아리땁지 못하고, 아리따운 말은 미덥지 못하다."고 일갈합니다. 또 말하기를 "선한 자는 따져들지 않고, 따져드는 자는 선하지 못하다."고 말합니다. 노자가 마치 욥이 "어째서 악인들은 오래 살며 늙어서조차 힘이 더하는가?"(욥21,7)하는 말을 들은 것처럼 이야기합니다.

'미덥다(信)'는 말은 사람이 인위적으로 조작하기 이전의 인간의 상태, 곧 어린아이와 같은 참된 모습을 가리킨답니다. '아리땁다(美)'라는 말은 번지르르하게 그리고 치장하고 과장되게 하거나 혹은 꾸며낸 말을 가리키지요. 세상뿐 아니라 교회 안에서도 미더운 사람과 번지르르한 사람들을 종종 만나게 되는데, 문제는 누가 과연 참된 사람인지를 예언자 욥의 말씀처럼 가려내기가 쉽지 않다는 것입니다. 그래서 〈시편〉 작가는 말합니다.

"보복하시는 하느님, 나타나소서.
세상의 심판자시여, 일어나소서.
거만한 자들에게 그 행실대로 갚으소서.
주님, 언제까지나 악인들이 기뻐 뛰리이까?
나쁜 짓 하는 자들이 모두 지껄여 대고
뻔뻔스레 말하며 뽐냅니다.

주님, 그들이 당신 백성을 짓밟고

당신 소유를 억누릅니다."(시편94,1-4)

　뿐만 아니라 '따져들기를 좋아하는 자' 역시 교만하고 거만하기는 마찬가지가 아닐까 싶습니다. 물론 우리 사회가 너무나도 미덥지 못하면서도 겉만 번지르르하게 말하는 세상이기 때문에 그 한마디 한마디의 말이 이치에 맞고 사리에 맞는지를 따져 보아야 하겠지만, 속을 들여다보면 거기에는 모두 잘난 체하는 자신의 헛된 욕망을 드러내기 위함이 더 크게 작용하고 있지 않을까 싶습니다. 그렇기 때문에 남을 깔보고, 자신의 존재를 과시하려 드는 오만한 마음을 가지고 있기 때문이겠지요?

　또 노자는 "아는 자는 넓어지지 못하고, 넓은 자는 알지 못한다."라고 일갈합니다. 사실 '안다.', '박식하다.'라는 것은 그저 외부 대상에 대한 지식이 넓다는 것이지 하느님의 뜻과 하늘의 도에 맞갖게 사는 삶에는 아무런 가치를 부여해 주지 못하지요. 노자가 인정하는 앎 혹은 지식은 스스로의 의식을 외부로 확장해 나가는 것이 아니라, 본래부터 가지고 있었던 본질적인 자아의 의미를 체득(體得)해 나아가고 있지요. 따라서 '많이 알고 있다', '박식하다'라는 사실만을 가지고 노자가 말하는 도를 체득하고 사도 바오로가 말하는 "그리스도를 옷 입었다."(갈라3, 27)고 말할 수는 없을 것입니다.

그러므로 '언어'와 '판단'과 '지식'의 옳고 그름의 여부는 번지르르함과 잘 따짐과 많이 안다는 것에 달려 있는 것이 아니라 체득한 도를 구체적인 현실 속에서 어떻게 실행하고, 그리스도를 옷 입고 어떻게 그리스도의 삶과 맞갖게 살아가는가에 달려 있다 할 것입니다. 그런 사람을 노자는 거룩한 사람, 성인이라고 부릅니다. 우리 교회 역시 그렇게 살아간 신앙인들을 성인, 거룩한 사람이라고 부르고 있지요.

거룩한 사람은 쌓아 두지 않고(聖人不積),

다른 사람을 위하지만 자기는 더욱 남아돌고(旣以爲人, 己愈有),

다른 사람에게 주었지만 자기는 더욱 많아졌지(旣以與人, 己愈多).

하늘의 도는(天之道),

이로워서 해롭게 하지 않고(利而不害),

거룩한 사람의 도는(聖人之道),

행하면서도 다투지 않게 한다네(爲而不爭).

노자가 말하는 거룩한 사람에 대해서는 『도덕경』여기저기에서 수도 없이 말하고 있지만, 결국 하늘의 도(天道)를 받아들이고, 그 도를 살고, 다른 이들에게 실행해 보이는 사람이라고 말할 수 있을 것입니다. 마치 예수께서 "너희는 어찌하여 나를 '주님, 주님!'하고 부르면서 내가 말하는 것은 실행하지 않느냐? 나에게 와서 내 말을 듣고 그것을 실행하는 이가 어떤 사람과 같은지 너희에게 보여 주겠다."(루카 6, 46~47)하신 말씀을 통해서 우리는 어느 정도 감(感)을 잡을 수가 있지 않을까 생각합니다. 이 마지막 장을 노래하면서 노자는 결론적으로 '거룩한 사람'에 관한 자신의 견해를 이렇게 피력하고 있습니다.

"거룩한 사람은 쌓아 두지 않고,
 다른 사람을 위하지만 자기는 더욱 남아돌고,
 다른 사람에게 주었지만 자기는 더욱 많아지고,
 하늘의 도는,
 이로워서 해롭게 하지 않고,
 거룩한 사람의 도는,
 행하면서도 다투지 않게 한다네."

참으로 옳은 말이라고 생각합니다. 어찌 보면, 이 『도덕경』은 노자의 정치철학이나 경제철학쯤으로 치부할 수 있을지도 모를 일이지만, 좀더 들여다보면 인류를 사랑하는 그래서 인류의 삶이 어떠해야 하는지를 외치고 싶었던 노자의 꿈이 아니었을까 생각합니다. 노자가 꿈꾸는 세상은 쌓아 두지 않고 자기만 위하지 않고 오히려 타인을 배려하는 삶, 그렇기 때문에 서로 시비를 따지지도 않고 다툼도 없이 함께 행복하게 살아가는 꿈이 아니었을까 생각해 봅니다. '대동세상

(大同世上)', '사해동포주의(四海同胞主義)' 등등 그야말로 참된 의미에서의 '공동체적 세상(共同體的世上)'을 꿈꾸고 소망하지 않았을까 생각합니다. 이 점이 곧 성서 속에 흐르는 꿈과 서로 통할 수 있는 맥락이 아닐까 싶습니다.

〈레위기〉에서는 "나, 주 너희 하느님이 거룩하니 너희도 거룩한 사람이 되어야 한다."(레위 19, 2) 그리고 "내가 거룩하니 너희도 자신을 거룩하게 하여 거룩한 사람이 되어야 한다. 무엇이든 땅에서 우글거리며 기어다니는 것으로 너희 자신을 부정하게 해서는 안 된다."고 하였지요. 그리고 〈마태오복음〉 사가도 말하기를 "그러므로 하늘의 너희 아버지께서 완전하신 것처럼 너희도 완전한 사람이 되어야 한다."(마태 5, 48)하였는데, 이 모든 말씀은 곧 하느님의 완전성에 인간이 참여하시기를 희망하시고 그렇게 되기를 언제나 꿈꾸시는 예수님의 강렬한 열망이 아니겠나 생각합니다. 노자도 역시 '도는 하나이고(道一)', 그 '하나를 지키는(守一)' 세상이 되기를 갈망한 고대 동아시의 현자(賢者)이고 성인(聖人)이 아니었을까 싶습니다. 이렇게 보면, '하느님의 말씀'과 '도(道)'는 닮아 있고, 끝에 가서는 하나로 귀결되는 곧 완전성(完全性)으로 이어져 합해지는 '길이요 진리요 생명'이며 우리는 그 길과 진리와 생명이신 분을 통하지 않고는 아무도 하늘의 도이신 하느님께 갈 수가 없게 된 것(요한14,6)이 아니겠는가 생각해 봅니다.

수녀님, 길고도 지루했을 그리고 끝도 없이 계속해서 날아드는 못난 편지를 읽어 주시고 꼬박꼬박 답장까지 해 주시니 덕분에 저는 신명나게 여기까지 달려오지 않았나 싶습니다. 거듭 감사드립니다. 시월이라서 그런지는 몰라도 길거리에는 제법 단풍 든 낙엽들이 가을 바람에 떨어져 포도(鋪道)에 흩날리고 하늘은 또 얼마나 푸른지요. 하지만 한낮에 여전히 가을매미가 울고, 저녁노을이 곱게 타는 무렵이면 제가 사는 마당엔 반딧불이가 저마다 초롱불을 하나둘씩 켜고 온 마실을 두루 다닙니다. 그야말로 목가적이고 전원적인 풍경이지만, 그 안에서 살아가는 사람들은 오늘도 내일도 삶의 자락을 붙들고 치열하게 살아가고 있다는 생각에 가슴 뭉클하고 눈물이 왈칵 쏟아집니다. 문득 2003년에 안동교구 공동체가 한마음으로 만들어낸 '사명선언문'이 생각납니다.

"기쁘고 떳떳하게"
 우리는 이 터에서
 열린 마음으로
 소박하게 살고
 생명을 소중히 여기며
 서로 나누고 섬김으로써
 기쁨 넘치는
 하느님 나라를

일군다.

이 선언문을 보노라면, 마치 『도덕경』의 한 구절을 읽는 듯합니다. 이 선언문에 담긴 실천 방안도 역시 『도덕경』의 내용과 여러모로 많이 닮아 있다는 점에서 놀랍기도 합니다. 실천 방안은 이렇습니다.

첫째, 시대의 아픔에 동참하는 열린 교회
둘째, 성숙한 신앙인으로 가난한 이들과 함께하는 교회
셋째, 작은 것과 생명을 소중히 여기는 교회
넷째, 서로 나누고 섬기며 하느님의 뜻대로 살아가는 교회

이렇게 해서, 수녀님들의 삶도 하느님 보시기에 '기쁘고 떳떳한 공동체'가 되고, 또 안동교구가 그러한 세상에 선구자적인 역할을 할 수 있도록 기도해 주시기를 부탁드립니다.

그럼 수녀님, 이 환절의 시기에 몸도 마음도 하느님 안에서 건강하고 행복하시기를 기도합니다. 저도 이를 통하여 수녀님들과 소통할 수 있게 되어서 행복했습니다. 수녀님, 언젠가 틈이 나게 되면 한 번 들르겠습니다.

2018년 10월 2일 수호천사 기념일에

상주 청리 신앙고백비

안동교구 신청사

못다 한 남은 말

신대원 신부(안동교회사 연구소 소장)

1. 2020년 경자년(庚子年), 올해가 꼭 안동교구 사제로 서품된 지 30년을 맞이하는 해다. 돌아다보면 지지리도 못난 인생인데도 잘난 체하면서 내디딘 발자국마다엔 우리를 내신 분의 은총의 손길이 아니 밴 곳이 없었다. 삶의 고비 때마다 눈 맞을세라, 비 맞을세라 따스하게 감싸 안아 주신 그분의 안온한 품이 아니었더라면 30년이라는 세월, 아니 나의 온 생애가 여기까지 어찌 견뎌 내며 걸어왔을까 싶다. 하여 어설픈 생각과 어눌한 글솜씨로 30년이라는 더딘 걸음걸이를 절뚝거리며 더러는 휘뚝거리며 걸어올 수 있도록 힘을 주시고 용기를 주신 그분께 감사드리는 마음으로, 그리고 나와 함께 같은 길을 가는 도반(道伴)들에게도 고마운 말씀을 전하기 위해서 『도덕경 편지』라는 형

태에 의지하여 주제넘을 일이겠지만 내 속의 생각과 마음을 드러내고 싶었다.

2. 사실을 말하자면, 『도덕경 편지』라는 어쭙잖은 글을 쓰게 된 배경은 따로 있다. 몇 년 전 상주 '맨발의 가르멜 여자 수도원'에서 소임을 맡아 살 때였다. 그곳 수녀님들이 "노자의 『도덕경』에 대해 알고 싶으니 적당한 번역본을 소개해 달라."고 하였다. 나는 수녀님들이 원하는 뜻이 무엇인지를 알기에 "그리하겠노라."고 약속을 하였다.

그리고 얼마 있지 않아서 수녀님들은 또 나에게 "그러면 신부님, 『도덕경』의 내용을 풀이해 줄 수는 없겠습니까?"라고 부탁하였다. 하지만 시간이 지나고 세월이 지나도록 그 약속을 지키지 못하고 나는 그곳을 떠나 새로운 소임지로 이동하고 말았다.

그리고는 수녀님들에게 가슴속에 커다란 빚을 진 것만 같아서 내내 가슴앓이를 하며 살았었다.

그러다가 수녀님들과의 약속을 지키려는 마음의 부담만 안은 채 이곳저곳을 헤매다가, '차라리 못난 인생이지만 내가 한 번 번역하고 또 내가 생각하는 것들을 수녀님들께 보내 드려야겠다.'는 기특한 발상을 하게 된 것은 봉화의 우곡성지에서 한 해를 보낼 즈음이었다. 편지로써 수녀님들과의 지키지 못한 약속을 지키고 싶다는 것도 있었겠지만, 아닌 게 아니라 나도 한 번 꼭 노자라는 양반을 만나고 싶었는데 때마침 수녀님들의 바람과 맞물려 내 가슴에 그러한 열망의 불을 지피고 만 것이다. 그 양반, 노자가 걸어간 길을 길들지 않은 어설픈 더듬이로 더듬거리며 조금씩 찾아 나서고, 걸어온 길에 흩날리는 어지러운 발자국들의 편린들을 모아 가르멜 수녀님들께 보내기를 벌써 몇 해가 흘러가고 있었다.

3. 그 양반, 노자가 휘갈겨 놓은 글에는 온통 '도(道)'에 관한 것뿐이었으며 가끔 가다가 '덕(德)'이라는 글자도 보였다. '도와 덕', 합쳐서 '도덕'이란 우리 시대에 무엇을 의미하는가? 이러한 생각까지 이르자 나는 더욱 그를 기어이 만나야겠다는 강한 의지를 불태우기 시작하였다. 수녀님들에게 진 빚도 빚이지만 그것보다도, 내가 먼저 그를 보고 싶은 것은 궁금증 같은 욕망이 도진 때문이 아니겠는가? 그리하여 나는 그 자를 만나서 도대체 그 놈의 '도란 무엇인가?' 라고 묻고 따져 보고 싶었다. 할 수 있다면 밤새 술잔이라도 함께 기울여 가면서라도 그렇게 하고 싶었다. 그럴 때쯤이면 '몰라!'하며 또 하늘만 쳐다보는 그의 모습을 이마 위로 그려 보기도 했다. 그렇게 건방지게 툭 물어 본다는 것이 어리석은 짓인 줄 알면서도 혹시나 하는 마음으로 기다리면서 그의 눈치를 이리저리 살피기를 몇 해였던가?

4. 그와 나 사이에 벌어져 있는 세월이며 삶의 간극이 천변만화(千變萬化)로 흘렀고, 이제는 '상전벽해(桑田碧海)'가 되어 버렸다는 걸 알지만 어찌 하겠는가? 시간의 흐름과 공간의 움직임은 덧없어도 여전히 거기나 여기나 모두 사람이 사는 세상인건 매한가진 걸! 천지지간에 인간은 그저 보잘것 없는 한 줌 모래 알갱이에 지나지 않은가? 하지만 그 삶이 마냥 초라한 것만은 아니라는 걸 나는 안다. 더는 초라해지지 않기 위해서라도 우리가 걷는 길을 앞서 걸어갔고, 저만치 걸어서 손짓하는 노자라는 양반을 우리는 기어코 만나야 할 당위성을 가지고 있다. 세상이 점점 애매한 쪽으로 흘러가는, 가면 갈수록 "나는 꼭 그를 한번은 만나야 할 것이다."라고 힘주어 말하고 싶었다. 적어도 점점 암울해져 가는 이 시점에서 나는 그리 여긴다.

－도(道)－

어느덧 노자의 눈가엔 이슬 같기도 하고 비늘 같기도 한 것이 맺혀 있음을 절감한다. 그 이슬이 석양에 비쳐서 가끔씩 영롱하게 반짝였다. 그는 내가 간절히 원하는 바를 무심하게도 묵살해 버리는 듯하였다. 얼마나 시간이 흘렀을까? 그 양반은 느닷없이 허공에다 혼잣말로 무어라 중얼거린다. 그 목소린 아주 느린, 게다가 중저음이었지만 매우 또렷하게 내 귓전을 때리며 지나갔다.

"도가도비상도(道可道非常道)

명가명비상명(名可名非常名)"

이 목소리는 마치 모세가 호렙산에 올라가서 소명을 받을 때, 하느님께서 "나는 있는 나다."(탈출3,14)라고 당신의 신원을 밝히실 때 건네시는 말씀과도 꼭 닮아 있다고 여겨지면서 비수처럼 나의 뇌리에 꽂혔다. 알 듯 모를 듯한 그래서 더욱 불가사의(不可思議)한 '도'의 관념에 관한 노자의 설명이 모세에 대한 하느님의 말씀과 어찌 그리도 닮아 있는지!

5. 수녀님들에게 보낸 이 『도덕경 편지』는 2011년 4월부터 2018년 10월 초순까지 매달 한 차례 혹은 두 차례 적어 보냈으니, 어찌 보면 강의 원고라기보다는 차라리 수녀님들께 보내는 일기(日記) 아니 월기(月記)쯤으로 해 두고 싶다. 사실이 이러함에도 불구하고, 『도덕경』 81장을 편지로 다 적어 보내고 난 뒤, 나의 욕심은 엉뚱한 데서 발생하게 되었다. 못난 졸고지만 이것을 뭇사람들과 나누고 싶다는 생각을 감히 떠올려 본 것은 가르멜의 수녀님들이 "이것을 책으로 내실 건가요?"라고 물어 올 때부터였다. 하지만 이것을 어떻게 지인이나 타인들과 나누어 볼 것인가에 대해서는 딱히 생각으로 정리해 본 것은 아니

었기 때문에 그 방법을 찾아내기란 그리 녹록지만은 않을 것이라 여겨졌다.

누군가는 출판사에 맡겨 책으로 묶어 내면 어떻겠느냐고 제안을 해 왔지만, 지금의 시대에 출판업계도 사람들이 책을 읽지 않고 있고, 이른바 'SNS'에 온통 정신줄을 매달고 있는 현실이기 때문에 유래 없는 불황을 맞이하고 있다는 것쯤은 뻔히 알고 있는 터라 이 졸고를 책으로 묶어 낸들 누가 신명나게 읽어 주겠는가 싶기도 하다. 그런 출판업계의 곤궁에 대해서 누구보다도 잘 알고 있었지만, 그래도 혹시나 하는 마음에 몇 군데 의사 타진을 해 보았다 하지만 역시나 돌아오는 것은 모든 비용을 전적으로 감당할 수 있겠느냐는 부정적인 전갈뿐이었다. 해서 그렇다면 정식으로 출판업계에 요청하는 것은 그만두고, 다만 몇 권의 책으로 묶어 이왕지사에 지인들과 나누어 보고자 결정하고 나니 한결 마음이 가벼워지고 편해졌다.

6. 이쯤해서 지인들과 나누어 보기로 한 이상, 적당한 이유를 찾아야 하지 않을까? 해서 찾아낸 이유가 이것이다. 2020년은 필자가 사제로 살겠다고 다짐을 하고 서품된 지 꼭 30년이 되는 해다. 『논어. 위정』에 "三十而立"이라는 말이 있다.

자기 나이 서른이면 자신의 입장이나 뜻, 사상이나 신앙을 스스로 돌아보고 밝힐 때가 되었다는 이야기다. 그렇다면 어느덧 사제생활 삼십 년을 맞이하였으니 나도 '본립도생(本立道生)'『논어. (학이)』의 심정으로 스스로 내가 생각한 것들을 드러낼 때가 되지 않았을까? 하는 용기를 내게 되었다. 이쯤 되면, 지인들과 나누어 보기로 한 것은 어쩌면 이 글을 세상에 드러내 놓기 위한 변명이 아닐까 싶기도 해서 머쓱해진다. 하지만 머쓱해도 좋고 변명에 불과한 것이라고 손가락질을 해도 좋다. 그것이 무엇이 되었든 "몇몇 지인들과 나누어 보면 좋지 않겠는가?"라는 데에 뜻을 세우고 용기를 내었다.

7. 바쁘신 가운데서도 선뜻 용기를 듬뿍 담아 추천서를 적어 보내 주신 교구장 권혁주 주교님께 깊은 존경과 감사를 드리며, 서문 원고를 수락해 주시고 귀한 옥고를 보내 주신 한국외방선교회 김병수 신부님께도 깊은 사의를 보내 드린다.

그리고 아동문학가 이춘희 선생과 윤일숙 사장의 조언과 이 원고가 세상에 나올 수 있도록 정성을 다해 출판에 임해 주신 대구 동명기획 출판사 정상국 대건안드레아 사장께도 감사를 드린다. 아울러 긴 시간 동안 단 한 번도 싫증을 내지 않고 읽어 주신 상주 가르멜 여자 수도원의 모든 수녀님들께도 감사하다는 말을 전하고 싶다.

수녀님들이 아니었으면 이 원고가 세상에 나오지 못했을 것이기 때문이다. 그리고 무엇보다도 길다면 길고 짧다면 짧은 사제생활 삼십 년의 시간 속에서 함께 같은 길을 걸어온 안동교구 사제단, 그 가운데서도 나의 도반(道伴) 김도겸 신부와 정진훈 신부 그리고 여러 교구에서 이렇게 저렇게 살아가는 81학번 동창생들, 또한 특별히 나를 낳아 주시고 길러 주시고 여태까지도 변함없이 지원해 주시고 기도해 주셨는데, 뜻하지 않는 병고로 병석에 누워 계시는 사랑하는 나의 어머니 이 테클라 여사께도 이 보잘것 없는 글을 바친다.

2020년 1월 21일 경자년 아녜스 성녀 축일에